# Hernandes Dias Lopes

# APOCALIPSE
## O FUTURO CHEGOU
As coisas que em breve devem acontecer

hagnos

© 2005 Hernandes Dias Lopes

1ª edição: julho de 2005
17ª reimpressão: julho de 2022

Revisão
Bethania Fonseca
Kerigma

Diagramação
B. J. Carvalho

Capa
Claudio Souto

Editor
Aldo Menezes

Coordenador de produção
Mauro Terrengui

Impressão e acabamento
Imprensa da Fé

As opiniões, as interpretações e os conceitos emitidos nesta obra são de responsabilidade do autor e não refletem necessariamente o ponto de vista da Hagnos.

Todos os direitos desta edição reservados à
Editora Hagnos Ltda.
Av. Jacinto Júlio, 27
04815-160 — São Paulo, SP
Tel.: (11) 5668-5668

E-mail: hagnos@hagnos.com.br
Home page: www.hagnos.com.br

Editora associada à:

**Dados Internacionais de Catalogação na Publicação (CIP)**
**(Câmara Brasileira do Livro, SP, Brasil)**

Lopes, Hernandes Dias

Apocalipse: O futuro chegou. As coisas que em breve devem acontecer; Hernandes Dias Lopes. — São Paulo, SP: Hagnos 2005. (Comentários Expositivos Hagnos).

ISBN: 85-89320-75-8

1. Bíblia N.T. Apocalipse - Comentários I. Título II. Série

05-4619                                                                                   CDD 228.07

**Índices para catálogo sistemático:**
1. Apocalipse: Comentários 228.07

**Dedicatória**

Dedico este livro aos meus pais, Francisco Dias Lopes e Alaide de Souza Lopes, ambos de saudosa memória, pelo grande investimento que fizeram em minha vida. Meu pai foi meu amigo, meu incentivador, meu conselheiro. Minha mãe foi uma mulher simples, sábia, abnegada, que se dispôs a morrer para que eu pudesse nascer. Ela foi minha intercessora, amiga e conselheira. Meus pais me ensinaram a dar os primeiros passos na fé e me incentivaram a buscar uma vida abundante em Cristo Jesus.

# Sumário

*Prefácio* .................................................................. 7
*Introdução* ............................................................. 11
1. A majestosa apresentação do Noivo da Igreja
   (Ap 1:1-20) ......................................................... 31
2. O Noivo da Igreja andando no meio da Igreja
   (Ap 2—3) ............................................................ 49
3. Uma mensagem do Noivo à sua Noiva
   (Ap 2:1-7) ........................................................... 57
4. Como ser um cristão fiel até à morte
   (Ap 2:8-11) ......................................................... 71
5. O perigo de a igreja misturar-se com o mundo
   (Ap 2:12-17) ....................................................... 85
6. Uma Igreja debaixo do olhar investigador de Cristo
   (Ap 2:18-29) ....................................................... 97
7. Reavivamento ou sepultamento
   (Ap 3:1-6) ......................................................... 109
8. Igreja, olhe para as oportunidades e não para os
   obstáculos (Ap 3:7-13) ...................................... 123
9. Uma convocação urgente ao fervor espiritual
   (Ap 3:14-22) ..................................................... 133
10. O trono de Deus, a sala de comando do universo
    (Ap 4:1-11) ....................................................... 145
11. Para onde caminha a história?
    (Ap 5:1-14) ....................................................... 157
12. A abertura dos sete selos
    (Ap 6:1-17) ....................................................... 167
13. As glórias da igreja na glória
    (Ap 7:1-17) ....................................................... 181
14. As trombetas começaram a tocar
    (Ap 8:1-13) ....................................................... 193

15. A cavalaria do inferno
    (Ap 9:1-12) .................................................. 205
16. O Juízo de Deus sobre os ímpios
    (Ap 9:13-21) ................................................ 219
17. O prelúdio da sétima trombeta
    (Ap 10:1-11) ................................................ 229
18. A igreja selada, perseguida e glorificada
    (Ap 11:1-19) ................................................ 239
19. O dragão ataca a igreja
    (Ap 12:1-18) ................................................ 251
20. O anticristo, o agente de Satanás
    (Ap 13:1-18) ................................................ 263
21. A glorificação dos salvos e a condenação dos ímpios
    (Ap 14:1-20) ................................................ 277
22. A preparação para as taças da ira de Deus
    (Ap 15:1-8) .................................................. 289
23. Os sete flagelos da ira de Deus
    (Ap 16:1-21) ................................................ 299
24. Ascensão e queda da grande meretriz
    (Ap 17:1-18) ................................................ 307
25. As vozes da queda da Babilônia
    (Ap 18:1-24) ................................................ 319
26. Os céus celebram o casamento e a vitória
    do Cordeiro de Deus (Ap 19:1-21) ............... 329
27. O milênio e o juízo final
    (Ap 20:1-15) ................................................ 337
28. As bênçãos do novo céu e da nova terra
    (Ap 21:1-8) .................................................. 355
29. O esplendor da Nova Jerusalém, a noiva do
    Cordeiro (Ap 21:9-22; 22:1-5) ..................... 367
30. Os desafios dos cidadãos da Nova Jerusalém
    (Ap 22:6-21) ................................................ 375

*Notas* ................................................................ 383

# Prefácio

PARA NÓS CRISTÃOS é uma verdadeira dificuldade separar a obra do autor. Quando se trata de um livro secular a tarefa não é tão árdua assim. Desde que o autor, independentemente da vida que leva, consiga cumprir aquilo que prometeu, nós podemos nos dar por satisfeitos. Até dizemos que a graça comum o usou! Porém, quando alguém se propõe a escrever uma obra eminentemente cristã e que trata de modo especial do conteúdo das Sagradas Escrituras é impossível desvincular o autor da obra literária. Todos queremos saber se sua vida exemplifica o que diz ser verdadeiro. Sua integridade imprime um necessário selo na sua obra. As portas do coração são abertas para a recepção da verdade por parte dos que conhecem a autenticidade do testemunho pessoal do escritor. Nas próprias linhas algo dessa santidade de vida transparece. Falar do cristianismo requer não apenas intelecto, mas coração. Há verdades cujo conteúdo mais profundo só se revela aos limpos de coração.

Ler um livro do reverendo Hernandes Dias Lopes, conhecendo o autor de antemão, é o melhor estimulo para imergir nas suas linhas. Hernandes é um homem bom. Crê no que prega e exemplifica com sua vida as doutrinas que defende. Trata-se de uma pessoa amável, humilde e íntegra. Nos últimos dois anos tive a oportunidade de conhecê-lo melhor ao ser convidado para pregar em retiros da sua igreja. Os seguintes fatos me impressionaram: primeiro, o seu amor pela igreja que transparece na forma como trata seus irmãos na fé e nas horas em que se dedica a eles em trabalhos de aconselhamento pastoral. Segundo, uma família que sob sua amorosa autoridade de pai e marido serve alegremente ao Senhor nosso Deus. Terceiro, a conversação santa, piedosa e cheia de sabedoria espiritual. Quarto, o fato de que devo ter pregado nesses retiros pelo menos oito vezes e em todas pude vê-lo humildemente sentado, ouvindo um pregador mais jovem e bem menos conhecido do que ele no cenário nacional. Em todas as minhas mensagens observei um homem interessado na verdade e visivelmente movido pelo conteúdo da Palavra de Deus. Hernandes é um grande amigo. Daqueles em que confio inteiramente. Prefaciar o seu livro, portanto, é uma honra.

Esta sua obra sobre o livro de Apocalipse revela as qualidades que são encontradas na sua própria vida. Trata-se de um trabalho literário repleto do conteúdo do evangelho, sério, espiritual, claro e repleto de aplicações práticas para o atual momento do protestantismo brasileiro. Quem ler suas páginas certamente conhecerá de modo bastante transparente o conteúdo de um dos livros mais difíceis de se comentar de toda a Escritura Sagrada. Creio que nos seus sermões sobre o livro de apocalipse o reverendo Hernandes Dias Lopes trouxe para o público brasileiro uma ótima porta de entrada para o conhecimento do último livro da Bíblia e estudo da doutrina das últimas coisas: escatologia.

Conhecer a doutrina das últimas coisas é fundamental para nossa vida. Prepara-nos para o que inevitavelmente acontecerá na história da humanidade, faz-nos lembrar nesse mundo aparentemente desprovido de sentido que a história está nas mãos do Deus soberano, alegra-nos ao falar sobre o descanso eterno dos santos e estimula-nos para a luta ao revelar que o Cristo que nos chama para pregar o evangelho para o mundo que o crucificou dirige pela sua providência todos os fatos da vida em favor do seu povo eleito.

Sei que esta obra não o decepcionará. Como também você não sairá decepcionado após conhecer e ouvir o reverendo Hernandes Dias Lopes pregar. E que Deus pela sua infinita misericórdia preserve a vida de tão estimado ministro do seu evangelho, que nesses tempos de descrédito do papel do ministro, tem preservado a integridade do trabalho pastoral com o seu bom testemunho.

Reverendo Antônio Carlos Costa
Rio de Janeiro, 8 de julho de 2005

# Introdução

WILLIAM HENDRIKSEN, AUTOR de um dos melhores comentários do livro de Apocalipse, diz que este livro é incomparavelmente formoso. Formoso em estilo, em propósito e em significado.[1] Henrietta Mears diz que, de certo modo, Apocalipse é o livro mais notável de todo o cânon sagrado.[2] Apocalipse não está desconectado do restante da Bíblia. Ao contrário, faz uso frequente do Antigo Testamento. H. Barclay Swete calculou que dos 404 versículos do texto do Apocalipse, 278 contêm referências às Escrituras judias.[3]

O livro de Apocalipse trata do triunfo de Jesus e de sua igreja. Este livro mostra que a história não caminha para o caos nem está dando voltas cíclicas, mas avança para um fim glorioso, a vitória completa de Cristo e da sua igreja.[4] O povo de Deus precisa confiar que o seu Cristo vive e reina eternamente. Ele é quem governa o mundo a favor da sua igreja. Ele voltará para buscar a sua igreja, para morar com Ele para sempre em um universo novo.

O propósito deste estudo não é nos aproximarmos deste livro com curiosidade frívola, como se estivéssemos com um mapa profético nas mãos para investigar fatos históricos acerca do fim. Ao contrário, esse livro nos foi dado com propósitos morais e espirituais. O estudo de Apocalipse incentiva-nos à santidade, encoraja-nos no sofrimento e nos leva a adorar Àquele que está no trono (2Ped 3:12). Muitos curiosos têm se levantado ao longo dos séculos para explorar o aspecto sensacionalista das profecias com respeito ao tempo do fim. No século 16 o médico e astrônomo francês Nostradamus escreveu suas "centúrias". No ano de 1997, o repórter Michael Drosnin publicou "O Código da Bíblia", explorando com a ajuda do computador, as 304.805 letras hebraicas da Torá ou Pentateuco, colocando-as em fileiras e lendo-as em diversas direções, semelhante a um "caça-palavras".[5]

Aqueles que se aproximam do livro de Apocalipse com uma obsessão escatológica, perdem a sua mensagem. O livro é prático e revela-nos: 1) A certeza de que Jesus tem o total controle da igreja; 2) Jesus tem o total controle da História; 3) A perseguição do mundo e do Diabo não podem destruir a igreja; 4) Os inimigos que perseguem a igreja serão vencidos; 5) Os inimigos de Cristo terão que enfrentar o juízo de Deus ao mesmo tempo que a igreja desfrutará da bem-aventurança eterna.

O propósito principal do livro de Apocalipse é confortar a igreja militante em seu conflito contra as forças do mal. O livro está cheio de consolações para os crentes afligidos. A eles é dito: Que Deus vê suas lágrimas (7:17; 21:4); suas orações produzem verdadeiras revoluções no mundo (8:3-4); sua morte é preciosa aos olhos de Deus (14:13); sua vitória é assegurada (15:2); seu sangue será vingado (6:9; 8:3); seu Cristo governa o mundo em seu favor (5:7-8) e seu Cristo voltará em breve (22:17).

## O tema do livro de Apocalipse

O tema do livro de Apocalipse é a vitória de Cristo e de sua igreja sobre Satanás e seus seguidores (17:14). A intenção do livro é mostrar que as coisas não são como parecem ser. O Diabo, o mundo, o anticristo, o falso profeta e todos os ímpios perecerão, mas a igreja, a noiva do Cordeiro, triunfará. Cristo é sempre apresentado como vencedor e conquistador (1:18; 5:9-14; 6:2; 11:15; 12:9-11; 14:1,14; 15:2-4; 19:16; 20:4; 22:3). Jesus triunfa sobre a morte, o inferno, o dragão, a besta, o falso profeta, a Babilônia e os ímpios.

A igreja perseguida ao longo dos séculos, mesmo suportando martírio, é vencedora (7:14; 22:14; 15:2). Os juízos de Deus mandados para a terra são uma resposta Dele às orações dos santos (8:3-5).

O livro de Apocalipse pode ser sintetizado em dez características básicas:

1. *É um livro centrado na Pessoa de Cristo* – Este livro magnifica a grandeza e a glória de Cristo. É

a revelação de Jesus, da sua glória, majestade e triunfo, e não simplesmente a revelação de eventos futuros.

2. *É um livro aberto* – João recebeu a ordem para não selar este livro (22:10), porque o povo de Deus necessita da mensagem que ele contém. Ele deveria ser lido nas igrejas em voz alta, em culto público (1:3).

3. *É um livro cheio de símbolos* – Este livro é claro para uns e misterioso para outros. Os símbolos eram janelas abertas para os salvos e fechadas para os ímpios.

4. *É um livro de profecia* – Este livro é uma profecia (1:3; 22:7,10,18-19) que assegura a vitória de Cristo e da igreja sobre todos os seus adversários, num tempo em que a igreja estava sendo perseguida. Apocalipse nasceu num berço de aflição.

5. *É um livro com uma bênção completa* – Este livro fala de sete bem-aventuranças e sete é o número completo (1:3; 14:13; 16:15; 19:9; 20:6; 22:7; 22:14).

6. *É um livro de juízos e condenações* – Charles Erdman diz que o livro de Apocalipse jamais procura ocultar o lado sombrio do quadro que pinta. Menciona-se "o Cordeiro que foi morto", mas igualmente "a ira do Cordeiro". Há um "rio de água da vida" e também um "lago de fogo".[6]

7. *É um livro relevante* – Este livro trata das coisas que em breve devem acontecer (1:3), porque o tempo está próximo (1:3). Veja também (22:7,10,12,20). Breve aqui não é imediatamente, mas pronto. Deus

não mede o tempo como nós (2Pe 3:8). Ninguém sabe o tempo da volta de Cristo, por isso, precisamos estar preparados.
8. *É um livro majestoso* – Apocalipse é o livro do Trono. A palavra *trono* aparece 46 vezes no livro. Este livro magnifica a soberania de Deus. Cristo é apresentado em sua glória e domínio. Apocalipse é um livro de poesia e louvor. Os anjos, a igreja, a natureza e todo o cosmos engrandecem e exaltam Àquele que está no trono.
9. *É um livro universal* – João vê nações e povos (10:11; 11:9; 17:15) como parte do programa de Deus. Ele também vê a sala do trono no céu e ouve vozes vindas dos confins do universo.
10. *É um livro apoteótico* – Apocalipse é o clímax da Bíblia. Tudo que começou em Gênesis irá se completar e se consumar em Apocalipse. Jesus é o alfa e o ômega. Tudo o que Ele começa, Ele termina gloriosamente.

## Os destinatários do livro de Apocalipse

Apocalipse foi inicialmente endereçado aos crentes que estavam suportando o martírio na época do apóstolo João. Houve grandes perseguições nos primeiros séculos contra a igreja. Muitos imperadores romanos perseguiram cruelmente a igreja tais como Nero (64 d.C.), Domiciano (95 d.C.), Trajano (112 d.C.), Marco Aurélio (117 d.C.), Sétimo Severo (fim do segundo século), Décio (250 d.C.) e Diocleciano (303 d.C.).[7] Este livro, porém, foi destinado não apenas aos seus primeiros leitores, mas a todos os crentes, durante esta inteira dispensação,[8] que vai da primeira à segunda vinda de Cristo.

O livro de Apocalipse foi enviado às sete igrejas da Ásia Menor. O número sete é um número importante neste livro. Adolf Pohl diz que o número sete não é apenas portador de um valor numérico, mas também simbólico.[9] Ele aparece cinquenta e quatro vezes. O livro fala de sete candeeiros, sete estrelas, sete selos, sete trombetas, sete taças, sete espíritos, sete cabeças, sete chifres, sete montanhas. O número sete significa completo, total. Havia mais de sete igrejas na Ásia Menor. Mas quando Jesus envia carta às sete igrejas, significa que Ele envia sua mensagem para toda a igreja, em todos os lugares, em todos os tempos. Edward McDowell, corrobora, escrevendo:

> As sete igrejas são *representativas* das demais igrejas na província da Ásia e, possivelmente, em todo o Império Romano. Procurando aplicar as grandes verdades espirituais do Apocalipse à era atual, não será demais dizer que estas igrejas são representativas das igrejas de hoje.[10]

Os dispensacionalistas entendem que as sete igrejas representam tipos de igrejas que têm existido por toda a história da igreja. Entendem que elas simbolizam os característicos distintivos e desenvolvimentos históricos dentro da cristandade, durante as sucessivas eras da história eclesiástica, a saber: Éfeso, a igreja apostólica que trabalhava arduamente; Esmirna, a igreja pós-apostólica que foi duramente perseguida; Pérgamo, a igreja crescentemente mundana de depois do imperador Constantino, que virtualmente fez do Cristianismo a religião oficial de

Roma; Tiatira, a igreja corrupta da Idade Média; Sardes, a igreja da Reforma, com sua reputação de ortodoxia, mas ausência de vitalidade espiritual; Filadélfia, a igreja dos reavivamentos modernos e dos empreendimentos missionários globais; Laodiceia, a igreja contemporânea que tem ficado morna por causa da apostasia e da abastança.[11]

Não há, porém, nenhuma indicação nas sete igrejas que elas representem esses sete períodos sucessivos da história da igreja. Cremos que essa interpretação dispensacionalista esteja equivocada. João, na verdade, escolheu estas sete igrejas para que elas servissem de representantes da igreja toda. O Apocalipse era e é para toda a igreja.

Este livro é destinado a todos os cristãos em todos os tempos. Não podemos limitá-lo à visão preterista nem à visão futurista. Ele é um livro encorajador para todos os cristãos, em todos os tempos, de todos os lugares.

## A interpretação do livro de Apocalipse

Há três escolas principais de interpretação do livro de Apocalipse:

Em primeiro lugar *temos a interpretação preterista*. Segundo essa escola, tudo o que é profetizado no livro de Apocalipse já aconteceu.[12] George Ladd diz que do ponto de vista preterista a Roma imperial era a besta do capítulo 13 e a classe sacerdotal asiática que incentivava o culto a Roma era o falso profeta.[13] O livro narra apenas as perseguições sofridas pela igreja pelos judeus e imperadores romanos. O livro cumpriu seu propósito de fortalecer e encorajar a igreja do primeiro século. Essa escola falha em não ver o livro como uma mensagem profética, pertinente a toda a história da igreja.

Em segundo lugar *temos a interpretação futurista*. Tudo o que é profetizado no livro a partir do capítulo 4 tem a ver com os últimos dias, sem nenhuma aplicação na história da igreja. O ponto de vista futurista divide-se em duas correntes: a moderada, ou pré-milenismo histórico e a extrema, ou pré-milenismo dispensacionalista. Embora haja grandes divergências de interpretação entre essas duas vertentes hermenêuticas, elas concordam que o propósito do livro de Apocalipse é descrever a consumação do propósito redentor de Deus no fim dos tempos.[14] Essa escola não faz justiça ao livro, que foi uma mensagem atual, pertinente e poderosa para todos os crentes em todas as épocas. A escola futurista esvazia o caráter consolador deste livro para os crentes primitivos. Um dos aspectos mais vulneráveis da interpretação futurista é que ela relega ou transfere o Reino para o futuro. A verdade incontroversa das Escrituras é que já fomos feitos um reino; o reino já veio. Diz Martyn Lloyd-Jones:

> A igreja faz parte do reino; já estamos no reino. Não é correto relegar o reino ou transferi-lo para o futuro. O reino de Deus já se acha presente e o reino de Deus está vindo. Está ainda por vir de forma visível, externa, mas já está aqui. O reino de Deus está onde Cristo reina, e Ele reina nos corações de todo o seu povo. Ele reina na Igreja, a verdadeira Igreja, a Igreja invisível, a Igreja espiritual.[15]

Em terceiro lugar *temos a interpretação histórica*. Este método encara o Apocalipse como uma profecia simbólica de toda a história da igreja até a volta de Cristo e o fim dos tempos.[16] Assim, o livro de Apocalipse é uma profecia da história do Reino de Deus desde o primeiro advento de Cristo até o segundo advento.[17] O livro é rico em símbolos, imagens e números: ele está dividido em sete seções paralelas progressivas: sete candeeiros, sete selos, sete trombetas e sete taças. Simon Kistemaker diz que o paralelismo expresso nos três grupos (selos, trombetas e taças) sugere que o escritor não está apresentando uma sequência cronológica, mas, sim, diferentes aspectos dos mesmos eventos. Diz ainda Kistemaker que isso ainda é mais enfático quando notamos as frequentes referências indiretas e diretas ao juízo final (1:7; 6:16; 7:17; 11:18; 14:15,16; 16:17-21; 19:11-21; 10:11-15).[18] Agostinho, os Reformadores, as confissões reformadas e a maioria dos grandes teólogos seguiram essa linha.

Há três grandes correntes de interpretação do livro de Apocalipse:

## 1. A corrente pós-milenista

Os pós-milenistas ensinam que a segunda vinda de Cristo se seguirá a um longo período de retidão e paz, chamado milênio. Robert Clouse citando Loraine Boettner, ilustre representante do pós-milenismo, diz: "o milênio se encerrará com a segunda vinda de Cristo, a ressurreição e o julgamento final. Em suma, os pós-milenistas apresentam um reino espiritual nos corações dos homens".[19] O pós-milenismo crê que o mundo vai ser cristianizado e que teremos um grande e poderoso reavivamento, produzindo um crescimento espantoso da igreja a ponto da terra encher-se do conhecimento do

Senhor como as águas cobrem o mar (Hc 2:14). Martyn Lloyd-Jones diz que os pós-milenistas creem que para o fim da era cristã, haverá um período de bênçãos inusitado e especial, o qual ofuscará tudo o que lemos em Atos capítulo 2. Haverá, dizem, uma tão tremenda profusão do Espírito Santo, levando a uma atividade missionária e evangelística tal, que a maioria das pessoas na face da terra será convertida e se tornará cristã.[20] Russell Shedd diz que as raízes do pós-milenismo são reconhecíveis nas ideias de Ticônio e Agostinho.[21] Essa corrente foi forte nos séculos 17, 18 e 19, quando as missões estavam em franca expansão. O pós-milenismo foi o ponto de vista defendido praticamente por todos os grandes protestantes e comentaristas evangélicos conservadores durante o século 19.[22] Homens como Jonathan Edwards, Charles Hodge e Benjamim Warfield, os famosos teólogos do Seminário de Princeton, foram defensores do pós-milenismo. Muitos missionários foram influenciados por esta interpretação, e muitos hinos missiológicos foram escritos inspirados por esta visão.

Essa corrente, contudo, deixa de perceber que antes da vinda de Cristo estaremos vivendo um tempo de crise e não um tempo de despertamento espiritual intenso e universal. Devemos rejeitar essa corrente. Parece-nos que o otimismo incontido dos mestres do pós-milenismo desfez-se no dramático realismo do século 20, com duas sangrentas guerras mundiais e o mundo sendo abocanhado pelo comunismo ateu. Millard Erickson interpreta corretamente quando diz que o forte declínio da popularidade do pós-milenismo é resultado mais das considerações históricas do que exegéticas. Diz ainda Millard que hoje os pós-milenistas são uma espécie extinta ou em perigo.[23] Penso que Martyn Lloyd-Jones tocou no cerne da fraqueza do pós-milenismo, quando disse:

> A dificuldade que pessoalmente encontro no ponto de vista pós-milenista é que parece haver um ensino tão claro nas Escrituras que longe de haver uma era áurea perto do fim, haverá um tempo de grande tribulação, quando a Igreja será sujeitada a terríveis provações, e haverá pavorosa e terrível guerra. Aliás, existe um versículo, uma declaração, que, até onde a compreendo, é suficiente para eliminar o ponto de vista pós-milenista. É Lucas 18:8, onde nosso Senhor diz: "Contudo, quando vier o Filho do homem, achará, porventura, fé na terra?" E fé ali significa *a* fé [...]. Sinto, pois, que sobre tais bases não posso aceitar a interpretação pós-milenista.[24]

O pós-milenismo não é literalista no que diz respeito à duração do milênio: o milênio é um período longo de tempo, não necessariamente mil anos medidos pelo calendário. O milênio terminará com a segunda vinda de Cristo, em vez do começar com ela.[25]

## 2. A corrente pré-milenista

Ensinam os pré-milenistas que a segunda vinda de Cristo não seguirá, mas precederá o milênio. O pré-milenismo foi a posição oficial da Igreja Primitiva até o quarto século.[26] Os pais da Igreja como Justino, o mártir, Tertuliano, Lactâncio, Papias, Irineu e Hipólito, escreveram sobre a tribulação pela qual a igreja passaria. George Ladd, ilustre representante do pré-milenismo Histórico, resume o período patrístico dizendo que cada pai da igreja que trata do assunto prevê que a igreja sofrerá às mãos do anticristo, mas Cristo a salvará mediante a sua volta no fim da tribulação, quando, então, destruirá o anticristo, livrará sua igreja e trará o mundo ao fim e inaugurará seu reino milenar.

Robert Clouse diz que durante o século 19 o pré-milenismo atraiu novamente ampla atenção. John Nelson Darby (1800-1882), líder dos irmãos Plymouth articulou a perspectiva dispensacionalista do pré-milenismo. Descreveu a vinda de Cristo antes do milênio, consistindo de dois estágios: o primeiro, um arrebatamento secreto removendo a igreja antes da Grande Tribulação devastar a terra; o segundo, Cristo vindo com seus santos para estabelecer o reino. No momento de sua morte, Darby havia deixado quarenta volumes de escritos e uns mil e quinhentos congressos realizados ao redor do mundo. Através de seus livros, que incluem quatro volumes acerca de profecia, o sistema de dispensações foi levado a todo o mundo de língua inglesa.[27]

Um dos maiores fatores para o crescimento do dispensacionalismo no meio evangélico foi a Bíblia anotada de Scofield. Essa Bíblia foi publicada em 1909 e desde então tem larga aceitação nos Estados Unidos e em quase todo o mundo. Scofield divide a Bíblia em sete dispensações: 1) A Inocência – desde Adão até a queda; 2) A consciência – desde a queda até o dilúvio; 3) O governo humano – desde Noé até Abraão; 4) A promessa – desde Abraão até Moisés; 5) A lei – desde Moisés até o Calvário; 6) A graça – desde o Calvário até a grande tribulação; 7) O reino – desde a grande tribulação até o fim do reinado de

Cristo por mil anos na terra.[28] Dentro dessa visão dispensacionalista, a igreja é apenas um parêntesis na história. Equivocadamente se pensa que a igreja é o mistério que não tinha sido previsto pelos profetas no Antigo Testamento. Angus Macleod, citando Dr. Ironside, grande expoente do dispensacionalismo chega a dizer: "o relógio profético se deteve no Calvário. Nem um tic-tac se tem ouvido desde então e o relógio não começará a marcar até que Cristo regresse".[29]

Um dos grandes destaques da interpretação dispensacionalista é a distinção entre arrebatamento e segunda vinda de Cristo. Para os dispensacionalistas a segunda vinda de Cristo será em dois turnos: a vinda secreta para a igreja, o arrebatamento e a vinda visível com a igreja, a segunda vinda. George E. Henderlite, falando sobre essa diferença entre o arrebatamento e a segunda vinda visível de Cristo, diz:

> No arrebatamento Jesus vem receber a Igreja no fim da dispensação atual, mas não chegará à terra. É a Igreja, os santos mortos ressuscitados, os vivos transformados, todos arrebatados, que saem ao encontro dele no ar. Na segunda vinda, depois de alguns anos Ele vem para a terra a fim de estabelecer o seu reino messiânico.[30]

John F. Walvoord, um dos ilustres representantes do dispensacionalismo, complementa: "Entre o arrebatamento da igreja para o céu e o retorno de Cristo em triunfo para estabelecer seu reino, deve haver bastante tempo para que um novo grupo de crentes, formado de judeus e gentios, venha a Cristo e seja salvo".[31]

As Confissões Reformadas (Confissão de Augsburgo, Confissão Helvética e Confissão de Westminster) rejeitaram a ideia de um milênio terrenal, condenando essa hermenêutica como uma fantasia judaica.[32]

Os pré-milenistas históricos ou moderados distinguem-se dos amilenistas em poucos aspectos: Reino e ressurreição. Porém, os pré-milenistas dispensacionalistas ou extremados têm vários ensinos estranhos às Escrituras: a) Distinção entre Igreja e Israel no tempo e na eternidade; b) o Reino de Deus adiado para o Milênio terreno; c) a crença num arrebatamento secreto, seguido de uma segunda vinda visível; d) a ideia de que a igreja não passará pela grande tribulação (a igreja será poupada da ira de Deus (*thymos* e *orge*), mas não da tribulação (*thlipsis*). A tribulação não é a ira de Deus contra os pecadores, mas, sim, a ira de Satanás, do anticristo e dos ímpios contra os santos; e) a ideia de que teremos várias ressurreições; f) a ideia de que haverá chance de salvação depois da segunda vinda de Cristo.

Durante o século 19 o pré-milenismo atraiu novamente ampla atenção com John Nelson Darby e Edward Irving. No século passado houve uma explosão do dispensacionalismo, sobretudo, depois da Bíblia anotada de Scofield, os livros de Hal Lindsay, a revista Chamada da Noite, e agora, mais recente, a série de livros "Deixados para trás" de Tim LaHaye. Muito embora essa vertente seja muito popular no mundo inteiro, ela carece de consistência bíblica e teológica em sua abordagem.

### 3. A corrente amilenista

Os amilenistas não creem num milênio literal. Eles creem que o milênio é um período indeterminado que vai da primeira à segunda vinda de Cristo. No quarto século, o mais destacado teólogo da igreja ocidental, Agostinho de Hipona, passou a defender uma nova interpretação acerca do milênio. Millard Erickson diz que foi Agostinho quem sistematizou e desenvolveu a abordagem amilenista.[33] O reino milenar de Cristo e seus santos foi igualado à totalidade da história da igreja na terra. Essa interpretação foi chamada de amilenismo.

O amilenismo tornou-se a interpretação dominante no concílio de Éfeso em 431 d.C. Daí para a frente crer num milênio terrenal era considerado superstição. Os reformadores protestantes continuaram com o amilenismo agostiniano. As confissões reformadas, sem exceção, abraçaram também o amilenismo. Essa corrente parece-nos a que mais consistentemente interpreta o livro de Apocalipse com integridade hermenêutica.

O termo *amilenismo* não é muito feliz, diz Antony Hoekema, pois sugere que os amilenistas não creem no milênio ou não levam em conta os primeiros seis versículos de Apocalipse 20, que falam de um reino de mil anos.[34] Os amilenistas, embora creiam no milênio, não o interpretam de forma literal. O amilenismo crê que o milênio está hoje em processo de realização. Ele vai da primeira à segunda vinda de Cristo. Por isso, Jay Adams sugeriu que o termo amilenismo seja trocado por milenismo realizado.[35] Antony Hoekema diz que hoje vivemos a tensão entre o "já" e o "ainda não".[36] Já estamos no Reino, mas ainda não na sua plenitude. O Reino já chegou. Ele está dentro de nós, mas ainda não na sua consumação final.

Benjamim Warfield faz a seguinte interpretação do milênio:

> O número sagrado de sete em combinação com o número igualmente sagrado três formam o número da perfeição, dez, e quando este dez é levado à terceira potência, para formar mil, o vidente já disse tudo quanto podia para transmitir às nossas mentes a ideia da perfeição total.[37]

Antony Hoekema sintetiza a visão do milênio conforme a interpretação amilenista, nos seguintes termos:

> Os amilenistas entendem que o milênio mencionado em Apocalipse 20:4-6 descreve o presente reinado das almas dos crentes falecidos que estão com Cristo no céu. Eles entendem que a prisão de Satanás que se menciona nos primeiros três versículos deste capítulo estão em efeito durante todo o período entre a primeira e a segunda vinda de Cristo, ainda que terminará pouco tempo antes do regresso de Cristo. Ensinam, pois, que Cristo regressará depois deste reinado celestial de mil anos.[38]

O livro de Apocalipse deve ser visto não como uma mensagem que registra os fatos em ordem cronológica e linear. As mesmas verdades principais são repetidas em sete seções paralelas e progressivas.[39] William Hendriksen, segundo a minha visão, oferece o melhor sistema de interpretação do livro de Apocalipse, o conhecido *paralelismo progressivo*. De acordo com este ponto de vista, o livro de Apocalipse consiste de sete seções paralelas entre si, cada uma delas descrevendo a igreja e o mundo desde a época da primeira vinda de Cristo até a sua segunda vinda.[40] Cada seção descreve uma cena do fim. A cena do fim vai ficando cada vez mais clara, até chegar ao relato apoteótico da última seção.

Essas sete seções estão agrupadas em duas divisões principais: (Capítulos 1-11) e (Capítulos 12-22). A primeira descreve a perseguição do sistema do mundo e dos próprios ímpios contra a igreja e a segunda a perseguição do dragão e seus agentes. William Hendriksen, coloca esses fatos da seguinte maneira:

> Nos capítulos 1-11 de Apocalipse vemos o conflito entre os homens, ou seja, entre os crentes e os incrédulos. O mundo ataca a igreja. A igreja sai vitoriosa; é vingada e protegida. Nos capítulos 12-22, este conflito tem um significado mais profundo. É a manifestação exterior do ataque do Diabo contra o Filho Varão. O dragão ataca a Cristo, sendo rechaçado, dirige toda sua fúria contra a igreja. Para ajudar-lhe usa as duas bestas e a grande meretriz, mas todos esses inimigos da igreja são derrotados no fim.[41]

### 3.1) Primeira Seção (1-3) – Os sete candeeiros

Qual é a lição dessa seção? É que Cristo tem o controle da igreja em suas mãos. Encontramos aqui uma descrição do Cristo que morre, ressuscita e vai voltar (1:5-7). A morte e ressurreição de Cristo são o começo da era cristã, e a sua segunda vinda é o término desta era. Nesta seção temos apenas um mero anúncio da segunda vinda para o juízo (1:7), mas nenhuma descrição do juízo.

### 3.2) Segunda Seção (4-7) – Os sete selos

Qual é a mensagem dessa seção? É que Cristo tem o controle da história em suas mãos (5:5). Contemplamos sua morte (5:6), mas essa seção encerra-se com uma cena da segunda vinda de Cristo (6:6-12 e 7:9-17). Notemos a impressão produzida nos incrédulos pela segunda vinda (6:16-17), ao mesmo tempo a felicidade dos salvos (7:16-17). A segunda seção é uma reiteração da primeira. Sua revelação vai do princípio ao fim dos tempos, ao juízo final. Mais uma vez nos é mostrada a diferença entre os remidos e os perdidos. Nesta segunda seção, o juízo final não é meramente anunciado, mas definitivamente introduzido. Os ímpios estão aterrados pelo fato de terem que comparecer perante o Juiz.

### 3.3) Terceira Seção (8-11) – As sete trombetas

Nesta seção vemos a igreja vingada, protegida e vitoriosa. Havendo começado com o Senhor como nosso sumo sacerdote (8:3-5), avançamos até o juízo final (10:7; 11:15-19). Uma vez mais estamos tratando das mesmas coisas: O Senhor e sua igreja e o que lhes sucede no mundo, o juízo final, os redimidos e os perdidos. As trombetas são avisos antes do derramamento completo das taças da ira de Deus. Antes de Deus punir finalmente, ele sempre avisa e oferece oportunidade de arrependimento. Nesta seção introduzem-se o juízo final e o gozo dos remidos.

### 3.4) Quarta Seção (12-14) – A tríade do mal

Novamente voltamos ao início, ao nascimento de Cristo (12:5). Depois vem a perseguição do Dragão a Cristo e à igreja (12:13). Ele levanta a besta e o falso profeta. Finalmente, vem a cena do juízo final (14:8). Em Apocalipse 14:14-20 há uma cena clara do juízo final.

## 3.5) Quinta Seção (15-16) – As sete taças

Descreve as sete taças da ira de Deus, representando a visitação final da sua ira sobre os que permanecem impenitentes. Uma vez mais a cena começa no céu relatando o Cordeiro com seu povo. Mas no capítulo 16 vemos uma espantosa descrição do juízo (16:15,20). Aqui a destruição é completa.

## 3.6) Sexta Seção (17-19) – A derrota dos agentes do Dragão

Essa seção é um relato da destruição dos aliados do Dragão: A meretriz, a besta, o falso profeta e os seguidores da besta. Ao mesmo tempo em que a meretriz, a falsa igreja, está sendo destruída, a igreja é apresentada como esposa de Cristo (19:20). A grande festa das núpcias ocorre; o juízo final é relatado outra vez e uma grande distinção entre redimidos e perdidos ocorre novamente. No capítulo 19 há uma descrição detalhada da gloriosa vinda de Cristo (19:11-21).

## 3.7) Sétima Seção (20-22)

Essa seção mostra o Reinado de Cristo com as almas dos santos no céu e não o milênio na terra depois da segunda vinda. O capítulo 20 começa na primeira vinda e não depois da segunda vinda. Então, temos a descrição do juízo final (20:11-15). Após isso, vemos os novos céus e a nova terra e a igreja reinando com Cristo para sempre.

Apesar dessas seções serem paralelas, elas são também progressivas. A última seção leva-nos mais além do que as outras. Apesar do juízo final já ter sido anunciado em (1:7) e brevemente descrito em (6:12-17), não é apresentado detalhadamente senão quando chegamos em (20:11-15). Apesar do gozo final dos redimidos já ter sido insinuado em (7:15-17), não encontramos uma descrição detalhada senão quando chegamos em (21:1-22:5). Aqui está o clímax glorioso deste livro!

**Capítulo 1**

# A majestosa apresentação do Noivo da Igreja
(Ap 1:1-20)

Dois fatores contribuem para que muitas pessoas deixem de estudar o livro de Apocalipse:

Em primeiro lugar, *a ideia de que ele é um livro selado, que trata de coisas encobertas*. Na verdade, o livro de Apocalipse é o oposto disto. Warren Wiersbe diz: "Apocalipse é um livro aberto no qual Deus revela seus planos e propósitos à sua igreja".[1] Apocalipse significa tirar o véu, descobrir, revelar o que está escondido, descobrir algo que está encoberto.[2] William Barclay diz que a palavra "Apocalipses" é composta de duas partes: *Apo* significa "desde dentro para fora" e *kalupsis* cobertura ou véu. *Apocalupsis*, portanto, significa tirar o véu ou descobrir o que estava oculto.[3] A ordem de Deus é: "Não seles as palavras da profecia deste livro, porque o tempo está próximo" (22:10). As coisas que em breve *devem* acontecer mostram que há uma tensão entre o futuro imediato e o mais distante; o mais distante é visto como que transparecendo do imediato.[4] Adolf Pohl diz que o Cordeiro é o executor do *deve acontecer*.[5] Walter Elwell, comentando sobre a singularidade do livro de Apocalipse, diz:

> Para a maioria das pessoas hoje em dia, o livro de Apocalipse é um livro fechado – literalmente. Elas nunca o leem. Ou têm medo ou pensam que não conseguirão entendê-lo. Isso é uma infelicidade, porque, desde os primeiros dias da igreja, buscava-se esse livro em tempos de perseguição como fonte de força e coragem. De todos os livros da Bíblia, ele tem a maior visão panorâmica da História e do controle máximo que Deus tem sobre ela. As coisas podem ficar difíceis, mas Deus sabe o que está fazendo e está nos guiando a uma Nova Jerusalém, onde enxugará nossas lágrimas e onde habitaremos com Ele para sempre.[6]

Em segundo lugar, *a ideia de que ele é um livro que fala de catástrofe, tragédia e caos*. Esse é o significado da palavra hoje. Quando ouvimos uma notícia trágica, as pessoas falam que aconteceu um fato apocalíptico. A palavra *apocalipse* tornou-se sinônimo de tragédia. Mas Apocalipse não fala de caos, mas da Pessoa e do plano vitorioso e triunfante de Cristo e da sua igreja.

O Apocalipse é revelação de Deus e não especulação humana, é a Palavra de Deus e o testemunho fiel (1:2). O Apocalipse descreve a vitória absoluta de Cristo sobre todos os seus inimigos: a Meretriz, a besta, o falso profeta, o dragão, os incrédulos, a morte. O Apocalipse mostra que o último capítulo da história não será o triunfo do mal, mas a retumbante vitória do Cordeiro de Deus, o Rei dos reis e Senhor dos senhores.

Apocalipse é um livro aberto em que Deus revela seus planos e propósitos para a sua igreja. Ele não é a revelação apenas das últimas coisas, mas sobretudo da saga do Cristo vencedor. Esse livro majestoso fala não tanto de fatos escatológicos, mas da Pessoa gloriosa de Cristo. Apocalipse é fundamentalmente a revelação de Jesus (Ap 1:1), e não apenas de eventos futuros. Você não pode divorciar a profecia da Pessoa de Jesus. Apocalipse não é revelação de João, mas revelação de Jesus Cristo a João.

Apocalipse é também um livro prático e não apenas para transmitir informações sobre o futuro. Ele foi dado para ajudar o povo de Deus no presente. Ele contém muitas exortações à fé, paciência, obediência, oração e vigilância.[7]

Cristo veio ao mundo para revelar o Pai (Jo 17:6). No Apocalipse é o Pai quem revela a Jesus (1:1). E como O revela? Como o servo lavando os pés dos discípulos? Como uma ovelha muda que vai para o matadouro? Como aquele de quem os homens escondem o rosto? Como aquele que está pregado na cruz, com o rosto cheio de sangue? Como aquele que tem as mãos atadas e os pés pregados na cruz? Absolutamente não!

A revelação do Noivo da Igreja pelo Pai é de um Cristo glorioso: seus cabelos não estão cheios de sangue, mas são alvos como a neve. Seus olhos não estão inchados, mas são como chama de fogo. Seus pés não estão pregados na cruz, mas são semelhantes ao bronze polido. Sua voz não está rouca, porque a língua está colada ao céu da boca, por atordoante sede, mas é voz como voz de muitas águas. Suas mãos não estão cheias de pregos, mas Ele segura a igreja e a história em suas onipotentes mãos. Seu rosto não está desfigurado, mas brilha como o sol.

O objetivo do livro de Apocalipse não é nos dar uma tabela do tempo do fim, mas nos revelar o Noivo glorioso da igreja, o supremo conquistador. A igreja precisa olhar para a supremacia do seu Senhor. Durante a sua primeira vinda a glória de Cristo estava encoberta. Ele viveu se esvaziando da sua glória. Mas na sua segunda vinda, sua glória será autoevidente (Mc 14:61-62; Ap 1:7).

## O instrumento a quem Deus revelou a glória do Noivo da Igreja (Ap 1:1-3)

Deus tem planos distintos ao usar seus servos. O Espírito Santo usou João para escrever o quarto evangelho, as cartas e o Apocalipse. O objetivo do evangelho é alertar as pessoas a crerem em Cristo (Jo 20:31). O objetivo das cartas é encorajar os crentes a terem certeza da vida eterna (1Jo 5:13). O objetivo do Apocalipse é alertar os crentes para estarem preparados para a segunda vinda de Cristo (22:12).[8]

A autoria joanina de Apocalipse é de um consenso quase universal. William Hendriksen dá o seguinte testemunho:

> A igreja primitiva quase unanimemente atribui o Apocalipse ao apóstolo João, e essa era a opinião de Justino, o mártir (140 d.C.), de Irineu (180 d.C.) que foi discípulo de um discípulo do apóstolo João, do Cânon Muratoriano (200 d.C.), de Clemente de Alexandria

(200 d.C.), de Tertuliano de Cartago (220 d.C.), de Orígenes de Alexandria (223 d.C.) e de Hipólito (240 d.C.).[9]

Deus usa seus instrumentos de forma incomum. Ele transforma tragédias em triunfo. Domiciano, o segundo Nero, que arrogou para si o título de Senhor e Deus, baniu João para a Ilha de Patmos, a colônia penal da costa da Ásia Menor. Mas ao mesmo tempo que se achava fisicamente em Patmos, achou-se também em espírito e Deus abriu-lhe o céu e revelou-lhe as coisas que em breve devem acontecer. Num tempo em que a igreja estava sendo massacrada e pisada, perseguida e torturada, João recebe a revelação de que o Noivo da Igreja, o Senhor absoluto dos céus e da terra, está no total controle da igreja e da história (1:13; 5:5). Roma pôde banir João para uma ilha solitária, mas não pôde impedir que ele veja o céu aberto. Roma pôde impedir que João se relacione com as pessoas, mas não pôde impedir que ele entre na sala do trono do universo para estar na presença do Deus todo-poderoso.

## Uma saudação consoladora (Ap 1:4-5)

O livro traz uma saudação de encorajamento e não de medo (1:4): *Graça e Paz*. A saudação não é de terror, mas de doçura e encorajamento a uma igreja que passa pelo vale do martírio. A Graça e a Paz são enviadas à Igreja pela Trindade (1:4-5). O Deus Pai, o Deus Espírito e o Deus Filho estão no completo controle da história e num tempo de sombras e provas, Eles enviam à igreja sua graça e sua paz.

## Um retrato do Noivo da Igreja (Ap 1:5)

Como a igreja deve ver o seu Noivo? Qual é o seu perfil? Quais são seus títulos? O apóstolo João menciona três títulos gloriosos de Jesus:

Em primeiro lugar, ele é revelado como *a Fiel Testemunha* (1:5). Jesus foi fiel durante todo o seu ministério. Nunca deixou de testemunhar sobre o Pai, mesmo na hora do sofrimento e da morte. Como Profeta ele veio para revelar o Pai. "Eu vim para fazer a vontade do Meu Pai."

Em segundo lugar, Jesus é revelado como *o Primogênito dos Mortos* (1:5). Ele foi o primeiro a ressuscitar em glória. Ele está vivo para sempre. Ele é o primogênito porque é o primeiro da fila e nós vamos logo atrás. Jesus matou a morte. Ele venceu nosso último inimigo. Uma igreja que está enfrentando o martírio precisa saber que o seu Deus venceu o poder da morte. A noiva do Cordeiro não tem mais a morte à sua frente, mas atrás de si. Como sacerdote, Cristo veio ao mundo para fazer o sacrifício perfeito e para ser a oferta perfeita.

Em terceiro lugar, Jesus é revelado como *o Soberano dos Reis da Terra* (1:5). A igreja precisa ver Jesus como o presidente dos presidentes, diante de quem todos os poderosos vão se dobrar. Jesus está acima de Roma e dos imperadores. Ele está acima dos impérios, das nações soberbas, dos reis da terra e dos presidentes que ostentam riqueza e poder. Como Rei dos reis ele veio para estabelecer o seu reino que jamais terá fim.

## Uma doxologia ao Noivo da Igreja (Ap 1:4-6)

Como a igreja deve se posicionar diante do seu Noivo? Quando João vê a glória do Noivo, ele prorrompe numa doxologia suprema, diante da suprema glória de Cristo. Ele se encanta com o Cristo que lhe é revelado. Seu coração se derrama em adoração.

Por que a igreja deve adorar o seu Noivo?

Em primeiro lugar, *porque Ele nos ama* (1:4-5). O verbo está no presente. O amor de Cristo é algo que permanece. Ele nos amou, ainda nos ama e nos amará até o fim.

Em segundo lugar, *porque Ele nos libertou dos nossos pecados* (1:4-5). Isto fala de um ato de redenção concluído (5:9). A versão King James diz que Ele nos lavou. Ele quebrou as amarras do pecado e nos limpa. O que é maravilhoso é que Ele nos amou quando estávamos sujos e perdidos e depois nos libertou.

Em terceiro lugar, *porque Ele nos constituiu Reino e Sacerdotes* (1:4-6). A igreja não foi amada e libertada para nada. A redenção cria um povo sacerdotal.[10] O alvo do amor é nos constituir reis e sacerdotes para Deus. Ele nos ama, nos levanta da lama e depois nos coloca a coroa e a mitra. Já estamos assentados com Cristo nas regiões celestiais, mas haveremos de ser corregentes com Ele, pois reinaremos com Ele. Somos um reino não apenas porque Cristo reina sobre nós, mas porque participamos do seu reinado. A mitra do sumo sacerdote tinha uma placa de ouro "Santidade ao Senhor". Temos livre acesso a Ele, pois somos uma raça de sacerdotes reais.

## A gloriosa aparição do Noivo da Igreja (Ap 1:7)

João faz uma descrição da gloriosa vinda do noivo da igreja. R. A. Torrey diz que a verdade do retorno do

Senhor é a verdade mais preciosa que contém a Bíblia. Enche o coração do crente de gozo e o cinge com força para a batalha. Eleva-o por cima das lutas, temores, necessidades, provas e ambições deste mundo, e o faz mais que vencedor em todas as coisas.[11] W. J. Grier diz que na sua gloriosa vinda, as nuvens serão a sua carruagem; os anjos, a sua escolta; o arcanjo, o seu arauto e os santos, o seu glorioso cortejo.[12]

O grande tema do livro de Apocalipse é a glória e a vitória de Cristo na sua vinda. Esta verdade é apresentada nas sete seções paralelas. Cristo vem para estabelecer o juízo e triunfar sobre seus inimigos. Na primeira vinda, a glória de Cristo não era autoevidente, mas na segunda vinda o será (Mc 14:61). A igreja triunfa com Ele, enquanto seus adversários lamentarão (1:7; 6:15-16; Zc 12:10). Os ímpios não se converterão (9:20; 16:9,11).

Quando Jesus virá? Muitos estudiosos, precipitadamente, tentaram marcar datas. Todos foram frustrados. Não podemos identificar nem agendar a data da segunda vinda de Cristo. Essa data pertence à economia da soberania de Deus. Vasculhar o corredor do tempo para agendar a segunda vinda de Cristo não é o propósito do estudo de Apocalipse. Há aqueles que se aventuram a identificar o período da segunda vinda de Cristo. Eliseu Pereira Lopes diz: "Temos hoje o privilégio de pertencer à geração que verá a volta de Cristo [...]. Somos a última geração que antecede a volta de Cristo".[13] O comentarista bíblico Russell Norman Champlin, expondo Apocalipse 1:7, aventurou uma possível data para a volta de Jesus, no que certamente não logrou êxito. Diz ele:

"... todo o olho o verá". Essas palavras devem ser aceitas literalmente. O mundo inteiro verá o sinal de Cristo, que provavelmente será uma imensa e brilhante cruz no firmamento. E então cada homem reconhecerá que houve uma intervenção divina na história da humanidade [...]. Esperamos que isso ocorra antes do fim do atual século XX, entre 1995 e 2000.[14]

Como Jesus virá? Sua vinda será pessoal, pública, visível, poderosa, vitoriosa, irresistível (1:7). A Bíblia desconhece uma segunda vinda invisível ou secreta. Quando Cristo voltar, todo o olho O verá. Essa expressão, "todo o olho O verá" indica a inclusividade de todas as pessoas, de todos os tempos. João faz também uma descrição das características daquele que vem. Sua eternidade e onipotência são dadas para mostrar que Jesus é poderoso para executar o seu plano na história humana (1:8).

Temos hoje uma visão da glória do Noivo da Igreja? Temos honrado o nosso Noivo? Estamos nos preparando para nos encontrar com Ele, como as virgens prudentes? Nossas lâmpadas estão cheias de azeite?

## Com os pés no vale, mas com a cabeça no céu (Ap 1:9-11)

João se apresenta como um homem que tem comunhão e intimidade com os crentes da Ásia. Ele está banido, isolado, preso, com os pés no vale, mas sua cabeça está no céu. Seu cativeiro tornou-se-lhe a porta do céu. Ele se autodenomina *irmão e companheiro* (1:9). João não se sente melhor do que os demais irmãos nem se enaltece por ter recebido uma alta revelação (2Co 12:7). A condição de porta-voz de Deus não anula a condição de irmão, co-igual.[15]

João se apresenta como um homem que participa das alegrias e provas com a igreja. Ele destaca três coisas importantes:

Em primeiro lugar, irmão e companheiro *na tribulação* (1:9). A tribulação é o quinhão do povo de Deus nesta era (Jo 16:33; At 14:22). A igreja está no meio do conflito entre o Reino de Deus e o Reino das trevas. A igreja sempre foi e será atribulada no mundo. Em Mateus 24 Jesus fala desse sofrimento de forma crescente: Os versículos 4-8 descrevem o "princípio das dores", os versículos 9-14 os "tormentos" na forma de perseguição aos discípulos, os versículos 15-28 a "grande tribulação" como o auge, e os versículos 29-31 os episódios "após a tribulação" que culminam na segunda vinda de Cristo.[16] As perseguições desencadeiam traição e apostasia na igreja (Mt 24:10-12). Essa perseguição já havia começado no banimento do apóstolo.

Em segundo lugar, irmão e companheiro *no Reino* (1:9). A igreja é o povo sobre o qual o Reino já veio e que herdará o Reino quando este vier na sua plenitude; mas nesta posição a igreja é o objeto do ódio satânico, destinada a sofrer perseguição.

Em terceiro lugar, irmão e companheiro *na Perseverança em Jesus* (1:9). Por causa desta perseguição e males nós precisamos ter uma perseverança triunfadora. "Aquele, porém, que perseverar até o fim, esse será salvo" (Mt 24:13). Ainda não chegou o que havemos de ser. Ainda aguardamos o triunfo final. Nossos olhos estão fixados no Rei que vem. Somos a noiva que espera o Noivo.

Vivemos em grande expectativa! Todas essas dificuldades, entretanto, nós experimentaremos em Jesus, em união espiritual com Ele. Só existe um caminho entre a tribulação e o Reino, entre a aflição e a glória, e este caminho é a paciência ativa, diz William Barclay.[17]

## As circunstâncias são descritas (Ap 1:9-11)

1. *O local é identificado.* João foi banido para a ilha de Patmos, uma colônia penal romana, onde se exilavam prisioneiros políticos. Ali esses prisioneiros perdiam todos os seus direitos civis e toda possessão material. Os prisioneiros eram obrigados a trabalhar nas minas daquela ilha, vestindo-se de trapos. A ilha ficava no Mar Egeu e tinha 32 quilômetros quadrados. Era inóspita, por causa das rochas escarpadas e da constituição do solo, sendo praticamente desabitada naquele tempo.[18] Era uma ilha nua, vulcânica, com elevações de até 300 metros, usada para exilar criminosos políticos.[19] Jerônimo diz que João foi condenado no ano quatorze depois de Nero, e posto em liberdade ao morrer Domiciano. Isso significa que João esteve preso em Patmos entre os anos 94 e 96 d.C.[20]

2. *A razão do exílio é declarada.* João é preso na ilha de Patmos por causa da Palavra de Deus e do testemunho de Jesus Cristo (1:9). Possivelmente João foi acusado de subversão pelo governador da Ásia por pregar o Evangelho e testemunhar do senhorio de Cristo, num tempo em que o imperador Domiciano arrogava para si o título de Senhor e Deus. João foi banido na qualidade de líder das igrejas na

parte ocidental da Ásia Menor. Os oficiais romanos consideravam João como o fomentador da religião cristã. João é condenado a sofrer humilhações, prisão, fome e trabalhos forçados por amor à Palavra de Deus. Simon Kistemaker, citando o historiador Eusébio, diz que, depois da morte de Domiciano, seu sucessor, Nerva, liberou João e lhe permitiu regressar a Éfeso.[21]

3. *A forma da revelação é descrita.* João achou-se em espírito. Apesar de João estar fisicamente em Patmos, naquele dia do Senhor, achou-se também em espírito (1:10). A ilha do exílio transforma-se em porta do céu. Em Patmos ele enfrentou a dor do exílio, mas em espírito ele entrou na sala do trono. Em Patmos nós sofremos, mas em espírito, nós reinamos, diz Michael Wilcock.[22] Deus transforma nossas tragédias em triunfos gloriosos. Em Patmos João tocou o outro mundo. Não importam as circunstâncias, se você está no palácio ou na favela. O todo-poderoso pode sempre nos tocar e nos levar ao seu trono. O lugar do exílio tornou-se a antessala da glória.

4. *A revelação é dada para ser transmitida.* João recebeu esta revelação no dia do Senhor, dia que a igreja celebra a vitória do seu Senhor sobre a morte e também o dia da esperança, que dirigia seus sentidos para a consumação e a renovação do mundo.[23] Na solidão da ilha, isolado e exilado João ouve uma voz. Roma pôde até proibir João de ter contato com os seus irmãos perseguidos, mas não pôde proibir João de ter contato com

o trono de Deus. O mundo não pode proibir o nosso contato com o céu. João ouve a voz por detrás dele, uma grande voz como de trombeta. A visão começa com uma audição. João ouviu essa voz por trás para que não fosse confundido com vozes paralelas (Is 30:21). A trombeta fala de uma voz sobrenatural, poderosa, assustadora. A ordem para João era clara: "O que vês escreve em livro" (1:11). A mensagem precisa ser registrada fiel e perpetuamente. Essa ordem percorre todo o livro (2:8,12; 3:1,7,14;10:4;14:13;19:9;21:5). Isso eleva essa profecia a uma categoria normativa para toda a igreja em todos os tempos.[24] Todo o plano de Deus deve ser escrito. Apocalipse 1:19 fala de coisas passadas, presentes e futuras. O livro de Apocalipse é atual em todo o tempo. Ele descreve o que já foi, o que é e o que há de vir. A ordem também é explícita: "Envia para as sete igrejas" (1:11). Essas cidades eram sedes administrativas e já por isso áreas de concentração do culto ao imperador.[25]

## A noiva de Cristo é vista como a luz do mundo (Ap 1:12)

Antes de ver o Noivo em seu fulgor e majestade, João tem uma visão da beleza da noiva, a igreja. Ele a vê como a luz do mundo (1:12). Antes de ter a visão do Cristo exaltado, ele teve a visão da igreja. O mundo vê Cristo através da igreja e no meio da igreja. Isso significa que ninguém verá a Jesus em glória senão por meio da sua igreja aqui na terra. Você precisa da igreja. Precisa se congregar. O que é a igreja? Ela é a luz do mundo. Por isso, ela é comparada a candeeiro e estrela.

João vê a igreja em duas figuras: sete estrelas e sete candeeiros. Tanto a estrela como o candeeiro são luzeiros. Eles devem refletir luz. A igreja é a luz do mundo. Ela resplandece no mundo. Se uma lâmpada deixasse de proporcionar luz ela era afastada (2:5). A luz da igreja é emprestada ou refletida, como a da lua. Se as estrelas têm de brilhar e as lâmpadas luzir, elas devem permanecer na mão de Cristo e na presença de Cristo.[26]

Os sete candeeiros são as sete igrejas, mas quem são os sete anjos (1:16,20)? Anjos celestes, mensageiros, pastores ou uma figura da própria igreja? William Hendriksen pensa que anjos aqui são os pastores. Mas este livro usa a palavra *anjos* 67 vezes e em nenhuma delas refere-se a seres humanos. Assim, George Ladd entende que tanto os candeeiros como as estrelas falam da igreja como luzeiros de Deus no mundo.[27] Cristo está não apenas entre as igrejas, mas as tem em suas próprias mãos. Essas duas figuras, portanto, são um símbolo incomum para representar o caráter celestial e sobrenatural da igreja, seja através dos seus membros, seja através dos seus líderes.

## O Noivo da Igreja apresentado em todo o seu fulgor e majestade (Ap 1:13-20)

João tem uma visão do Noivo da Igreja na sua glória excelsa (1:13-18). Ele vê dez características distintas do Noivo da igreja em sua glória e majestade:

*1) Suas Vestes* (1:13). Falam de Cristo como Sacerdote e Rei. Ele nos conduz a Deus e reina sobre nós.

*2) Sua Cabeça* (1:14). Fala da sua divindade, da sua santidade e da sua eternidade. A cabeça alva era também um símbolo de honra e transmitia a ideia de sabedoria e dignidade.[28]

*3) Seus Olhos* (1:14). Falam da sua onisciência que a tudo vê e perscruta. Ele é o juiz diante de quem tudo se desnuda.

*4) Seus Pés* (1:15). O bronze reluzente transmitia a ideia de força e estabilidade.[29] Isso fala da sua onipotência para julgar os seus inimigos. Convém que Ele reine até que ponha todos os seus inimigos debaixo dos seus pés (1Co 15:25).

*5) Sua Voz* (1:15). Isso fala do poder irresistível da sua Palavra, do seu julgamento. No seu juízo desfalecem palavras humanas. A voz de Cristo detém a última palavra e é a única a ter razão.

*6) Sua Mão* (1:16). A mão direita é a mão da ação, com a qual age e governa. Isso mostra o seu cuidado com a igreja. Ninguém pode arrebatar você das mãos de Cristo (Jo 10:28).

*7) Sua Boca* (1:16). Essa Palavra aqui não é o Evangelho, mas a Palavra do juízo. A única arma de guerra usada pelo Cristo conquistador é a espada que sai da sua boca (19:5). Essa é a cena do tribunal, onde é proferida a sentença judicial, e precisamente sem contestação.

*8) Seu Rosto* (1:16). A visão agora não é mais de um Cristo servo, perseguido, preso, esbofeteado, com o rosto cuspido, mas do Cristo cheio de glória. A luz do sol supera o brilho dos candeeiros.

9) *Sua Perenidade - O Primeiro e o Último* (1:17). Ele é o criador, sustentador e consumador de todas as coisas. Ele cria, controla, julga e plenifica todas as coisas. Cristo aqui é enaltecido como vitorioso sobre o último inimigo, a morte.

10) *Sua Vitória Triunfal* (1:18). João está diante do Cristo da cruz, que venceu a morte. Ele não apenas está vivo, mas está vivo para sempre. Ele não só ressuscitou, Ele venceu a morte e tem as chaves da morte e do inferno. Morte é um estado; e, Hades, um lugar. Tanto a morte quanto o Hades serão lançados no lago de fogo no juízo final (20:14). Quem tem as chaves tem autoridade.[30] Jesus recebeu do Pai toda autoridade no céu e na terra (Mt 28:18). Jesus tem não apenas a chave do céu (3:7), mas também a chave da morte (túmulo). Agora a morte não pode mais infligir terror, porque Cristo está com as chaves, podendo abrir os túmulos e levar os mortos à vida eterna.[31]

Warren Wiersbe diz que esse parágrafo pode ser sintetizado em três aspectos: 1) O que João ouviu (1:9-11); 2) O que João viu (1:12-16) e o que João fez (1:17-18).[32] Os dois primeiros pontos já foram analisados. Vejamos agora, na conclusão, o último, o que João fez.

Em primeiro lugar, ele passou por *um profundo quebrantamento*. João diz: "Quando o vi, caí a seus pés como morto" (1:18). O mesmo João que se debruçara no peito de Jesus, agora cai aos seus pés como morto. Isaías,

Ezequiel, Daniel, Pedro e Paulo (Is 6:5; Ez 1:28; Dn 8:17; 10:9,11; Lc 5:8; At 9:3-4) passaram pela mesma experiência ao contemplarem a glória de Deus. Em nossa carne não podemos ver a Deus, pois Ele habita em luz inacessível (1Tm 6:16). É impossível ver a glória do Senhor sem se prostrar.

Em segundo lugar, ele foi *gloriosamente restaurado*. Jesus o toca e fala com ele. A mesma mão que segura (1:16) é a mão que toca e restaura (1:18). O mesmo Jesus que acalmou os discípulos muitas vezes, dizendo-lhes, "não temas", agora diz a João: "Não temas". As mesmas mãos que sustentam as estrelas do firmamento, são as mãos que restauram o filho temeroso. A mão de Cristo é poderosa para sustentar o universo e suave para secar as lágrimas do nosso rosto.[33] A revelação da graça de Jesus põe o apóstolo João de pé novamente para cumprir o seu ministério. Desta maneira, não precisamos temer a vida porque Jesus é aquele que está vivo pelos séculos dos séculos. Não precisamos temer a morte porque Jesus é aquele que morreu, mas ressuscitou e venceu a morte. Não precisamos temer a eternidade, porque Jesus tem as chaves da morte e do inferno.[34]

Warren Wiersbe, corretamente comenta:

> Desde o início do livro de Apocalipse Jesus apresentou-se ao seu povo em majestade e glória. O que a igreja necessita hoje é uma clara percepção de Cristo e sua glória. Necessitamos vê-lo exaltado em seu alto e sublime trono. Há uma perigosa ausência de admiração reverente e adoração em nossas assembleias hoje. Orgulhamo-nos de levantarmo-nos sobre os nossos próprios pés, em vez de cairmos com o rosto em terra

ante os seus pés. Por anos, Evan Roberts orou: "Dobra-me! Dobra-me, Senhor!" e quando Deus respondeu, o grande avivamento galês aconteceu.[35]

## Capítulo 2

# O Noivo da Igreja andando no meio da Igreja
### (Ap 2—3)

ANTES DE JESUS MANIFESTAR SEU juízo ao mundo, Ele o manifestou à sua igreja (1Pe 4:17). Por isso, Jesus mostrou o seu julgamento às sete igrejas (1-3) antes de mostrá-lo ao mundo (4-22).[1] Todas as cartas têm basicamente a mesma estrutura: Apresentação; apreciação; reprovação e promessas.

Duas igrejas só receberam elogios: Esmirna e Filadélfia; quatro igrejas receberam elogios e críticas: Éfeso, Pérgamo, Tiatira e Sardes; uma igreja só recebeu críticas: Laodiceia.[2] William Hendriksen diz que a opinião de que essas sete igrejas representam sete períodos sucessivos da história da igreja é uma lamentável interpretação.[3]

Essas igrejas ensinam-nos várias lições:

## Cristo é conhecido na e através da igreja

Antes de ver Cristo, João viu os sete candeeiros, a plenitude da igreja na terra, e só depois viu o Cristo glorificado na igreja (1:12-13). William Hendriksen diz que essas sete igrejas representam a igreja inteira através de toda esta dispensação.[4] Jesus Cristo está no meio da sua igreja. Ninguém verá o Cristo da glória fora da igreja. A salvação é por meio de Jesus, mas ninguém poderá ser salvo sem fazer parte da igreja que é a noiva do Cordeiro.

Cristo valoriza tanto a sua igreja que Ele se dá a conhecer no meio dela e não à parte dela. Hoje, muitas pessoas querem Cristo, mas não a igreja. Isso é impossível. A atenção de Cristo está voltada para a sua noiva. Ela ocupa o centro da sua atenção.

## Cristo está no meio da sua igreja em ação e como remédio para os seus males

Cristo não apenas está no meio da igreja (1:13), mas Ele está andando, em ação investigatória no meio da igreja (2:1). Ele sonda a igreja, pois seus olhos são como chama de fogo (2:18).

Há muitos males que atacam a igreja: esfriamento, perseguição, heresia, imoralidade, presunção e apatia. Mas Cristo se apresenta para cada igreja como o remédio para o seu mal.

Para a igreja de Éfeso, que havia perdido o seu primeiro amor, Jesus se apresenta como aquele que anda no meio da igreja, segurando a liderança na mão, como o seu pastor superior. Ele está dizendo, "eu vejo tudo e conheço tudo".

Para a igreja de Esmirna, que estava passando pelo sofrimento, perseguição e morte, enfrentando o martírio, Jesus se apresenta como aquele que esteve morto e tornou a viver. O Jesus que venceu a morte é o remédio para alguém que está enfrentando a perseguição e a morte.

Para a igreja de Pérgamo, que estava se misturando com o mundo e perdendo o senso da verdade, Jesus se apresenta como aquele que tem a espada afiada de dois gumes, que exerce juízo e separa a verdade do engano. Pérgamo estava em conflito entre a verdade e o engano (2:14).

Para a igreja de Tiatira, que estava tolerando a impureza e caindo em imoralidade, Jesus se apresenta como aquele que tem os olhos como chama de fogo que tudo sonda e conhece e os pés semelhantes ao bronze polido que é poderoso para julgar e vencer os inimigos.

Para a igreja de Sardes, que tinha a fama de ser uma igreja viva, mas estava morta, Jesus se revela como aquele que tem os sete espíritos de Deus, a plenitude do Espírito, o único que pode dar vida a uma igreja morta. A igreja tinha fama, mas não realidade, tinha aparência de vida, mas estava morta.

Para a igreja de Filadélfia, uma igreja que tinha pouca força, mas era fiel, Jesus vê muitas oportunidades à sua frente e diz a ela que Ele tem a chave de Davi, que abre, e ninguém fechará, e que fecha, e ninguém abrirá.

Para a igreja de Laodiceia, uma igreja sem fervor espiritual, morna, rica financeiramente, mas pobre espiritualmente, Jesus se apresenta como aquele que é constante e fidedigno no meio de tantas mudanças.

### Dentro da mesma igreja há pessoas fiéis e infiéis

Em Éfeso havia fidelidade na doutrina, mas falta de amor na prática do Cristianismo. Eram ortodoxos de cabeça e hereges na conduta (2:4). Em Pérgamo enquanto havia gente disposta a morrer por Cristo, alguns crentes estavam seguindo a doutrina de Balaão (2:14-15). Em Tiatira havia tolerância aos ensinos e práticas de uma profetisa imoral (2:20), mas nem todos os crentes caíram nessa heresia perniciosa (2:24-25). Em Sardes, embora a igreja estivesse vivendo de aparência, havia uns poucos que não haviam contaminado suas vestiduras (3:4).

### A igreja nem sempre é aquilo que aparenta ser

Jesus conhece a igreja de forma profunda (2:2,9,13,19; 3:1,8,15). Ele conhece as suas obras, onde ela está e o que ela está enfrentando.

A igreja de Éfeso era ortodoxa, trabalhadora, fiel nas provas, mas perdera sua capacidade de amar a Jesus. Ela era como uma esposa que não trai o marido, mas também não lhe devota amor (2:2-4).

A igreja de Esmirna era pobre aos olhos dos homens, mas rica aos olhos de Cristo (2:9).

A igreja de Pérgamo tinha gente tão comprometida com Deus a ponto do martírio (2:13), mas tinha também gente que caía diante da sedução do pecado (2:14).

A igreja de Tiatira estava trabalhando mais do que trabalhara no início da sua carreira (2:19), mas muito trabalho sem vigilância também não agrada a Jesus. Ação sem zelo doutrinário (Tiatira) e zelo doutrinário sem ação (Éfeso) não agradam a Jesus.

A igreja de Sardes tinha reputação de uma igreja viva, mas estava morta (3:1). Além disso, havia gente no CTI espiritual (3:2).

A igreja de Filadélfia era fraca diante dos olhos humanos, mas poderosa aos olhos de Cristo (3:8-9).

A igreja de Laodiceia considerava-se rica e abastada, mas aos olhos de Cristo era uma igreja pobre e miserável (3:17).

## Cristo anda no meio da igreja para oferecer-lhe oportunidade de arrependimento antes de aplicar-lhe o juízo

A igreja de Éfeso foi chamada a lembrar-se, arrepender-se e voltar à prática das primeiras obras. Caso esse expediente não fosse tomado, Jesus sentencia: "e, se não, venho a ti e moverei do seu lugar o teu candeeiro, caso não te arrependas" (2:5).

A igreja de Esmirna diante do martírio é exortada a ser fiel até à morte (2:10).

À igreja de Pérgamo, que estava dividida entre a verdade e o engano, misturada com o mundo, Jesus adverte: "Portanto, arrepende-te; e, se não, venho a ti sem demora e contra eles pelejarei com a espada da minha boca" (2:16).

À igreja de Tiatira, que abria suas portas à uma desregrada profetisa, Jesus chama ao arrependimento a faltosa (2:21), mas por recusar, envia o seu juízo (2:22-23) e chama os crentes fiéis a permanecerem firmes até a segunda vinda (2:24-25).

A igreja de Sardes recebe o alerta de Cristo de que suas obras não eram íntegras diante de Deus (3:2). Jesus alerta-a ao arrependimento (3:3). Caso a igreja não se arrependa virá o juízo (3:3).

A igreja de Filadélfia é exortada a conservar o que tem, para que ninguém tome a sua coroa (3:11).

A igreja de Laodiceia é exortada a olhar para a vida na perspectiva de Cristo (3:17-18), a arrepender-se, pois a disciplina de Deus é ato de amor (3:19).

## Jesus anda no meio da igreja para dar gloriosas promessas aos vencedores

Isso implica que nem todos os membros da igreja visível são membros da igreja invisível. Nem todos os membros das igrejas locais são membros do corpo de Cristo. Nem todos os membros de igreja são vencedores, mas todos os membros do Corpo de Cristo são vencedores.

As promessas aos vencedores tratam da bênção que a igreja estava buscando ou necessitando:

*A igreja de Éfeso* – O vencedor se alimenta da árvore da vida. Isso é ter a vida eterna (2:7). A vida eterna é comunhão com Deus e Deus é amor. Eles haviam abandonado o seu primeiro amor, mas os vencedores iriam morar no céu, onde o ambiente é amor, pois isso é ter comunhão eterna com o Deus que é amor.

*A igreja de Esmirna* – O vencedor de modo nenhum sofrerá o dano da segunda morte (2:11). Os imperadores romanos, os déspotas, o anticristo podem até matar os crentes, mas estes jamais enfrentarão a morte eterna.

*A igreja de Pérgamo* – O vencedor receberá o maná escondido, uma pedrinha branca com um novo nome (2:17). Para uma igreja que se misturava com o mundo, o vencedor recebe uma promessa de absolvição no juízo e não de condenação com o mundo.

*A igreja de Tiatira* – Para uma igreja seduzida pelo engano de uma profetisa, o vencedor recebe a promessa de receber autoridade sobre as nações e possuir não os encantos do pecado, mas o Senhor da glória, a estrela da manhã (2:26-28).

*A igreja de Sardes* – Para uma igreja que só vive de aparência, mas está morta, os vencedores recebem a promessa de que seus nomes estarão no livro da vida e seus nomes serão confessados diante do Pai no dia do juízo (3:5).

*A igreja de Filadélfia* – Para uma igreja fraca, mas fiel, o vencedor recebe a promessa de ser coluna do santuário de Deus (3:12). A coluna é que sustenta o santuário. Eles podem ser fracos diante dos homens, mas são poderosos e fortes diante de Deus.

*A igreja de Laodiceia* – Para uma igreja que se considerava rica e autossuficiente, mas era pobre e miserável, o vencedor recebe a promessa de assentar-se com Cristo no seu trono (3:21).

Para todas as igrejas há um refrão: "Quem tem ouvidos, ouça o que o Espírito diz às igrejas". Precisamos ouvir o que Deus está falando conosco. A bem-aventurança não é apenas ler e ouvir, mas também obedecer as profecias deste livro (1:3).

**Capítulo 3**

# Uma mensagem do Noivo à sua Noiva
(Ap 2:1-7)

ÉFESO ERA A MAIOR, MAIS RICA e mais importante cidade da Ásia Menor. Ela era chamada "a feira das vaidades" do mundo antigo.[1] Um escritor romano a chamou: "a luz da Ásia".[2] A cidade tinha uma população estimada em mais de duzentas mil pessoas. Os efésios construíram um teatro que podia oferecer assento para cerca de vinte e quatro mil pessoas.[3] Em Éfeso ficava o mais importante porto da Ásia Menor.[4] Para todos os que desejavam viajar para algum lugar da Ásia, Éfeso era a entrada obrigatória. Mais tarde, quando muitos mártires foram capturados na Ásia e levados a Roma para serem lançados aos leões, Ignácio rebatizou Éfeso como "a porta dos mártires".[5] Era o centro do culto a Diana (At 19:35), cujo templo jônico era uma das sete maravilhas do mundo antigo.⁶ Nesse templo havia centenas de sacerdotisas que funcionavam como prostitutas sagradas. Tudo isso fazia de Éfeso uma cidade sobremodo imoral.⁷ Simon Kistemaker, citando o filósofo grego Heráclito, diz que a moral do templo era pior que a moral dos animais, pois nem mesmo os cães promíscuos mutilavam uns aos outros.⁸ Era uma cidade mística, cheia de superstição e também um dos centros do culto ao imperador.

Na cidade de Éfeso imperava o misticismo, a idolatria, a imoralidade e a perseguição. Naquela cidade, como hoje, o Diabo usou duas táticas: perseguição e sedução; oposição e ecumenismo.

Paulo visitou a cidade de Éfeso no final da segunda viagem missionária, por volta do ano 52 d.C. Em sua terceira viagem, permaneceu em Éfeso por três anos. Houve alguns sinais de avivamento na cidade de Éfeso: as pessoas ao ouvirem o evangelho vinham denunciando publicamente as suas obras; as pessoas que se convertiam rompiam totalmente com o ocultismo, queimando seus livros mágicos; o evangelho espalhou-se dali por toda a Ásia Menor (At 19:1-20).

Durante a sua primeira prisão em Roma, Paulo escreveu a carta aos efésios, agradecendo a Deus o profundo amor que havia na igreja. Timóteo é enviado para ser pastor da igreja. Mais tarde, o apóstolo João pastoreou aquela igreja. Agora, depois de quarenta anos, Jesus envia uma carta à segunda geração de crentes, mostrando que a igreja permanecia fiel na doutrina, mas já havia se esfriado em seu amor. William Hendriksen diz que foi durante o reinado de Domiciano, 81-96 d.C., que João foi desterrado a Patmos. Foi posto em liberdade e levado para Éfeso e ali morreu durante o reinado de Trajano. A tradição relata que quando João, já muito idoso e demasiado fraco para caminhar, era levado à igreja de Éfeso, ele admoestava aos membros, dizendo-lhes: "Filhinhos, amemo-nos uns aos outros".[9]

Qual é a mensagem de Jesus, o Noivo da igreja, à sua noiva?

## O Noivo apresenta-se à sua noiva para dar-lhe segurança (v. 1)

Jesus envia sua mensagem ao anjo da igreja. Quem é esse anjo? Alguns intérpretes pensam que são seres celestiais enviados como mensageiros de Deus. Outros creem que sejam anjos guardiães, um para cada congregação. A interpretação mais consistente bíblica e historicamente, entretanto, é que "anjo" aqui deve ser entendido como o pastor da igreja.[10] Jesus apresenta-se como aquele que está presente e em ação no meio da sua igreja. Ele não apenas está no meio dos candeeiros (1:13), mas também anda no meio dos candeeiros (2:1). A presença manifesta do Cristo vivo no meio da igreja é a sua maior necessidade. Em nossa teologia perdemos o impacto da presença real de Cristo entre nós. Temos a ideia de Cristo no céu, no trono, reinando à destra do Pai, mas não temos a visão clara de que Ele está no meio da congregação. Perdemos o impacto da presença de Cristo em nosso louvor, em nossas reuniões e em nossos encontros. Cremos na sua transcendência, mas não vivenciamos sua imanência. Perdemos o senso da glória do Cristo presente entre nós.

O Noivo não só está presente, Ele está também segurando a sua igreja em suas onipotentes mãos. O verbo *kratein* (conserva) é diferente do traduzido por "tinha" (Ap 1:16). Significa segurar com firmeza, ter totalmente dentro das mãos. Ninguém pode arrancar-nos das mãos de Jesus (Jo 10:28). Nada pode nos separar do amor de Deus que está em Cristo Jesus. William Barclay afirma corretamente: "a totalidade da igreja está em sua mão e Ele a sustém. Cristo não é o Cristo de alguma seita, ou comunidade, ou denominação, e menos ainda de alguma congregação particular. Ele é o Cristo de toda a igreja".[11]

O Noivo está também sondando a sua igreja. Ele nos conhece: Ele sonda os nossos corações. Ele anda no meio da igreja para encorajá-la, repreendê-la e chamá-la ao arrependimento.

## O Noivo elogia a sua noiva pelas suas virtudes (v. 2-3,6)

Jesus destaca três grandes virtudes da igreja de Éfeso, dignas de serem imitadas:

Em primeiro lugar, *era uma igreja fiel na doutrina* (2:2-3,6). Mesmo cercada por perseguição e mesmo atacada por constantes heresias, essa igreja permaneceu firme na Palavra, contra todas as ondas e novidades que surgiram. Jesus já alertara sobre o perigo dos lobos vestidos com peles de ovelhas (Mt 7:15). Paulo já havia avisado os presbíteros dessa igreja sobre os lobos que penetrariam no meio do rebanho e sobre aqueles que se levantariam entre eles, falando coisas pervertidas para arrastar atrás deles os discípulos (At 20:29-30). Agora os lobos haviam chegado.

O apóstolo João fala da necessidade de provar os espíritos, porque há muitos falsos profetas (1Jo 4:1). A igreja de Éfeso estava enfrentando os falsos apóstolos que ensinavam heresias perniciosas (2:2).

A igreja de Éfeso tinha discernimento espiritual. Tornou-se intolerante com a heresia (2:2) e com o pecado moral (2:6). "A igreja separou-se das falsas doutrinas e das falsas obras".[12] Os Nicolaítas, (destruidores do povo), pregavam uma nova versão do Cristianismo.[13] Eles pregavam um evangelho liberal, sem exigências e sem proibições. Eles queriam gozar o melhor da igreja e o melhor do mundo. Eles incentivavam os crentes a comer comidas sacrificadas aos ídolos. Eles ensinavam que o sexo antes e fora do casamento não era pecado. Eles acabavam estimulando a imoralidade. Mas a igreja de Éfeso não tolerou a heresia e odiou as obras dos Nicolaítas.

A igreja evangélica brasileira precisa aprender nesse particular com a igreja de Éfeso. As pessoas hoje buscam a experiência e não a verdade. Elas não querem pensar, querem sentir. Elas não querem doutrina, querem as novidades, as revelações, os sonhos e as visões. Elas não querem estudar a Palavra, querem escutar testemunhos eletrizantes. Elas não querem o evangelho da cruz, buscam o evangelho dos milagres. Elas não querem Deus, querem as bênçãos de Deus.

Estamos vivendo a época da paganização da igreja. A igreja está perdendo o compromisso com a verdade. As pessoas hoje parecem ter aversão à teologia ortodoxa. Elas buscam novidades. O que determina o rumo da igreja não é mais a Palavra de Deus, mas o gosto dos consumidores. A igreja prega não a Palavra, mas o que dá ibope. A igreja oferece o que o povo quer ouvir. A igreja está pregando outro evangelho: o evangelho do descarrego, do sal grosso, da quebra de maldições mesmo para os salvos, da prosperidade material e não da santificação; da libertação e não do arrependimento.

A igreja está perdendo a capacidade de refletir. Os crentes contemporâneos não são como os bereanos, nem como os crentes de Éfeso, fiéis à doutrina. Estamos vendo uma geração de crentes analfabetos da Bíblia, crentes ingênuos espiritualmente. Há uma preguiça mental doentia medrando em nosso meio. Os crentes engolem tudo aquilo que lhes é oferecido em nome de Deus, porque não estudam a Palavra. Crentes que já deveriam ser mestres, ainda estão como crianças agitadas de um lado para o outro, ao sabor dos ventos de doutrina. Correm atrás da última novidade. São ávidos pelas coisas sobrenaturais, mas deixam de lado a Palavra do Deus vivo.

Analisamos com preocupação a explosão do crescimento numérico da igreja evangélica brasileira. Precisamos perguntar: Que igreja está crescendo? Que evangelho está sendo pregado? O que está crescendo não é o evangelho genuíno, mas um misticismo híbrido. O que estamos vendo florescer é um cristianismo sincrético, heterodoxo, um outro evangelho.

Em segundo lugar, *a igreja de Éfeso era envolvida com a obra de Deus* (2:2). Ela não era apenas teórica, ela agia. A palavra grega para "obra" é *kopós,* que descreve o trabalho que nos faz suar, o trabalho duro, que nos deixa exaustos, a classe de trabalho que demanda de nós toda reserva de energia e toda a nossa concentração mental.[14] Havia labor, trabalho intenso. John Stott afirma que a igreja era uma colmeia industriosa.¹⁵ Os crentes eram engajados e não meramente expectadores. A congregação se envolvia, não era apenas um **auditório**. A igreja não vivia apenas intramuros. Não se deleitava apenas em si mesma. Não era narcisista. Por meio dela o evangelho espalhou-se por toda a Ásia Menor.

Jesus pode dizer o mesmo a nosso respeito? Temos sido uma igreja operosa? Você tem sido um ramo frutífero da Videira Verdadeira? Você tem sido um membro dinâmico do Corpo de Cristo?

Em terceiro lugar, *a igreja de Éfeso era perseverante nas tribulações* (2:2-3). Ser crente em Éfeso não era popular. Lá ficava um dos maiores centros do culto ao imperador. Muitos crentes estavam sendo perseguidos e até mortos por não se dobrarem diante de César. Outros estavam sendo perseguidos por não adorarem a grande Diana dos Efésios. Outros estavam sendo seduzidos a cair nos falsos ensinos dos falsos **apóstolos**. Mas, os crentes estavam prontos a enfrentar todas as provas por causa do nome de Jesus. Eles não esmoreciam.

Permanecemos fiéis quando somos perseguidos, provados e seduzidos? Hoje muitos crentes querem a coroa sem a cruz. Querem a riqueza sem o trabalho. Querem a salvação sem a conversão. Querem as bênçãos de Deus sem o Deus das bênçãos.

A igreja contemporânea está perdendo a capacidade de sofrer pelo evangelho. Ela prefere ser reconhecida pelo mundo a ser conhecida no céu. A igreja perdeu a capacidade de denunciar o pecado. Esquemas de corrupção já estão se infiltrando dentro das igrejas. Já temos igrejas empresas. A igreja está se transformando em negócio familiar. O púlpito está se transformando num balcão, o evangelho num produto e os crentes em consumidores. Pastores com ares de superespirituais já não aceitam ser questionados. Estão acima do bem e do mal. Estão acima dos outros e até da verdade. Consideram-se os "ungidos". Dizem ouvir a voz direta de Deus. Nem precisam mais das Escrituras. E o povo lhes segue cegamente para a sua própria destruição.

## O Noivo repreende a sua noiva pelo esfriamento do seu amor (Ap 2:4)

A ortodoxia da igreja de Éfeso era deficiente num ponto. Estava desconectada da prática da piedade e do exercício do amor. George Ladd, comentando sobre o esfriamento do amor da igreja de Éfeso, diz:

> Este era um fracasso que atacara sua vida cristã pelas bases. O Senhor tinha ensinado que o amor mútuo devia ser a marca que identificasse a comunhão dos cristãos (Jo 13:35). Os convertidos de Éfeso tinham experimentado este amor nos primeiros anos de sua nova existência; mas a luta contra os falsos mestres, e seu ódio por ensinos heréticos parece que trouxeram endurecimento aos sentimentos e atitudes rudes a tal ponto que levaram ao esquecimento da virtude cristã suprema que é o amor. Pureza de doutrina e lealdade não podem nunca ser substitutos para o amor.[16]

Abandonamos o nosso primeiro amor, quando substituímos o amor a Jesus pela ortodoxia e pelo trabalho (2:4). A luta pela ortodoxia, o intenso trabalho e as perseguições levaram a igreja de Éfeso à aridez. Uma esposa pode ser fiel ao seu marido sem amá-lo com toda a sua devoção. Ela pode cumprir com os seus deveres, mas não motivada por um profundo amor. Assim era a igreja de Éfeso, diz William Hendriksen.[17]

A igreja é a Noiva de Cristo. Ele se deleita nela. Ele se alegra com ela. Jesus mesmo está preparando a sua noiva para o grande banquete de núpcias, para a festa das bodas do Cordeiro.

A Noiva de Cristo, entretanto, abandonou o seu primeiro amor. O amor é a marca do discípulo verdadeiro (Jo 13:34-35). Sem amor, nosso conhecimento, nossos dons, e nossa própria ortodoxia não têm nenhum valor. Jesus está mais interessado em nós do que em nosso trabalho. Odiar o erro e o mal não é o mesmo que amar a Cristo. O trabalho de Deus não pode tomar o lugar de Deus na nossa vida. Deus está mais interessado em relacionamento com Ele do que em trabalho para Ele.

Abandonamos também o nosso primeiro amor quando o nosso amor por Jesus é substituído pelo nosso zelo religioso. Defendemos nossa teologia, nossa fé, nossas convicções e estamos prontos a sofrer e morrer por essas convicções, mas não nos deleitamos mais em Deus. Não nos afeiçoamos mais a Jesus. Já não sentimos mais saudades de estar com Ele. Os fariseus eram zelosos das coisas de Deus. Observavam com rigor todos os ritos sagrados. Mas o coração estava seco como um deserto.

O amor esfria quando nosso conhecimento teológico não nos move a nos afeiçoarmos mais a Deus. Conhecemos muito a respeito de Deus, mas não desejamos ter comunhão com Ele. Falamos que Ele é todo-poderoso como o profeta Jonas, mas O desafiamos com nossa rebeldia. Falamos que Ele é amável, mas não temos prazer em falar com Ele em oração.

Não há nada mais perigoso do que a ortodoxia morta. Externamente está tudo bem, mas a motivação está errada. A máquina funciona, mas não é Cristo quem está no centro. O amor à estrutura é maior do que o amor a Jesus. Crentes fiéis, mas sem amor. Crentes ortodoxos, mas secos como um poste. Crentes que conhecem a Bíblia, mas perderam o encanto por Jesus. Crentes que sabem teologia, mas a verdade já não mais os comove. Crentes que morrem em defesa da fé e atacam a heresia como escorpiões do deserto, mas não amam mais o Senhor com a mesma devoção. Crentes que trabalham à exaustão, mas não contemplam o Senhor na beleza da sua santidade. Sofrem pelo evangelho, mas não se deleitam no Evangelho. Combatem a heresia, mas não se deliciam na verdade.

Abandonamos, ainda, o nosso primeiro amor quando examinamos os outros e não examinamos a nós mesmos. A igreja de Éfeso examinava os outros e era capaz de identificar os falsos ensinos, mas não era capaz de examinar a si mesma. Tinha doutrina, mas não tinha amor. A igreja identifica o mal doutrinário nos outros, mas não identifica a frieza do amor em si mesma. Identifica a heresia nos outros, mas não a sua própria apatia espiritual. Warren Wiersbe disse que a igreja de Éfeso estava tão ocupada com a separação do mundo, que esqueceu-se da adoração.[18] A igreja de Éfeso tinha identificado o mal doutrinário nos outros, mas não a frieza em si mesma. Tinha identificado a heresia nos outros, mas não a falta de amor em si mesma. Tinha zelo pela ortodoxia, mas estava vazia da principal marca do cristianismo, o amor.

## O Noivo oferece à sua noiva a chance de um recomeço (Ap 2:5,7)

Jesus foi enfático à igreja: *"lembra-te, pois de onde caíste"* (2:5). O passado precisa novamente tornar-se um presente vivo. Não basta saber que é preciso arrepender-se. Precisamos nos perguntar: Para onde precisamos retornar? Para o ponto do qual nos desviamos. Retornar para um lugar qualquer só nos levaria para outros descaminhos.[19] A igreja não está sendo chamada a relembrar o seu pecado. Não está sendo dito: lembra em que situação caíste, mas de onde caíste.[20] O filho pródigo começou o seu caminho de restauração quando lembrou-se da casa do pai.

Em seguida Jesus disse: *"arrepende-te"* (2:5). Arrependimento não é emoção, é decisão. É atitude. Não precisa existir choro, basta decisão. O filho pródigo não só se lembrou da casa do pai, mas voltou para a casa do pai. Lembrança sem arrependimento é remorso. Essa foi a diferença entre Pedro e Judas. Arrepender-se é mudar a mente, é mudar a direção, é voltar-se para Deus. É deixar o pecado. É romper com o que está entristecendo o Noivo. O que está fazendo o seu coração esfriar? Deixe isso. Arrependa-se.

Finalmente, Jesus disse: *"volta à prática das primeiras obras"* (2:5). Não é arrependimento e depois repetidamente arrependimento, mas arrependimento e depois frutos do arrependimento, ou seja, as primeiras obras.[21]

Ninguém se arrepende de um pecado e o continua praticando.

É tempo de você voltar-se para Jesus. Você que se afastou dele, que está frio. Você que deixou de orar, de se deleitar na Palavra. É tempo de se devotar novamente ao Noivo.

Há uma solene advertência à igreja, caso ela não se arrependa. Jesus disse: "e, se não, venho a ti e removerei do seu lugar o teu candeeiro" (2:5). Candeeiro é feito para brilhar. Se ele não brilha, ele é inútil, desnecessário. A igreja não tem luz própria. Ela só reflete a luz de Cristo. Mas, se não tem intimidade com Cristo, ela não brilha; se ela não ama, não brilha, porque quem não ama está nas trevas. John Stott afirma que nenhuma igreja tem lugar seguro e permanente neste mundo. Ela está continuamente em julgamento.[22]

O juízo começa pela Casa de Deus. Antes de julgar o mundo, Jesus julga a igreja. A igreja de Éfeso deixou de existir. A cidade de Éfeso deixou também de existir. Hoje, só existem ruínas e uma lembrança de uma igreja que perdeu o tempo da sua visitação.

Hoje muitas igrejas também estão sendo removidas do seu lugar. Há templos se transformando em museus. Candeeiros que são tirados do seu lugar, porque não têm luz e não têm luz porque não têm amor. Fica o alerta às igrejas que não amam: "Ainda que eu tenha o dom de profetizar e conheça todos os mistérios e toda a ciência; ainda que eu tenha tamanha fé, ao ponto de transportar montes, se não tiver amor, nada serei" (1Co 13:1-3).

No meio da igreja há sempre um remanescente fiel. Esses são os vencedores. Eles rejeitaram as comidas sacrificadas aos ídolos oferecidas pelos Nicolaítas, mas agora se alimentam da Árvore da Vida.

A Árvore da Vida fala de vida eterna. Vida eterna é conhecer a Deus e Deus é amor. Viver no paraíso e fruir de seus frutos significa comunhão clemente com o Senhor do paraíso.[23] O céu só é céu, porque lá é a Casa do Pai, e Ele é amor. Lá vamos desfrutar desse amor pleno e abundante do nosso Noivo. A recompensa do amor é mais amor na perfeita comunhão do céu.[24] Que você tenha ouvidos para ouvir a voz do Espírito.

## Capítulo 4

## Como ser um cristão fiel até à morte
(Ap 2:8-11)

É POSSÍVEL SER FIEL E FIEL ATÉ à morte num mundo carimbado pelo relativismo? O sofrimento revela quem é fiel e quem é conveniente. Aqui vemos uma igreja sofredora, perseguida, pobre, caluniada, aprisionada, enfrentando a própria morte, mas uma igreja fiel que só recebe elogios de Cristo. Warren Wiersbe diz que a palavra "Esmirna" vem de "mirra", uma erva amarga. Portanto, o nome da cidade é um nome bem apropriado para uma igreja que estava enfrentando perseguição.[1]

Tudo o que Jesus diz nesta carta à igreja de Esmirna tem a ver com a cidade e com a igreja:

Em primeiro lugar, *vemos uma igreja pobre numa cidade rica*. Esmirna era rival de Éfeso, diz William Hendriksen.[2] Era a cidade mais bela da Ásia Menor. Era considerada o ornamento, a coroa e a flor da Ásia.[3] Cidade comercial, onde ficava o principal porto da Ásia. O monte Pagos era coberto de templos e bordejado de casas formosas.[4] Era um lugar de realeza coroado de torres. Tinha uma magnífica arquitetura, com templos dedicados a Cibeles, Zeus, Apolo, Afrodite e Esculápio. Hoje essa é a única cidade sobrevivente, com o nome de Izmir,[5] na Turquia asiática, com 255 mil habitantes.

Em segundo lugar, *uma igreja que enfrenta a morte numa cidade que havia morrido e ressuscitado*. Esmirna havia sido fundada como colônia grega no ano 1000 a.C. No ano 600 a. C., os lídios a invadiram e destruíram por completo. No ano 200 a. C., Lisímaco a reconstruiu e fez dela a mais bela cidade da Ásia. Quando Cristo disse que estivera morto, mas estava vivo, os esmirneus sabiam do que Jesus estava falando. A cidade estava morta e reviveu.[6]

Em terceiro lugar, *uma igreja fiel a Cristo na cidade mais fiel a Roma*. Esmirna sabia muito bem o significado da palavra fidelidade. De todas as cidades orientais havia sido a mais fiel a Roma.[7] Muito antes de Roma ser senhora do mundo, Esmirna já era fiel a Roma.[8] Cícero dizia que Esmirna era a aliada mais antiga e fiel de Roma. No ano de 195 a. C., Esmirna foi a primeira cidade a erigir um templo à deusa Roma. No ano 26 d.C., quando as cidades da Ásia Menor competiam pelo privilégio de construir um templo ao imperador Tibério, Esmirna ganhou de Éfeso esse privilégio.[9] Para a igreja dessa cidade, Jesus disse: "Sê fiel até à morte".

Em quarto lugar, *uma igreja vitoriosa na cidade dos jogos atléticos*. Esmirna tinha um estádio onde todos os anos se celebravam jogos atléticos famosos procedentes de todo o mundo; os jogadores disputavam uma coroa de louros. Para os crentes dessa cidade, Jesus prometeu a coroa da vida.[10]

Ser cristão em Esmirna era um risco de perder os bens e a própria vida. Essa igreja pobre, caluniada e perseguida só recebe elogios de Cristo. A fidelidade até à morte era a marca dessa igreja. Como podemos aprender, com essa igreja, a sermos fiéis?

## Tendo uma visão desromantizada da vida (Ap 2:8-9)

A igreja de Esmirna estava atravessando um momento de prova e o futuro imediato era ainda mais sombrio. Jesus conforta a igreja dizendo a ela que conhecia a sua tribulação. Adolf Pohl fazendo um paralelo entre o sofrimento de Cristo e da igreja de Esmirna diz:

> Existe uma noite em que não se pode agir, mas somente sofrer. Durante os dias da Paixão de Cristo, a lei da ação igualmente passou para os seus adversários. Ele atestou a seus perseguidores: "Esta porém, é a vossa hora e o poder das trevas" (Lc 22:53), e a Pilatos: "Tens poder sobre mim" (Jo 19:11). Aconteceram os momentos em que silenciou diante das pessoas e estava amarrado à cruz. Nem sequer podia unir as mãos, e muito menos impô-las a alguém. Entretanto, como foi poderosa a sua ação pelo sofrimento! Quanta ação na Paixão! Ele exclama: "Está consumado!" A igreja em Esmirna uniu-se estreitamente a esse Senhor na paixão dela.[11]

Há quatro coisas nesta carta que precisamos destacar, se queremos ter uma visão desromantizada da vida:

Em primeiro lugar, *tribulação* (2:9). A ideia de tribulação é de um aperto, um sufoco, um esmagamento. A igreja estava sendo espremida por um rolo compressor. A pressão dos acontecimentos pesava sobre a igreja e a força das circunstâncias procurava forçar a igreja a abandonar a sua fé.

Os crentes em Esmirna estavam sendo atacados e mortos. Eles eram forçados a adorar o imperador como se fosse Deus. De uma única vez lançaram do alto do monte Pagos 1200 crentes. Doutra feita, lançaram 800 crentes. Os crentes estavam morrendo por causa da sua fé. Cerca de cinquenta anos depois desta carta, o bispo de Esmirna foi queimado vivo na própria cidade. William Hendriksen, assim descreve esse fato:

> É possível que Policarpo tenha sido o bispo da igreja de Esmirna naquele tempo. Era um discípulo de João. Fiel até à morte, este dedicado líder foi queimado vivo em uma fogueira no ano 155 d.C. Seus algozes pediram-lhe que dissesse: "César é Senhor", mas ele recusou-se a fazê-lo. Levado ao estádio, o procônsul instou com ele, dizendo: "Jura, maldiz a Cristo e te porei em liberdade." Policarpo lhe respondeu: "Oitenta e seis anos eu tenho servido a Cristo, e Ele nunca me fez mal, só o bem. Como então posso eu maldizer o meu Rei e Salvador?" [...]. Depois de ameaçá-lo com feras, o procônsul lhe disse: "farei que sejas consumido pelo fogo." Mas Policarpo respondeu: "Tu me ameaças com fogo que queima por uma hora e depois de um pouco se apaga, mas tu és ignorante a respeito do fogo do juízo vindouro e do castigo eterno, reservado para os maus.

Mas, por que te demoras? Faze logo o que queres [...]".
Assim Policarpo foi queimado vivo em uma pira.[12]

Como entender o amor de Deus no meio da perseguição? Como entender o amor do Pai pelo seu Filho quando o entregou como sacrifício? Onde é sacrificado o amado, o amor se oculta. Isso é a Sexta-Feira da Paixão: Não ausência, mas ocultação do amor de Deus.

Em segundo lugar, *pobreza*. George Ladd diz que a pobreza dos esmirneus não advinha somente da sua situação econômica normal, mas do confisco de propriedades, de bandos hostis que os saqueavam e da dificuldade de ganhar a vida em um ambiente hostil.[13] A pobreza não é maldição. Jesus disse: "Bem-aventurados os pobres" (Lc 6:20). Tiago diz que Deus elege os pobres do mundo para serem ricos na fé (Tg 2:5). Havia duas palavras para pobreza: *ptochéia* e *penia*. A primeira é pobreza total, extrema. Era representada pela imagem de um mendigo agachado.[14] *Penia* é o homem que carece do supérfluo, enquanto *ptocheia* é o que não tem nem sequer o essencial.[15] João usou a palavra *pthochéia* para descrever a pobreza dos esmirneus. A pobreza dos crentes era um efeito colateral da tribulação. Ela vinha de algumas razões: 1) Os crentes eram procedentes das classes pobres e muitos deles eram escravos. Os primeiros cristãos sabiam o que era pobreza absoluta; 2) Os crentes eram saqueados e seus bens eram tomados pelos perseguidores (Hb 10:34); 3) Os crentes haviam renunciado aos métodos suspeitos e, por sua fidelidade a Cristo, perderam os lucros fáceis que foram para as mãos de outros menos escrupulosos.

Em terceiro lugar, *difamação*. Os judeus estavam espalhando falsos rumores a respeito dos cristãos. As mentes estavam sendo envenenadas.[16] Os crentes de Esmirna estavam sendo acusados de coisas graves. O Diabo é o acusador. Ele é o pai da mentira. Aqueles que usam a arma das acusações levianas são "Sinagoga de Satanás". Havia uma forte e influente comunidade judaica em Esmirna. Eles não apenas estavam perseguindo os crentes, mas estavam influenciando os romanos a prenderem os crentes. João chama os judeus perseguidores de "Sinagoga de Satanás".

Os judeus foram os principais inimigos da igreja no primeiro século. Perseguiram a Paulo em Antioquia da Pisídia (At 13:50), em Icônio (At 14:2,5). Em Listra Paulo foi apedrejado (At 14:19), em Corinto Paulo tomou a decisão de deixar os judeus e ir para os gentios (At 18:6). Quando retornou para Jerusalém, os judeus o prenderam no templo e quase o mataram. O livro de Atos termina com Paulo em Roma sendo perseguido pelos judeus. Eles se consideravam o genuíno povo de Deus, os filhos da promessa, a comunidade da aliança, mas ao rejeitarem o Messias e perseguirem a igreja de Deus, estavam se transformando em Sinagoga de Satanás (Rm 2:28-29). A religião deles foi satanizada. Tornou-se a religião do ódio, da perseguição, da rejeição da verdade. Quem difama Cristo ou O degrada naqueles que O confessam promove a obra de Satanás e guerreia as guerras de Satanás.

Os crentes passaram a sofrer várias acusações levianas:1) Canibais – por celebrarem a ceia com o pão e o vinho, símbolos do corpo de Cristo; 2) Imorais, por celebrarem a festa do Ágape antes da Eucaristia; 3) Divididores de famílias, uma vez que as pessoas que se convertiam a Cristo deixavam suas crenças vãs para servirem a Cristo. Jesus veio trazer espada e não a paz; 4) Acusavam os crentes de Ateísmo, por não se dobrarem diante de imagens dos vários deuses; 5) Acusavam os crentes de deslealdade e de serem revolucionários, por se negarem a dizer que César era o Senhor.[17]

Em quarto lugar, *prisão*. Alguns crentes de Esmirna estavam enfrentando a prisão. A prisão era a antessala do túmulo. Os romanos não cuidavam de seus prisioneiros. Normalmente os prisioneiros morriam de fome, de pestilências, ou de lepra.

Vistas de uma perspectiva mais elevada, as detenções tinham uma outra finalidade: "para serdes postos à prova". Os crentes estavam prestes a serem levados à banca de testes. Deus estava testando a fidelidade dos crentes. Mas Deus é fiel e não permite que sejamos tentados além das nossas forças. Ele supervisiona o nosso teste.

## Sabendo que a avaliação de Jesus é diferente da avaliação do mundo (Ap 2:9)

A igreja de Esmirna era uma igreja pobre: isso porque os crentes vinham das classes mais baixas. Pobre, também, porque muitos dos membros eram escravos. Pobres, outrossim, porque seus bens eram tomados, saqueados. Pobres, ainda, porque os crentes eram perseguidos e até jogados nas prisões. Pobres, finalmente, porque os crentes não se corrompiam. Era uma igreja espremida, sofrida, acuada.

Embora a igreja fosse pobre financeiramente, era rica dos recursos espirituais. Não tinha tesouros na terra, mas os tinha no céu. Era pobre diante dos homens, mas rica diante de Deus. A riqueza de uma igreja não está na pujança do seu templo, na beleza de seus móveis, na opulência do seu orçamento, na projeção social dos seus membros. A igreja de Laodiceia considerava-se rica, mas Jesus disse que ela era pobre. A igreja de Filadélfia tinha pouca força, mas Jesus colocou diante dela uma porta aberta. A igreja de Esmirna, era pobre, mas aos olhos de Cristo era rica.

Enquanto o mundo avalia os homens pelo *ter*, Jesus os avalia pelo *ser*. Importa ser rico para com Deus. Importa ajuntar tesouros no céu. Importa ser como Pedro: "Eu não tenho ouro e nem prata, mas o que eu tenho, isso te dou: em nome de Jesus, o Nazareno, anda". A igreja de Esmirna era pobre, mas fiel. Era pobre, mas rica diante de Deus. Era pobre, mas possuía tudo e enriquecia a muitos.

Nós podemos ser ricos para com Deus, ricos na fé, ricos em boas obras. Podemos desfrutar das insondáveis riquezas de Cristo. À vista de Deus há tantos pobres homens ricos como ricos homens pobres. É melhor ser como a igreja de Esmirna, pobre materialmente e rica espiritualmente, do que como a igreja de Laodiceia, rica materialmente, mas pobre diante de Cristo.

## Estando pronto a fazer qualquer sacrifício para honrar a Deus (Ap 2:10)

Aqueles crentes eram pobres, perseguidos, caluniados, presos e agora estavam sendo encorajados a enfrentar a própria morte, se fosse preciso. A questão em destaque aqui não é ser fiel até o último dia da vida, mas fiel até o ponto de morrer por essa fidelidade. É preferir morrer a negar a Jesus. Jesus foi obediente até à morte e morte de cruz. Ele foi da cruz até à coroa. Essa linha também foi traçada para a igreja de Esmirna: "Sê fiel até à morte e dar-te-ei a coroa da vida". Desta forma, a igreja de Esmirna não é candidata à morte, mas à vida.

A cidade de Esmirna era fiel a Roma, mas os crentes são chamados a serem fiéis a Jesus. A cidade de Esmirna tinha a pretensão de ser a primeira, mas Jesus diz: "Eu sou o primeiro e o último". Somos chamados a sermos fiéis até às últimas consequências, mesmo num contexto de hostilidade e perseguição. Como já dissemos, Policarpo, o bispo da igreja, discípulo de João, foi martirizado no dia 23/02/155 d.C.[18] Ele foi apanhado e arrastado para a arena. Tentaram intimidá-lo com as feras. Ameaçaram-no com o fogo, mas ele respondeu: "Eu sirvo a Jesus há 86 anos e Ele sempre me fez bem. Como posso blasfemar contra o meu Salvador e Senhor, que me salvou?"[19] Os inimigos furiosos, queimaram-no vivo em uma pira, enquanto ele orava e agradecia a Jesus o privilégio de morrer como mártir.

Hoje Jesus espera do seu povo fidelidade na vida, no testemunho, na família, nos negócios, na fé. Não venda o seu Senhor por dinheiro, como Judas. Não troque o seu Senhor, por um prato de lentilhas como Esaú. Não venda a sua consciência por uma barra de ouro como Acã. Seja fiel a Jesus, ainda que isso lhe custe seu namoro, seu emprego, seu sucesso, seu casamento, sua vida. Jesus diz que aqueles que são perseguidos por causa da justiça são bem-aventurados (Mt 5:10-12). O servo não é maior do que o seu senhor. O mundo perseguiu a Jesus e também nos perseguirá.

A Bíblia diz que todo aquele que quiser viver piedosamente em Cristo será perseguido (2Tm 3:12). Paulo diz: "A vós foi dado o privilégio não apenas de crer em Cristo, mas também de sofrer por ele" (Fp 1:29). Dietrich Bonhoeffer, enforcado no campo de concentração de Flossenburg, na Alemanha, em 9 de abril de 1945, escreveu que o sofrimento é o sinal do verdadeiro cristão. Enquanto estamos aqui, muitos irmãos nossos estão selando com o seu sangue a sua fidelidade a Cristo.

Aqueles que forem fiéis no pouco, serão recebidos pelo Senhor com honras: "Bom está servo bom e fiel. Foste fiel no pouco, sobre o muito te colocarei. Entra no gozo do teu senhor."

## Sabendo que Jesus está no controle de todos os detalhes da nossa vida (Ap 2:9-11)

Jesus conhece quem somos e tudo o que acontece conosco (2:9). Este fato é fonte de muito conforto. Uma das nossas grandes necessidades nas tribulações é alguém com quem partilhá-las. Jesus conhece nossas aflições, porque anda no meio dos candeeiros. Sua presença nunca se afasta.

Nossa vida não está solta, ao léu. Nosso Senhor não dormita nem dorme. Ele está olhando para você. Ele sabe o que você está passando. Ele conhece a sua tribulação. Ele sabe das suas lutas. Ele sabe das suas lágrimas. Ele sabe que diante dos homens você é pobre, mas ele sabe os tesouros que você tem no céu. Jesus sabe das calúnias que são assacadas contra você. Ele sabe o veneno das línguas mortíferas que conspiram contra você. Ele sabe que somos pobres, mas ao mesmo tempo ricos. Ele sabe que somos entregues à morte, mas ao mesmo tempo temos a coroa da vida.

Jesus, também, permite o sofrimento com o propósito de lhe provar, e não de lhe destruir (2:10). A intenção do inimigo é destruir a sua fé, mas o propósito de Jesus é provar você. Os judeus estão furiosos. O Diabo está por trás do aprisionamento. Mas quem realiza seus propósitos é Deus. O fogo das provas só consumirá a escória, só queimará a palha, porém tornará você mais puro, mais digno, mais fiel. Jesus estava peneirando a sua igreja para arrancar dela as impurezas. O nosso adversário tenta para destruir; Jesus prova para refinar. Precisamos olhar para além da provação, para o glorioso propósito de Jesus. Precisamos olhar para além do castigo, para o seu benefício. O rei Davi disse: "Foi-me bom passar pela aflição para aprender os teus decretos" (Sl 119:71). O Senhor não o poupa da prisão, mas usa a prisão para fortalecer você. Ele não nos livra da fornalha, mas nos purifica nela.

Jesus controla tudo o que sobrevém à sua vida. Nenhum sofrimento pode nos atingir, exceto com a sua expressa permissão. Ele adverte os crentes de Esmirna sobre o que está por acontecer. Ele fixa um limite aos seus sofrimentos. Jesus sabe quem está por trás de todo ataque à sua vida (2:10). O inimigo que nos ataca não pode ir além do limite que Jesus estabelece. A prisão será breve. E Jesus diz: "Não temas as cousas que tens de sofrer." Três verdades estão aqui presentes: a primeira é que o sofrimento é certo; a segunda é que será limitado; a terceira é que será breve.

Assim como aconteceu com Jó, Deus diria para o Diabo em Esmirna: "Até aqui e não mais". O Diabo só pode ir até onde Deus o permite. Quem está no controle da nossa vida é o Rei da glória. Não tenha medo!

Jesus já passou vitoriosamente pelo caminho estreito do sofrimento que nos atinge, por isso pode nos fortalecer. Ele também enfrentou tribulação. Ele foi homem de dores. Ele sabe o que é padecer. Ele foi pressionado pelo inferno. Ele suportou pobreza, não tinha onde reclinar a cabeça. Foi caluniado. Chamaram-no de beberrão, de impostor, de blasfemo, de possesso. Ele foi preso, açoitado, cuspido, pregado na cruz. Jesus passou pelo vale escuro da própria morte. Ele entrou nas entranhas da morte e a venceu. Agora Ele diz para a sua igreja: "Não temas as cousas que tens de sofrer." Ele tem poder para consolar, porque Ele foi tentado como nós, mas sem pecar. Ele pode nos socorrer, porque trilhou o caminho do sofrimento e da morte e venceu. William Barclay diz que o Cristo ressuscitado é aquele que experimentou a morte, passou através da morte, e saiu da morte; voltou a viver, triunfantemente, pela ressurreição, e está vivo pelos séculos dos séculos.[20]

Jesus é eterno. Ele é o primeiro e o último. Aquele que nunca muda e que está sempre conosco.

Ele é vitorioso, enfrentou a morte e a venceu. Ele destruiu aquele que tem o poder da morte e nos promete vitória sobre ela.

Ele é galardoador, promete a coroa da vida para os fiéis e vitória completa sobre a segunda morte para os vitoriosos. William Barclay, ainda diz:

A exigência do Cristo ressuscitado é que seu povo lhe seja fiel até à morte, fiel ainda quando a vida mesma seja o preço dessa fidelidade. A lealdade era uma virtude que todos os habitantes de Esmirna conheciam muito bem, porque sua cidade havia comprometido seu destino com Roma e se havia mantido leal, ainda em épocas quando a grandeza de Roma não era mais que uma remota possibilidade.[21]

Jesus conclui sua mensagem à igreja de Esmirna, dizendo: "Quem tem ouvidos, ouça o que o Espírito diz às igrejas" (2:11). Cada igreja tem necessidade de um sopro especial do Espírito de Deus. A palavra para a igreja de Esmirna era: considerem-se candidatos à vida. Sob tribulação, pobreza e difamação continuem fiéis. Não olhem para o sofrimento, mas para a recompensa. Só mais um pouco e ouviremos nosso Senhor nos chamando de volta para Casa: "Vinde, benditos de meu Pai, entrem na posse do Reino...", aqui não tem mais morte, nem pranto, nem luto, nem dor!

A promessa de Jesus é clara: "O vencedor não sofrerá o dano da segunda morte" (2:11). Podemos enfrentar a morte e até o martírio, mas escaparemos do inferno que é a segunda morte, e entraremos no céu, que é a coroa da vida. Precisamos ser fiéis até à morte, mas então a segunda morte não poderá nos atingir. Podemos perder nossa vida, mas então a coroa da vida nos será dada.

## Capítulo 5

# O perigo de a igreja misturar-se com o mundo
(Ap 2:12-17)

A CARTA À IGREJA DE PÉRGAMO é um brado de Jesus à igreja contemporânea. Essa carta é endereçada a você, a mim, a nós. Não é uma mensagem diante de nós, mas a nós. Examinaremos não apenas um texto antigo, mas sondaremos o nosso próprio coração à luz dessa verdade eterna.

O perigo que estava assaltando a igreja de Pérgamo era a linha divisória entre a verdade e a heresia. John Stott diz que o ponto da discórdia na igreja não era entre o bem e o mal, e sim entre a verdade e o erro.[1] George Ladd diz que o pecado dos efésios era intolerância rude; o pecado da igreja de Pérgamo era tolerância e liberalismo.[2] Como a igreja pode permanecer na verdade sem se misturar com as heresias e com o mundanismo? Como uma igreja que é capaz de enfrentar o martírio pode permanecer fiel diante da tática da sedução?

A palavra *pérgamo* significa casado. A igreja precisa lembrar-se que está comprometida com Cristo, é a noiva de Cristo e precisa se apresentar como uma esposa santa, pura e incontaminada. No Livro de Apocalipse o sistema do mundo que está entrando na igreja é definido como a grande Babilônia, a mãe das meretrizes, enquanto a igreja é definida como a noiva de Cristo.

O ponto central dessa carta é alertar a igreja sobre o risco da perigosa mistura do povo de Deus com o engano doutrinário e com a imoralidade do mundo.

## Cristo sonda a igreja e revela os perigos que a cercam (Ap 2:13)

Em primeiro lugar, *Cristo vê uma igreja instalada no meio do acampamento de Satanás* (2:13). Pérgamo era uma cidade com um passado glorioso. Historicamente era a mais importante cidade da Ásia. Segundo Plínio "era a mais famosa cidade da Ásia".[3] Começou a destacar-se depois da morte de Alexandre, o grande, em 333 a.C. Foi capital da Ásia quase 400 anos. Foi capital do reino Selêucida até 133 a.C. Átalo III, rei selêucida, o último de Pérgamo, passou o reino a Roma em seu testamento e Pérgamo tornou-se a capital da província romana da Ásia.

Em segundo lugar, *Pérgamo, também, era um importante centro cultural.* Como centro cultural sobrepujava Éfeso e Esmirna. Era famosa por sua biblioteca que possuía 200 mil pergaminhos. Era a segunda maior biblioteca do mundo, só superada pela de Alexandria. Pergaminho deriva-se de Pérgamo. O papiro do Egito era o material usado para escrever. No terceiro século antes de Cristo, Eumenes, rei de Pérgamo, resolveu transformar a biblioteca de Pérgamo na maior do mundo. Convenceu a Aristófanes de Bizâncio, bibliotecário de Alexandria, a vir para Pérgamo. Ptolomeu, rei do Egito, revoltado, embargou o envio de papiro para Pérgamo. Então, inventaram o pergaminho, de couro alisado, que veio superar o papiro. Pérgamo gloriava-se de seus conhecimentos e cultura.[4]

Em terceiro lugar, *Pérgamo, ainda, era um destacado centro do paganismo religioso*. Em Pérgamo ficava um grande panteão. Havia altares para vários deuses em Pérgamo. No topo da Acrópole, ficava o famoso templo dedicado a Zeus, uma das sete maravilhas do mundo antigo. Todos os dias se levantava a fumaça dos sacrifícios prestados a Zeus.

Outro dado relevante é que em Pérgamo havia o culto a Esculápio. Ele era o "deus salvador", o deus serpente das curas.[5] Seu colégio de sacerdotes-médicos era famoso. Naquela época mantinha 200 santuários no mundo inteiro. A sede era em Pérgamo. Ali estava a sede de uma famosa escola de medicina. Para ali peregrinavam e convergiam pessoas doentes do mundo inteiro em busca de saúde. A crendice misturava-se à ciência. Galeno, médico só superado por Hipócrates, era de Pérgamo. As curas, muitas vezes, eram atribuídas ao poder do deus serpente, Esculápio.[6] Esse deus serpente tinha o título famoso de Salvador. O emblema de Esculápio era uma serpente, o qual decora ainda hoje os emblemas da medicina.[7]

A antiga serpente assassina, apresenta-se agora como sedutora.

Em quarto lugar, *em Pérgamo, também, estava o centro asiático do culto ao Imperador*. O culto ao imperador era o elemento unificador para a diversidade cultural e política do império.[8] No ano 29 a.C. foi construído em Pérgamo o primeiro templo a um imperador vivo, o imperador Augusto. O anticristo era mais evidente em Pérgamo do que o próprio Cristo.[9] Desde 195 a.C., havia templos à deusa Roma em Esmirna. O imperador encarnava o espírito da deusa Roma. Por isso, se divinizou a pessoa do imperador e começou a se erguer templos a ele. Uma vez por ano, os súditos deviam ir ao templo de César e queimar incenso dizendo: "César é o Senhor". Depois, podiam ter qualquer outra religião. Havia até um panteão para todos os deuses. Isso era símbolo de lealdade a Roma, uma cidade eclética, de espírito aberto, onde a liberdade religiosa reinava desde que observassem esse detalhe do culto ao imperador.

Finalmente, *em Pérgamo estava o trono de Satanás*. Ele não apenas habitava na cidade, mas lá estava o seu trono. O trono de Satanás não estava num edifício, como hoje sugerem os defensores do movimento de Batalha Espiritual, mas no sistema da cidade. Adolf Pohl corretamente interpreta:

> Recomenda-se não relacionar "o trono de Satanás" com determinados prédios, mas antes com a cidade inteira, na qual os membros da comunidade viviam dispersos. Estava em questão algo ligado à atmosfera, a Pérgamo enquanto centro helenista em sua totalidade impressionante, com tudo o que dela irradiava em

termos religiosos, culturais e políticos de forma tão atordoadora.[10]

O trono de Satanás é marcado pela pressão e pela sedução. Onde Satanás reina predomina a cegueira espiritual, floresce o misticismo, propaga-se o paganismo, a mentira religiosa, bem como a perseguição e a sedução ao povo de Deus.

Em Pérgamo estava um panteão, onde vários deuses eram adorados. Isso atentava contra o Deus criador. Em Pérgamo as pessoas buscavam a cura através do poder da serpente. Isso atentava contra o Espírito Santo, de onde emana todo o poder. Em Pérgamo estava o culto ao Imperador, onde as pessoas queimavam incenso e o adoravam como Senhor. E isso conspirava contra o Senhor Jesus, o Rei dos reis e Senhor dos senhores.

Cristo não apenas conhece as obras da igreja e suas tribulações. Mas também conhece a tentação que assedia a igreja, conhece o ambiente em que ela vive. Cristo sabe que a igreja está rodeada por uma sociedade não-cristã, com valores mundanos, com heresias bombardeando-a a todo instante.

## Cristo vê uma igreja capaz de enfrentar a morte por sua causa (Ap 2:13)

Cristo conhece também a lealdade que a igreja lhe dedica. A despeito do poder do culto pagão a Zeus, a Esculápio e ao imperador, os crentes da igreja de Pérgamo só professavam o nome de Jesus. Eles tinham mantido suas próprias convicções teológicas no meio dessa babel religiosa. A perseguição religiosa não os intimidou.

A igreja suportou provas extremas. Antipas, pastor da igreja de Pérgamo, segundo Tertuliano, foi colocado dentro de um boi de bronze e esse foi levado ao fogo até ficar vermelho, morrendo o servo de Deus sufocado e queimado.[11] Ele resistiu à apostasia até à morte.

### Cristo vê uma igreja que começa a negociar a verdade (Ap 2:14)

Como Satanás não logrou êxito contra a igreja usando a perseguição, mudou a sua tática, e usou a sedução. A proposta agora não é substituição, mas mistura. Não é apostasia aberta, mas ecumenismo.

Alguns membros da igreja começaram a abrir a guarda e a ceder diante da sedução do engano religioso. Na igreja havia crentes que permaneciam fiéis, enquanto outros estavam se desviando da verdade. Numa mesma congregação há aqueles que permanecem firmes e aqueles que caem.

### Cristo vê uma igreja que começa a ceder às pressões do mundo (Ap 2:14)

Balaque contratou Balaão para amaldiçoar a Israel. Balaão prostituiu os seus dons com o objetivo de ganhar dinheiro. O deus de Balaão era o dinheiro. Mas quando ele abria a boca só conseguia abençoar. Então Balaque ficou bravo com ele. Balaão, então, por ganância, aconselhou Balaque a enfrentar Israel não com um grande exército, mas com pequenas donzelas sedutoras. Aconselhou a mistura, o incitamento ao pecado. Aconselhou a infiltração, uma armadilha. Assim, os homens de Israel participariam de suas festas idólatras e se entregariam à prostituição. E o Deus santo se encheria de ira contra eles e eles se tornariam fracos e vulneráveis.[12]

O pecado enfraquece a igreja. A igreja só é forte quando é santa. Sempre que a igreja se mistura com o mundo e adota o seu estilo de vida, ela perde o seu poder e sua influência.

O grande problema da igreja de Pérgamo é que enquanto uns sustentavam a doutrina de Balaão, os demais membros da igreja se calavam num silêncio estranho. A infidelidade aninhou-se dentro da igreja com a adesão de uns e o conformismo dos outros. A igreja tornou-se infiel. Parecia que a igreja queria submergir suas diferenças doutrinárias no oceano do amor fraternal.[13]

### Cristo vê uma igreja que começa a baixar o seu nível moral (Ap 2:15)

Eles ensinavam que a liberdade de Cristo é a liberdade para o pecado. Diziam: Não estamos mais debaixo da tutela da lei. Estamos livres para viver sem freios, sem imposições, sem regras. Esse simulacro da verdade era para transformar a graça em licença para a imoralidade, a liberdade em libertinagem.

Os nicolaítas ensinavam que o crente não precisa ser diferente. Quanto mais ele pecar maior será a graça, diziam. Quanto mais ele se entregar aos apetites da carne, maior será a oportunidade do perdão. Eles faziam apologia ao pecado. Eles defendiam que os crentes precisam ser iguais aos pagãos. Eles deviam se conformar com o mundo. Por esta razão, o texto nos diz que Cristo odeia a obra dos nicolaítas. Ele odeia o pecado. O que era odiado em Éfeso era tolerado em Pérgamo.

## Cristo diagnostica a igreja e identifica a fonte do pecado (Ap 2:13)

Em primeiro lugar, *Jesus diz que a fonte do pecado é o Diabo* (2:13). A igreja de Pérgamo vivia e testemunhava numa cidade onde Satanás habitava e onde estava o seu trono. Satanás não somente habitou em Pérgamo, mas também a governou. Satanás era a fonte dos pecados aos quais alguns membros da igreja tinham sucumbido.[14] Seus numerosos templos, santuários e altares, seu labirinto de filosofias anticristãs, sua tolerância com a imoralidade dos nicolaítas e balaamitas ostentavam um testemunho em favor do domínio maligno.

John Stott diz que nós precisamos apagar da nossa mente a caricatura medieval de Satanás, despojando-o dos chifres, cascos e do rabo.[15] A Bíblia diz que ele é um ser espiritual inteligente, poderoso e inescrupuloso. Jesus o chamou de príncipe deste mundo. Paulo o chamou de príncipe da potestade do ar. Ele tem um trono e um reino e sob seu comando está um exército de espíritos malignos que são identificados nas Escrituras como "os dominadores deste mundo tenebroso" e "forças espirituais do mal nas regiões celestes".

Em segundo lugar, *Jesus diz que Pérgamo é um lugar sombrio*. A cidade estava mergulhada na confusão mental da heresia.[16] O reino de Satanás é onde as trevas reinam. Ele é o dominador deste mundo tenebroso. Ele odeia a luz. Ele é mentiroso e enganador. Ele cega o entendimento dos descrentes. Ele instiga os homens a pecar e os induz ao erro.

### Cristo sonda a igreja e julga os que se rendem ao pecado (Ap 2:12,16)

Em primeiro lugar, *Jesus exorta os faltosos ao arrependimento* (2:16). A igreja precisava expurgar aquele pecado de tolerância com o erro doutrinário e com a libertinagem moral. A igreja precisava arrepender-se do seu desvio doutrinário e do seu desvio de conduta. Verdade e vida precisam ser pautadas pela Palavra de Deus. Embora o juízo caia sobre os que se desviaram, a igreja toda é disciplinada e envergonhada por isso.

A igreja precisa arrepender-se de sua tolerância com o erro. Embora apenas alguns membros da igreja tenham se desviado, os outros devem se arrepender porque foram tolerantes com o pecado. Enquanto os crentes de Éfeso odiavam as obras dos nicolaítas, os crentes de Pérgamo, toleravam a doutrina e a obra dos nicolaítas. O pecado da igreja de Pérgamo era a tolerância ao erro e ao pecado.

Em segundo lugar, *Jesus sentencia os impenitentes com o juízo*. A falta de arrependimento desemboca no juízo. Jesus virá em juízo condenatório contra todos aqueles que permanecem impenitentes e contra aqueles que se desviam da verdade. Antipas morreu pela espada dos romanos. Mas quem tem a verdadeira espada é Jesus. Ele derrotará os seus inimigos com esta poderosa arma. A espada da sua boca é a sua arma que destrói seus inimigos. Essa é a única arma que Jesus usará na sua segunda vinda.

Com ela Ele matará o anticristo e também destruirá os rebeldes e apóstatas.

A mensagem da verdade se tornará a mensagem do julgamento. Deus nos fará responsáveis por nossa atitude em face da verdade que conhecemos. Jesus diz que a sua própria palavra é que condenará o ímpio no dia do juízo (Jo 12:47-48). A palavra salvadora torna-se juiz e a espada benfazeja, transforma-se em carrasco.[17]

## Cristo sonda a igreja e premia os vencedores (Ap 2:17)

Em primeiro lugar, *Jesus diz que os vencedores comerão do maná escondido* (2:17). No deserto Deus mandou o maná (Êx 16:11-15). Quando cessou, um vaso com maná foi guardado na Arca e depois no templo (Êx 16: 33,34; Hb 9:4). Com a destruição do templo, conta uma lenda que Jeremias escondeu o vaso com maná numa fenda do Monte Sinai. Os rabinos diziam que ao vir o Messias, o vaso com maná seria recuperado. Receber o maná escondido significa desfrutar das bênçãos da era messiânica.

O maná escondido refere-se ao banquete permanente que teremos no céu. Aqueles que rejeitam o luxo das comidas idólatras nesta vida, terão o banquete com as iguarias de Deus no céu. Bengel disse que diante desse manjar, o apetite pela carne sacrificada a ídolos deveria desaparecer.

O maná era o pão de Jeová (Êx 16:15), cereal do céu (Sl 78:24). Era alimento celestial. Os crentes não devem participar dos banquetes pagãos, pois vão participar dos banquetes do céu. Jesus é o pão do céu.

Em segundo lugar, *Jesus diz que os vencedores receberão uma pedrinha branca* (2:17). Essa pedrinha branca pode ter pelo menos dois significados: Primeiro, era uma espécie de "entrada" para um banquete. Era considerada um bilhete para admissão à festa messiânica.[18] Segundo, era usada nos tribunais para veredito dos jurados. A sentença de absolvição correspondia a uma maioria de pedras brancas e a de condenação a uma maioria de pedras pretas. O cristão é declarado justo, inocente, sem culpa diante do Trono de Deus.

Era usada também como bilhete de entrada em festivais públicos. A pedrinha branca é símbolo da nossa admissão no céu, na festa das bodas do Cordeiro. Quem deixa as festas do mundo, vai ter uma festa verdadeira onde a alegria vai durar para sempre.

Em terceiro lugar, *Jesus diz que os vencedores receberão um novo nome* (Ap 2:17). John Stott diz que o maná escondido é Cristo. O novo nome é Cristo. Vamos nos deliciar com o maná e compreender o novo nome. Esta é a visão beatífica.[19] Aqueles que conhecem em parte conhecerão também plenamente, como são conhecidos. Aqueles que veem agora como em um espelho, indistintamente, o verão face a face.

**Capítulo 6**

# Uma Igreja debaixo do olhar investigador de Cristo
(Ap 2:18-29)

A MAIS EXTENSA CARTA é dirigida à menos importante das sete cidades, diz John Stott.[1] Tiatira não era nenhum centro político ou religioso, sua importância era comercial.[2] William Barclay diz que a importância de Tiatira era sua posição geográfica, pois ficava no caminho por onde viajava o correio imperial. Por este caminho se transportava todo o intercâmbio comercial entre Europa e Ásia.[3]

Tiatira era sede de vários importantes grêmios de comércio (lã, couro, linho, bronze, tintureiros, alfaiates, vendedores de púrpura).[4] Uma dessas corporações vendia vestimentas de púrpura e é provável que Lídia fosse uma representante dessa corporação em Filipos (At 16:14). Estes grêmios tinham fins tanto de mútua proteção e benefício como social e recreativo.

Seria quase impossível ser comerciante em Tiatira sem fazer parte desses grêmios. Não participar era uma espécie de suicídio comercial. Era perder as esperanças de prosperidade.[5]

Cada grêmio tinha sua divindade tutelar.[6] Nessas reuniões havia banquetes com comida sacrificada aos ídolos e acabavam depois em festas cheias de licenciosidade. William Barclay diz que esse era o problema de Tiatira: não havia perseguição; o perigo estava dentro da igreja.[7]

O que os cristãos deviam fazer nessas circunstâncias: transigir ou progredir? Manter a consciência pura ou entrar no esquema para não perder dinheiro? Ser santo ou ser esperto? Qual é a posição do cristão: se sai do grêmio perde sua posição, reputação e lucro financeiro. Se permanece nessas festas nega a Jesus. Nessa situação Jezabel fingiu saber a solução. Disse ela: para vencer a Satanás é preciso conhecer as cousas profundas de Satanás. O ensino de Jezabel enfatizava que não se pode vencer o pecado sem conhecer profundamente o pecado pela experiência.[8]

É dentro dessa cultura que está a igreja de Tiatira. Era uma igreja forte, crescente. Aos olhos de qualquer observador parecia ser uma igreja vibrante, amorosa, cheia de muitas pessoas. Vamos observar como Jesus vê essa igreja:

## Uma igreja dinâmica sob a apreciação de Jesus (Ap 2:18-19)

Em primeiro lugar, *Jesus se apresenta como aquele que conhece profundamente a igreja* (2:18,23). Ele não apenas está no meio dos candeeiros (Ap 1:13), Ele também anda no meio dos candeeiros (2:1). Ele conhece as obras da igreja (2:19), as tribulações da igreja (2:9), bem como o lugar onde a igreja está (2:13). Seus olhos são como chama de fogo (2:18). Ele vê tudo, conhece tudo e sonda a todos. Nada escapa ao seu conhecimento. Ele conhece as obras (2:19) e também as intenções (2:23).

Cristo apresenta-se assim, porque muitas práticas vis estavam sendo toleradas secretamente dentro da igreja. Mas ninguém pode esconder-se do olhar penetrante e onisciente de Jesus. Pedro não pôde apagar da sua memória o olhar penetrante de Jesus. Ele esquadrinha o coração e os pensamentos. No dia do juízo Ele vai julgar o segredo do coração dos homens.

Em segundo lugar, *Jesus se apresenta como aquele que distingue dentro da igreja as pessoas fiéis e as infiéis* (2:24). Numa mesma comunidade havia três grupos: os que eram fiéis (2:24), os que estavam tolerando o pecado (2:20) e os que estavam vivendo no pecado (2:20-22). A igreja está bem, está em perigo e está mal. E Jesus sabe distinguir uns dos outros. Numa mesma igreja há gente salva e gente perdida. Há joio e trigo.

Em terceiro lugar, *Jesus se apresenta como aquele que reconhece e elogia as marcas positivas da igreja* (2:19). A igreja era operosa. Havia trabalho, labor, agenda cheia. A igreja era marcada por amor. Ela possuía a maior das virtudes, o amor. O que faltava em Éfeso havia em Tiatira. A igreja era marcada por fé. Havia confiança em Deus. A igreja era marcada pela perseverança ou paciência triunfadora. Ela passava pelas provas com firmeza. Finalmente, a igreja estava em franco progresso espiritual. Suas últimas obras eram mais numerosas que as primeiras. Essas marcas eram do remanescente fiel e não da totalidade dos membros. John Stott comentando sobre os predicados espirituais da igreja de Tiatira diz: "Tiatira não apenas rivalizava com Éfeso nas atividades do serviço cristão, como também demonstrou o amor que faltava em Éfeso, preservou a fé, que estava em perigo em Pérgamo, e compartilhava com Esmirna a virtude da resistência paciente na tribulação".[9]

## Uma igreja tolerante ao pecado sob a reprovação de Jesus (Ap 2:20)

Destacamos em primeiro lugar, *que antes de Jesus reprovar a falsa profetisa, ele reprova a igreja* (2:20). A igreja de Tiatira estava crescendo (2:19), por isso, Satanás procura corromper o seu interior, em vez de atacá-la de fora para dentro.

Jesus reprova a igreja por ser tolerante com o falso ensino e com a falsa moralidade. Enquanto Éfeso não podia suportar os homens maus e os falsos ensinos, Tiatira tolerava uma falsa profetisa, chamada Jezabel. Essa falsa profetisa estava exercendo uma influência tão nefasta na igreja como Jezabel havia exercido em Israel. O nome Jezabel significa *puro*, mas sua vida e conduta negavam o seu nome. Foi Jezabel quem introduziu em Israel o culto pagão a Baal e misturou religião com prostituição. Ela não só perseguiu os profetas de Deus, mas também promoveu o paganismo.

A segunda Jezabel estava induzindo os servos de Deus ao pecado. Pregava que os pecados da carne podiam ser livremente tolerados. A liberdade que ela pregava era uma verdadeira escravidão.

A tolerância da igreja com o falso ensino provoca a ira de Jesus. A igreja abriu as portas para essa mulher. Ela subia ao púlpito da igreja, exercia a docência e induzia os crentes ao pecado. A igreja não tinha pulso para desmascará-la e enfrentá-la.

Uma planta venenosa estava vicejando naquele precioso canteiro, chamado igreja de Tiatira.[10] Naquele corpo saudável um câncer maligno começou a formar-se. Um inimigo estava encontrando guarida no meio da comunidade. Havia transigência moral dentro da igreja. Aqui não era o lobo que veio de fora, mas o lobo que estava enrustido dentro da igreja. Escrevendo sobre essa condição da igreja de Tiatira, William Barclay alerta:

> Aqui temos uma advertência. Uma igreja cheia de gente, cheia de energia e atividade, não necessariamente é uma verdadeira igreja. É muito fácil encher de gente uma igreja quando os fiéis vêm para ser entretidos e não para ser instruídos, para ser tranquilizados em vez de ser desafiados e confrontados com a realidade de seus pecados e com a oferta da salvação. Uma igreja pode chegar a estar cheia de energia. Pode ser que essa igreja não descanse em suas múltiplas atividades, mas nessa abundância de energia, todavia, pode ter perdido o centro da sua vida. Em vez de ser uma congregação cristã, não passa de um clube social.[11]

Em segundo lugar, *Jesus demonstra o seu zelo pela igreja e denuncia a falsa doutrina e a falsa moralidade* (2:20). Jesus denunciou de forma firme a falsa doutrina na igreja. Jezabel estava ensinando à igreja que a maneira de vencer o pecado era conhecer as cousas profundas de Satanás (2:23). Ela ensinava que os crentes não podiam cometer suicídio comercial, antes, deviam participar dos banquetes dos grêmios e comer carne sacrificada aos ídolos, bem como das festas imorais. Ela ensinava que os crentes deviam defender seus interesses materiais a todo custo. Prejuízo financeiro para ela era mais perigoso que o pecado. Amava mais o dinheiro que a Jesus, as exigências materiais mais que as exigências de Deus.[12] O ensino dela era que não há mérito em vencer um pecado sem antes experimentá-lo. O argumento dela é que para vencer a Satanás é preciso conhecê-lo e que o pecado jamais será vencido a menos que você tenha conhecido tudo por meio da experiência. O ensinamento perverso que estava por trás dessa falácia era: os pecados da carne podiam ser livremente tolerados sem prejuízo para o espírito. Mas a Bíblia diz que não podemos viver no pecado, nós os que para ele já morremos (Rm 6:1-2). Paulo diz, "na malícia [...] sede crianças" (1Co 14:20) e diz ainda "que devemos ser símplices para o mal" (Rm 16:19). O ensino dessa falsa profetisa estava levando os crentes de Tiatira a experimentar toda sorte de pecado. O que se pretendia era deixar que o corpo se afundasse no pecado para que a alma ou espírito se mantivesse livre de desejos e necessidades pecaminosas. Ela ensinava que o homem que nunca havia experimentado o prazer não tinha mérito nenhum em abster-se dele; para quem não conhecia a luxúria, abandoná-la não seria virtude; a verdadeira conquista seria viver no excesso do pecado, sem permitir que o pecado conquistasse a alma. Jezabel ensinava que a indulgência no prazer era vantajosa para a alma.[13]

Jesus denunciou de igual forma, a falsa moralidade. A proposta de Jezabel era oferecer uma nova versão do Cristianismo, um Cristianismo liberal, sem regras, sem proibições, sem legalismos. Ela queria modificar o Cristianismo para se adaptar à moralidade do mundo. Ela ensinava uma prática ecumênica com o paganismo.

### Uma igreja confrontada por Jesus, tendo a oportunidade de arrepender-se (Ap 2:21)

*Antes de Jesus tratar a igreja com juízo, Ele a confronta com misericórdia* (2:21). Deus é paciente e longânimo. Ele não tem prazer na morte do ímpio. Ele não quer que nenhum se perca. Ele chama a todos ao arrependimento. Ele dá tempo para que o pecador se arrependa. Cada dia é um tempo de graça, é uma oportunidade de se voltar para Deus. As portas da graça estão abertas. Os braços de Deus estão estendidos para oferecer perdão.

Em segundo lugar, *antes de Jesus tratar a igreja com juízo, a confronta com a disciplina* (2:22). A disciplina é um ato de amor. Jesus traz o sofrimento. Ele transformou o leito do adultério no leito do sofrimento. O leito da prostituição torna-se leito da doença terminal.[14] Ele transformou o prazer do pecado em chicote de disciplina. Ele está usando todos os recursos para levar o faltoso ao arrependimento.

Em terceiro lugar, *a falta de arrependimento implica necessariamente a aplicação inexorável do juízo* (2:19,22,23). Jezabel não quis se arrepender. Ela desprezou o tempo da sua oportunidade. Ela fechou a porta da graça com as suas próprias mãos. Ela calcou aos pés o sangue purificador de

Cristo. Ela zombou da paciência do Cordeiro. Agora, ela e seus seguidores são castigados com a doença, com grande tribulação e com a morte (2:22-23). O salário do pecado é a morte. O pecado é doce ao paladar, mas amargo no estômago. O pecado é uma fraude, oferece prazer e traz desgosto. Satanás é um estelionatário, promete vida e paga com a morte.

O juízo contra o pecado será final e completo no dia do juízo. Jesus não apenas tem olhos como de fogo (Ap 2:18), não apenas sonda mente e corações (2:23), mas, também, tem os pés semelhantes ao bronze polido, prontos a esmagar os seus inimigos (2:18). No dia do juízo Cristo colocará todos os seus inimigos debaixo dos seus pés (1Co 15:25). Naquele dia o Cordeiro estará irado (6:17).

## Uma igreja encorajada a ser fiel até o fim a despeito da apostasia de outros (Ap 2:24-25)

*É possível manter-se firme na doutrina mesmo quando outros se desviam* (2:24). Alguns membros da igreja não apenas tinham tolerado o ensino e as práticas imorais de Jezabel, mas também estavam seguindo os seus ensinos para a sua própria destruição. Porém, havia na igreja um remanescente fiel. Cristo diz que esses de fato são livres. O jugo de Cristo é suave e leve. Os mandamentos de Deus não são penosos. Não são fardos. Ser crente é ser verdadeiramente livre.

Em segundo lugar, *é possível manter-se puro na conduta mesmo quando outros se corrompem* (2:24). Alguns crentes de Tiatira tinham-se curvado aos ensinos pervertidos de

Jezabel e iam aos templos pagãos para comer carne sacrificada aos ídolos. Também participavam das festas cheias de licenciosidade. Buscavam conhecer as cousas profundas de Satanás. E assim se corrompiam moralmente. Porém, havia nessa mesma igreja, irmãos que buscavam a santificação. A santidade de vida e de caráter é uma marca da igreja verdadeira. A santidade não é apenas a vontade de Deus, mas seu propósito. Deus nos escolheu para sermos santos (Ef 1:4). Só os puros de coração verão a Deus (Mt 5:8). Sem santificação ninguém verá o Senhor (Hb 12:14). Eles se apartavam do mal e viviam em novidade de vida.

Se o propósito de Deus é nossa santidade, o propósito de Satanás é frustrar tal propósito. Ele está sempre procurando induzir os crentes a pecar. Ele vai usar o anticristo para esmagar a igreja pela força. Ele vai usar o falso profeta para perverter o testemunho da igreja pelo mal. Mas se não lograr êxito, ele vai seduzir a igreja através da grande Babilônia, esse sistema sedutor do mundo. Se o Diabo não pode destruir a igreja por meio da perseguição ou heresia, tentará corrompê-la com o pecado.

Em terceiro lugar *é preciso entender que já temos tudo em Cristo para uma vida plena* (2:25). Um dos grandes enganos de Satanás é induzir os crentes a pensar que precisam buscar novidades para terem uma experiência mais profunda com Deus. A verdade de Deus é suficiente. Não precisamos de mais nada. Tudo está feito. O banquete da salvação foi preparado. O que precisamos não é de novidades, de buscar fora das Escrituras coisas novas, mas tomar posse da vida eterna, conhecer o que Deus já nos deu, nos apropriarmos das insondáveis riquezas de Cristo. A provisão de Deus para nós é suficiente para uma vida plena até a volta de Jesus (2:25). Precisamos permanecer firmes e fiéis, conservando essa herança até o fim.

## Uma igreja recompensada pela sua vitória ao permanecer fiel ao seu Senhor até o fim (Ap 2:26-29)

O vencedor é o que guarda até o fim as obras de Jesus (2:26). Perseverança é a marca dos santos. Aqueles que se desviam e perecem no pecado são como Judas, filhos da perdição, nunca nasceram de novo.

O vencedor vai julgar os ímpios e reinar com Cristo (2:26-27). A falsa profetisa estava pregando que os crentes que não entrassem nos grêmios comerciais e não participassem das suas cerimônias pagãs perderiam o prestígio, cometeriam um suicídio econômico e estariam fadados à falência. Mas, Cristo ensina que não adianta ganhar o mundo inteiro e perder a alma. Aqueles que não vendem a sua consciência e não trocam Deus pelo dinheiro, vão ser honrados, vão se assentar no trono, e vão julgar os ímpios. Os santos julgarão o mundo (1Co 6:2). Aqueles que têm dominado suas próprias paixões sobre a terra terão ascendência sobre outros no céu.[15] No dia do juízo os perversos serão quebrados como um vaso de barro (Sl 2:8-9). Em vez de desprezo, teremos uma posição de honra. Vamos reinar com Cristo. Aqueles que perdem a vida por amor a Cristo, encontram a verdadeira vida, mas aqueles que querem ganhar a vida, perdem-na.

O vencedor vai conhecer não as cousas profundas de Satanás, mas as cousas profundas de Cristo (2:28). Os salvos receberão a estrela da manhã. Não apenas eles receberão corpos gloriosos que vão brilhar como as estrelas no firmamento, mas também, vão conhecer a Cristo, a estrela da manhã, na sua plenitude. Os salvos terão parte não apenas na autoridade de Cristo de governar o mundo, mas também na sua glória. Recusando-se a penetrar nas profundezas de Satanás, eles sondarão as profundezas de Cristo. Voltando suas costas às trevas do pecado, eles verão a luz da glória de Deus na face de Cristo. Os que renunciaram ao pecado e às vantagens do mundo, viverão na glória com Cristo em completo e eterno contentamento.[16]

Cristo é a nossa herança, a nossa riqueza, a nossa recompensa. Nós o veremos face a face. Nós o serviremos eternamente. Ele será nosso prazer e deleite para sempre. Cristo é melhor que os banquetes do mundo. Só Ele satisfaz nossa alma.

## Capítulo 7

# Reavivamento ou sepultamento
(Ap 3:1-6)

A HISTÓRIA DA IGREJA DE SARDES tem muito a ver com a história da cidade de Sardes. A glória de Sardes estava no seu passado, diz George Ladd.[1] Sardes foi a capital da Lídia no sétimo século a.C. Viveu seu tempo áureo nos dias do rei Creso. Era uma das cidades mais magníficas do mundo nesse tempo.

Situada no alto de uma colina, amuralhada e fortificada, sentia-se imbatível e inexpugnável. Precipícios íngremes protegiam a cidade, de modo que não podia ser escalada.[2] Seus soldados e habitantes pensavam que jamais cairiam nas mãos dos inimigos. De fato, a cidade jamais fora derrotada por um confronto direto. Seus habitantes eram orgulhosos, arrogantes, e autoconfiantes.

Mas a cidade orgulhosa caiu nas mãos do rei Ciro da Pérsia em 529 a.C., quando este a cercou por 14 dias; e quando os soldados estavam dormindo, ele penetrou com seu exército por um buraco na muralha, o único lugar vulnerável, e dominou a cidade. Mais tarde, em 218 a.C., Antíoco Epifânio dominou a cidade da mesma forma. E isso por causa da autoconfiança e falta de vigilância dos seus habitantes. Os membros dessa igreja entenderam claramente o que Jesus estava dizendo, quando afirmou: "Sede vigilantes! [...] senão virei como ladrão de noite" (Ap 3:3).

A cidade foi reconstruída no período de Alexandre Magno e dedicada à deusa Cibele, identificada com a deusa grega Ártemis. Essa divindade padroeira era creditada com o poder especial de restaurar a vida aos mortos.[3] Mas a igreja estava morrendo e só Jesus poderia dar vida aos crentes.

No ano 17 d.C. Sardes foi parcialmente destruída por um terremoto e reconstruída pelo imperador Tibério. A cidade tornou-se famosa pelo alto grau de imoralidade que a invadiu e a decadência que a dominou.

Quando João escreveu esta carta, Sardes era uma cidade rica, mas totalmente degenerada. Sua glória estava no passado e seus habitantes entregavam-se aos encantos de uma vida de luxúria e prazer. A igreja tornou-se como a cidade. Em vez de influenciar, foi influenciada. Era como sal sem sabor ou uma candeia escondida. A igreja não era nem perigosa nem desejável para a cidade de Sardes.

É nesse contexto que vemos Jesus enviando esta carta à igreja. Sardes era uma poderosa igreja, dona de um grande nome. Uma igreja que tinha nome e fama, mas não vida. Tinha performance, mas não integridade. Tinha obras, mas não dignidade.

A essa igreja Jesus envia uma mensagem revelando a necessidade imperativa de um poderoso reavivamento. Uma atmosfera espiritual sintética substituía o Espírito Santo naquela igreja, diz Arthur Bloomfield.[4] Ela substituía a genuína experiência espiritual por algo simulado. A igreja estava caindo num torpor espiritual e precisava de reavivamento. O primeiro passo para o reavivamento é ter consciência de que há crentes mortos e outros dormindo que precisam ser despertados.

Não é diferente o estado da igreja hoje. Ao sermos confrontados por aquele que anda no meio dos candeeiros, precisamos também tomar conhecimento da nossa necessidade de reavivamento hoje. Devemos olhar para esta carta não como uma relíquia, mas como um espelho, em que nos vemos a nós mesmos.

Certo pastor, ao ver a igreja que pastoreava em um profundo estado de torpor espiritual, negligenciando a Palavra, desobedecendo os preceitos de Deus, chocou a congregação dizendo que no próximo domingo faria a cerimônia de sepultamento da igreja. Convocou todos os crentes para virem para a cerimônia fúnebre. No domingo seguinte, até os faltosos estavam presentes. O pastor começou o culto e bem defronte do púlpito estava um caixão. O clima, de fato, era sombrio. Havia uma tristeza no ambiente. A curiosidade misturada com temor assaltou a todos. Depois do sermão, o pastor orientou os crentes a fazerem uma fila e verem o defunto que deveria ser enterrado. Cada pessoa que passava e olhava para dentro do caixão ficava comovida. Algumas pessoas saíram quebrantadas, em lágrimas. A congregação inteira prorrompeu em copioso choro. No fundo daquele caixão estava não um corpo morto, mas um espelho. Cada crente daquela congregação contemplava o seu próprio rosto. Todos entenderam a mensagem. Eles estavam dormindo o sono da morte e precisavam ser despertados para a vida em Cristo Jesus.

## A necessidade do Reavivamento

Em primeiro lugar, *o reavivamento é necessário quando há crentes que só têm o nome no rol da igreja, mas ainda estão mortos espiritualmente, ou seja, ainda não são convertidos* (3:1). A igreja de Sardes vivia de aparências. As palavras de Jesus à igreja foram mais bombásticas do que o terremoto que destruiu a cidade no ano 17 d.C. A igreja tinha adquirido um nome. A fama da igreja era notável. A igreja gozava de grande reputação na cidade. Nenhuma falsa doutrina estava prosperando na comunidade. Não se ouve de balaamitas, nem dos nicolaítas, nem mesmo dos falsos ensinos de Jezabel.[5] William Barclay diz que a igreja de Sardes não era molestada por ataques externos, pois quando uma igreja perde sua vitalidade espiritual, já não vale a pena atacá-la.[6]

Aos olhos dos observadores parecia ser uma igreja viva e dinâmica. Tudo na igreja sugeria vida e vigor, mas a igreja estava morta. Era uma espiritualidade apenas de rótulo, de aparência. A maioria dos seus membros ainda não eram convertidos. O Diabo não precisou perseguir essa igreja de fora para dentro, ela já estava sendo derrotada pelos seus próprios pecados. Adolf Pohl diz que onde reina a morte pelo pecado, não há morte pelo martírio.7

A igreja de Sardes parecia mais um cemitério espiritual, do que um jardim cheio de vida. Não nos enganemos acerca de Sardes. Ela não é o que o mundo chamaria de igreja morta. Talvez ela fosse considerada viva mesmo pelas igrejas irmãs. Nem ela própria tinha consciência do seu estado espiritual. Todos a reputavam como igreja viva, florescente; todos, com exceção de Cristo.[8] Parecia estar viva, mas na verdade estava morta. Tinha um nome respeitável, mas era só fachada. Quando Jesus examinou a igreja mais profundamente, disse: "Não achei as suas obras íntegras diante do meu Deus" (Ap 3:2). J. I. Packer diz que há igrejas cujos cultos são solenes, mas são como um caixão florido, lá dentro tem um defunto.

A reputação da igreja era entre as pessoas e não diante de Deus. A igreja tinha fama, mas não vida. Tinha pompa, mas não Pentecoste. Tinha exuberância de vida diante dos homens, mas estava morta diante de Deus. Deus não vê como vê o homem. A fama diante dos homens nem sempre é glória diante de Deus. Aquela igreja estava se transformando apenas em um clube.

A fé exercida pela igreja era apenas nominal. O cristianismo da igreja era apenas nominal. Seus membros pertenciam a Cristo apenas de nome, porém não de coração. Tinham fama de vivos; mas na realidade estavam mortos. Fisicamente vivos, espiritualmente mortos.

Em segundo lugar, *o reavivamento é necessário quando há crentes que estão no CTI espiritual, em adiantado estado de enfermidade espiritual* (3:2). Na igreja havia crentes espiritualmente em estado terminal. A maioria dos crentes apenas tinha seus nomes no rol da igreja, mas não no Livro da Vida. Mas havia também crentes doentes, fracos, em fase terminal. O mundanismo adoece a igreja. O pecado mata a vontade de buscar as coisas de Deus. O pecado mata os sentimentos mais elevados e petrifica o coração. No começo vêm dúvidas, medo, tristeza, depois a consciência cauteriza.

Em terceiro lugar, *o reavivamento é necessário quando há crentes que embora estejam em atividade na igreja, levam uma vida sem integridade* (3:2). Aqueles crentes viviam uma vida dupla. Suas obras não eram íntegras. Eles trabalhavam, mas apenas sob as luzes da ribalta. Eles promoviam seus próprios nomes e não o de Cristo. Buscavam a sua própria glória e não a de Cristo. Honravam a Deus com os lábios, mas o coração estava longe do Senhor (Is 29:13). Os cultos eram solenes, mas sem vida, vazios de sentido. A vida dos seus membros estava manchada pelo pecado.

Esses crentes eram como os hipócritas. Davam esmolas, oravam, jejuavam, entregavam o dízimo, com o fim da ganhar a reputação de serem bons religiosos. Eles eram como sepulcros caiados. Ostentavam aparência de piedade, mas negavam seu poder (2Tm 3:5). Isso é formalidade sem poder, reputação sem realidade, aparência externa sem integridade interna, demonstração sem vida.

Esses crentes viviam um simulacro da fé, um faz de conta da religião. Cantavam hinos de adoração, mas a mente estava longe de Deus. Pregavam com ardor, mas apenas para exibir sua cultura. Deus quer obediência, a verdade no íntimo. Em Sardes os crentes estavam falsamente satisfeitos e confiantes; eram falsamente ativos, falsamente devotos e falsamente fiéis.

Em quarto lugar, *o reavivamento é necessário quando há crentes se contaminando abertamente com o mundanismo* (3:4). A causa da morte da igreja de Sardes não era a perseguição, nem a heresia, mas o mundanismo. Como já disse Adolf Pohl, onde reina a morte pelo pecado, não há morte pelo martírio. A maioria dos crentes estava contaminando as suas vestiduras. Isso é um símbolo da corrupção. O pecado tinha se infiltrado na igreja. Por baixo da aparência piedosa daquela respeitável congregação havia impureza escondida na vida de seus membros.

Aqueles crentes também viviam uma vida moralmente frouxa. O mundo estava entrando dentro da igreja. A igreja estava se tornando amiga do mundo, amando o mundo e se conformando com ele. O fermento do mundanismo estava se espalhando na massa e contaminando a maioria dos crentes. Os crentes não tinham coragem de ser diferentes. John Stott citando o historiador grego Heródoto diz que os habitantes de Sardes, no correr dos anos, tinham adquirido uma reputação respaldada em padrões morais frouxos e até mesmo licenciosidade ostensiva.[9]

## Os imperativos para o reavivamento

Jesus aponta três imperativos para o reavivamento da igreja:

Em primeiro lugar, *uma volta urgente à Palavra de Deus* (3:3). O que é que eles ouviram e deviam lembrar, guardar e voltar? A Palavra de Deus! A igreja tinha se apartado da pureza da Palavra. O reavivamento é resultado dessa lembrança dos tempos do primeiro amor e dessa volta à Palavra. Uma igreja pode ser reavivada quando volta ao passado e lembra dos tempos antigos, do seu fervor, do seu entusiasmo, da sua devoção a Jesus. Deixemos que a história passada nos desafie no presente a voltemo-nos para a Palavra de Deus. Quando uma igreja experimenta um reavivamento passa a ter fome da Palavra. O primeiro sinal do reavivamento é a volta do povo de Deus à Palavra. Os crentes passam a ter fome de Deus e da sua Palavra. Começam a se dedicar ao estudo das Escrituras. Abandonam o descaso e a negligência com a Palavra. A Palavra torna-se doce como o mel. As antigas veredas se fazem novas e atraentes. A Palavra torna-se viva, deleitosa, transformadora.

O verdadeiro avivamento é fundamentado na Palavra, orientado e limitado por ela. Ele tem na Bíblia a sua base, sua fonte, sua motivação, seu limite e seus propósitos. Avivamento não pode ser confundido com liturgia animada, com culto festivo, inovações litúrgicas, obras abundantes, dons carismáticos, milagres extraordinários. O reavivamento é bíblico ou não vem de Deus.

Em segundo lugar, *uma volta à vigilância espiritual* (3:2). Sardes caiu porque não vigiou. A cidade de Sardes era uma acrópole inexpugnável que nunca fora conquistada em ataque direto; mas duas vezes na história da cidade ela foi tomada de surpresa por falta de vigilância da parte dos defensores.[10] Jesus alerta a igreja que se ela não vigiar, se ela não acordar, Ele virá a ela como o ladrão de noite, inesperadamente. Para aqueles que pensam que estão salvos, mas ainda não se converteram, aquele dia será dia de trevas e não de luz (Mt 7:21-23). A igreja precisa ser vigilante contra as ciladas de Satanás, contra a tentação do pecado. Os crentes devem fugir de lugares, situações e pessoas que podem ser um laço para os seus pés.

Alguns membros da igreja em Sardes estavam sonolentos e não mortos. E Jesus os exorta a se levantarem desse sono letárgico (Ef 5:14). Há crentes que estão dormindo espiritualmente. São acomodados, indiferentes às coisas de Deus. Não têm apetite espiritual. Não vibram com as coisas celestiais.

Os crentes fiéis precisam fortalecer os que estão com um pé na cova e socorrer aqueles que estão se contaminando com o mundo. Precisamos vigiar não apenas a nós mesmos, mas os outros também. Uma minoria ativa pode chamar de volta a maioria da morte espiritual. Um remanescente robusto pode fortalecer o que resta e que estava para morrer (Ap 3:4).

Precisamos vigiar e orar. Os tempos são maus. As pressões são muitas. Os perigos são sutis. O Diabo não atacou a igreja de Sardes com perseguição nem com heresia, mas a minou com o mundanismo. Os crentes não estão sendo mortos pela espada do mundo, mas pela amizade com o mundo.

A igreja de Sardes não era uma igreja herética e apóstata. Não havia heresias nem falsos mestres na igreja. A igreja não sofria perseguição, não era perturbada por heresias, não era importunada por oposição dos judeus. Ela era ortodoxa, mas estava morta. O remanescente fiel devia estar vigilante para não cair em pecado e também para preservar uma igreja decadente da extinção, restabelecendo sua chama e seu ardor pelo Senhor.

Em terceiro lugar, *uma volta à santidade* (3:4). O torpor espiritual em Sardes não tinha atingido a todos. Ainda havia algumas pessoas que permaneciam fiéis a Cristo. Embora a igreja estivesse cheia, havia apenas uns poucos que eram crentes verdadeiros e que não haviam se contaminado com o mundo. A maioria dos crentes estava vivendo com vestes manchadas, e não tendo obras íntegras diante de Deus. As vestes sujas falam de pecado, de impureza, de mundanismo. Obras sem integridade falam de caráter distorcido, de motivações erradas, de ausência de santidade.

## O agente do reavivamento

Jesus é o agente do reavivamento. Ele pode trazer reavivamento para a igreja por três razões.

Em primeiro lugar, *porque Jesus conhece o estado da igreja* (3:1). Jesus conhece as obras da igreja. Ele conhece a nossa vida, nosso passado, nossos atos, nossas motivações. Seus olhos são como chama de fogo. Ele vê tudo e a tudo sonda.

Jesus vê que a igreja de Esmirna é pobre, mas aos olhos de Deus é rica. Ele vê que na igreja apóstata de Tiatira havia um remanescente fiel. Ele vê que a igreja que tem uma grande reputação de ser viva e avivada como Sardes, está morta. Ele vê que uma igreja que tem pouca força como Filadélfia tem diante de si uma porta aberta. Ele vê que uma igreja que se considera rica e abastada como Laodiceia não passa de uma igreja pobre e miserável. Jesus sabe quem somos, como estamos e do que precisamos.

Em segundo lugar, *Jesus pode trazer reavivamento para a igreja, porque Ele é o dono da igreja* (3:1). Ele tem as sete estrelas. As estrelas são os anjos das sete igrejas. Elas representam as próprias igrejas. As estrelas estão nas mãos de Jesus. A igreja pertence a Jesus. Ele controla a igreja. Ele tem autoridade e poder para restaurar a sua igreja. Ele disse que as portas do inferno não prevaleceriam contra a sua igreja. Ele pode levantar a igreja das cinzas. Ele tem tudo em suas mãos. Cristo é o dono da igreja. Ele tem cuidado da igreja. Ele a exorta, consola, cura e restaura.

Em terceiro lugar, *Jesus é quem reaviva a igreja por meio do seu Espírito* (3:1). Jesus tem e oferece a plenitude do Espírito Santo à igreja. O problema da igreja de Sardes era morte espiritual; Cristo é o que tem o Espírito Santo, o único que pode dar vida. A igreja precisa passar por um avivamento ou enfrentará um sepultamento. Somente o sopro do Espírito pode trazer vida para um vale de ossos secos. O profeta Ezequiel fala sobre o vale de ossos secos. "Filho do homem, poderão reviver esses ossos? Senhor Deus, tu o sabes" (Ez 37:3).

Uma igreja morta, enferma e sonolenta precisa ser reavivada pelo Espírito Santo. Só o Espírito Santo pode dar vida, e restaurar a vida. Só o sopro de Deus pode fazer com que o vale de ossos secos transforme-se num exército. Jesus é aquele que tem o Espírito e o derrama sobre a sua igreja. É pelo poder do Espírito que a igreja se levanta da morte, do sono e do mundanismo para servir a Deus com entusiasmo.

Jesus é quem envia o Espírito à igreja para reavivá-la. O Espírito Santo é o Espírito de vida para uma igreja morta. Quando Ele sopra, a igreja morta e moribunda levanta-se. Quando Ele sopra, nossa adoração formal passa a ter vida exuberante. Quando Ele sopra, os crentes têm deleite na oração. Quando Ele sopra, os crentes são tomados por uma alegria indizível. Quando Ele sopra, os crentes testemunham de Cristo com poder.

A Palavra diz que devemos orar no Espírito, pregar no Espírito, adorar no Espírito, viver no Espírito e andar no Espírito. Uma igreja inerte só pode ser reavivada por Ele. Uma igreja sonolenta só pode ser despertada por Ele. Oh! que sejamos crentes cheios do Espírito de Cristo. Uma coisa é possuir o Espírito, outra é ser possuído por Ele. Uma coisa é ser habitado pelo Espírito, outra é ser cheio do Espírito. Uma coisa é ter o Espírito residente, outra é ter o Espírito presidente.

## As bênçãos do reavivamento

A santidade agora, é garantia de glória no futuro (3:5). A maioria dos crentes de Sardes tinha contaminado suas vestiduras, isto é, tornaram-se impuros pelo pecado. O vencedor receberia vestes brancas, símbolo de festa, pureza, felicidade e vitória. Sem santidade não há salvação. Sem santificação ninguém verá a Deus. Sem vida com Deus aqui, não haverá vida com Deus no céu. Sem santidade na terra não há glória no céu.

Quem não se envergonha de Cristo agora, terá seu nome proclamado no céu por Cristo (3:5). Quando uma pessoa morre, tiramos o atestado de óbito. Tira-se o nome do livro dos vivos. Os nomes dos mortos não constam no registro dos vivos. O salvo jamais será tirado do rol do céu.

Aqueles que estão mortos espiritualmente e negam a Cristo nesta vida não têm seus nomes escritos no Livro da Vida. Mas aqueles que confessam a Cristo, e não se envergonham do seu nome, terão seus nomes confirmados no Livro da Vida e seus nomes confessados por Cristo diante do Pai. Os crentes fiéis confessam e são confessados.

Nosso nome pode constar do registro de uma igreja sem estar no registro de Deus. Ter apenas a reputação de estar vivo é insuficiente. Importa que o nosso nome esteja no Livro da Vida a fim de que seja proclamado por Cristo no céu (Mt 10:32).

## Capítulo 8

# Igreja, olhe para as oportunidades e não para os obstáculos

(Ap 3:7-13)

FILADÉLFIA ERA A MAIS JOVEM das sete cidades. Fundada por colonos provenientes de Pérgamo sob o reinado de Átalo II nos anos de 159 a 138 a. C.[1] A cidade estava situada num lugar estratégico, na principal rota do Correio Imperial de Roma para o Oriente. A cidade era chamada a porta do Oriente. Também era chamada de pequena Atenas, por ter muitos templos dedicados aos deuses. A cidade estava cercada de muitas oportunidades. John Stott comenta que era também chamada a cidade dos terremotos. Tremores de terra eram frequentes e tinham levado muitos antigos habitantes a deixar a cidade em busca de lugar mais seguro. O violento terremoto que devastou Sardes no ano 17 d.C., quase destruiu completamente Filadélfia.[2]

Átalo amava tanto a seu irmão Eumenes que apelidou-o de *philadelphos,* o que ama a seu irmão. Daí vem o nome da cidade.[3]

Para essa jovem igreja Jesus envia esta carta e nos ensina várias lições.

## Jesus não só conhece a igreja, Ele também conhece a cidade onde a igreja está inserida

A mensagem de Jesus à igreja é contextualizada. Jesus conhecia a igreja e a cidade. Ele fazia uma leitura das Escrituras e também do povo. Sua mensagem era absolutamente pertinente e contextualizada. Ele falava uma linguagem que o povo podia entender. Ele criava pontes de comunicação.

Precisamos conhecer a Bíblia e conhecer a cidade onde estamos. Precisamos conhecer a mensagem e conhecer o povo para quem ministramos. Precisamos interpretar as Escrituras e a congregação da qual participamos. As estratégias que são boas para uma cidade podem não ser pertinentes para outra. Os métodos usados num bairro podem não ser adequados para outro. Precisamos ousar mudar os métodos sem mudar o conteúdo do evangelho.

A cidade de Filadélfia fora fundada para ser uma porta aberta de divulgação da cultura e do idioma grego na Ásia. John Stott afirma que o que a cidade tinha sido para a cultura grega era agora para o evangelho cristão.[4] Átalo criou a cidade para ser embaixadora da cultura helênica, missionária da filosofia grega,[5] mas Cristo diz para a igreja que Ele colocou uma porta aberta diante

*Igreja, olhe para as oportunidades e não para os obstáculos*

dela para proclamar não a cultura grega, mas o evangelho da salvação. A razão porque a porta permanece aberta diante da igreja é que sua chave está na mão de Cristo.[6]

A cidade fora castigada por vários terremotos e as pessoas viviam assustadas pela instabilidade. Existiam muitos terremotos e grandes tremores de terra na cidade de Filadélfia. Muitos viviam em tendas fora da cidade. Paredes rachadas e desabamentos eram coisas comuns na cidade. Era uma região perigosamente vulcânica. O terremoto do ano 17 d.C., que destruiu Sardes, também atingiu Filadélfia. Mas para a igreja assustada com os abalos sísmicos da cidade, Jesus diz: "Ao vencedor, fá-lo-ei coluna no santuário do meu Deus, e daí jamais sairá..." (3:12).

A cidade fora batizada com um novo nome depois de sua reconstrução. Por volta do ano 90 d.C., com a ajuda imperial, Filadélfia tinha sido completamente reconstruída. Em gratidão, passaram o nome da cidade para NEOCESAREIA – a nova cidade de César.[7] Mais tarde, no tempo de Vespasiano, a cidade voltou a trocar de nome, FLÁVIA, pois Flávio era o apelido do imperador. Jesus então, aproveita esse gancho cultural para falar à igreja que os vencedores teriam um novo nome: "... gravarei sobre ele o nome do meu Deus, o nome da cidade do meu Deus, a nova Jerusalém que desce do céu, vinda da parte do meu Deus, e o meu novo nome" (3:12). A igreja terá nela o nome de Deus gravado e não o nome de César.

## Jesus não apenas conhece a igreja, mas apresenta-se como a solução para os seus problemas

Para uma igreja perseguida pelos falsos mestres, Jesus se apresenta como o Santo e o Verdadeiro (3:7). Jesus não apenas se apresenta como Deus, mas destaca que Ele é separado, possui santidade absoluta em contraste com os que vivem em pecado. Cristo é santo em seu caráter, obras e propósitos. Ele não é a sombra da verdade, é sua essência. Ele é Deus confiável, real em contraste com os que mentem (3:9). Ele não é uma cópia de Deus, é o Deus verdadeiro. Havia centenas de divindades naqueles dias, mas somente Jesus podia reivindicar o título de verdadeiro Deus.

Ainda hoje há seitas que se consideram os únicos salvos e os únicos fiéis que servem a Deus e não ousam atacar os crentes. Mas esses mestres mentem. Com eles não está a verdade. Devemos olhar não para suas palavras insolentes, mas para o Senhor Jesus que é santo e verdadeiro.

Para uma igreja sem forças aos olhos do mundo, Jesus a parabeniza pela sua fidelidade (3:8). A igreja tem pouca força, talvez por ser pequena; talvez por ser formada de crentes pobres e escravos; talvez por não ter influência política e social na cidade. Mas ela tem guardado a Palavra de Cristo e não tem negado o seu nome.

A igreja era pequena em tamanho e em força, mas grande em poder e fidelidade. Deus na verdade escolhe as coisas fracas para envergonhar as fortes. Sardes tinha nome e fama, mas não vida. Filadélfia não tinha fama, mas tinha vida e poder. A igreja tinha pouca força, mas Jesus colocou diante dela uma porta aberta, que ninguém pode fechar. A igreja é fraca, mas seu Deus é onipotente. A nossa força não vem de fora nem de dentro, mas do alto.

Para uma igreja perseguida e odiada pelo mundo, Jesus diz que ela é a sua amada (3:9). Os judeus diziam que os crentes não eram salvos, porque não eram descendentes de Abraão, e por isso, não tinham parte na herança de Deus. Mas Jesus diz que não é a igreja que vai se dobrar ao judaísmo, mas os judeus é que reconhecerão que Jesus é o Messias e virão e reconhecerão que a igreja é o povo de Deus e verão que Jesus ama a sua igreja. A igreja será honrada. Aqui Cristo está com ela. No céu nós reinaremos com Ele e nos assentaremos em tronos para julgarmos o mundo. Nós somos o povo amado de Deus, seu rebanho, sua vinha, sua noiva, a sua delícia, a menina dos seus olhos.

Para uma igreja que guardou a Palavra de Cristo nas provações, Ela promete guardá-la das provações que sobrevirão (3:10). A igreja foi fiel a Cristo, Cristo a guardará na tribulação. A igreja guardou a Palavra, Cristo guardará a igreja. A igreja de Filadélfia não transigiu nem cedeu às pressões. Ele preferiu ser pequena e fiel a ser grande e mundana.

Hoje muitas igrejas têm abandonado o antigo evangelho por outro evangelho, mais palatável, mais popular, mais adocicado; um evangelho centrado no homem, não em Deus. Cristo, porém, é o protetor da igreja. As portas do inferno não prevalecerão contra ela. Ele é um muro de fogo ao seu redor. Ela é o povo selado de Deus e o maligno nem seus terríveis agentes, podem tocar na igreja de Cristo. Ela está segura nas mãos do Senhor.

Jesus usa nesta carta três símbolos que regem toda a mensagem: uma porta aberta, a chave de Davi, uma coluna no santuário de Deus. É colocada diante da igreja uma porta aberta que ninguém pode fechar. Cristo é chamado como aquele que tem a chave de Davi, enquanto o vencedor é feito uma coluna no santuário de Deus.

## Jesus não apenas conhece as fraquezas da igreja, mas coloca diante dela uma grande oportunidade (Ap 3:8)

A primeira porta aberta *é a oportunidade da salvação*. Jesus disse em João 10:9 que Ele é a porta da salvação, da liberdade e da provisão. Ele também usou essa figura no sermão do monte: "Entrai pela porta estreita (larga é a porta, e espaçoso, o caminho que conduz para a perdição, e são muitos os que entram por ela), porque estreita é a porta, e apertado o caminho que conduz para a vida, e são poucos os que acertam com ela" (Mt 7:13-14). Vemos aqui duas portas, e ambas estão abertas: uma abre sobre uma rua larga e cheia de gente que caminha para a destruição, o inferno. A outra porta abre-se para um caminho estreito e escassamente povoado que leva à vida eterna. Jesus contrasta dois caminhos, duas portas, dois destinos. Ambas as portas estão abertas e convidando as pessoas. Para entrar pela porta estreita é preciso se curvar, não se pode levar bagagem e só pode passar um de cada vez.

A segunda porta aberta *é a oportunidade da evangelização*. As angústias da cidade, são como que o grito de socorro dos homens carentes do evangelho. Jesus fala de uma porta de oportunidade para se pregar o evangelho. Paulo via a idolatria da cidade de Atenas como uma porta aberta para falar do Deus desconhecido. Quando Paulo ficou três anos em Éfeso pregando o Reino ele disse: "se abriu para mim uma porta ampla e promissora" (1Co 16:9). Quando estava preso em Roma, apesar de já ter resultados tão fantásticos, conforme relato de Filipenses 1, ele pede à igreja: "Orem também por nós, para que Deus abra uma porta para a nossa mensagem, a fim de que possamos proclamar o mistério de Cristo..." (Cl 4:3-4).

A igreja de Filadélfia, segundo John Stott tinha três problemas para aproveitar a oportunidade dessa porta aberta:[8]

Em primeiro lugar, *a igreja era muito fraca* (3:8). Era uma congregação pequena, formada de crentes pobres e escravos, fazendo com que tivesse pouca influência sobre a cidade. Mas isso não devia detê-la no evangelismo.

Em segundo lugar, *havia oposição à igreja na cidade* (3:9). Os judeus, chamados por Jesus "Sinagoga de Satanás", perseguiram a igreja. No começo os crentes começaram a recuar, então Cristo disse para a igreja: eu coloquei diante de vocês uma porta aberta que ninguém pode fechar. Aqueles que hoje os perseguem, virão e se prostrarão diante de vocês e saberão que os amei.

Em terceiro lugar, *a ameaça de futura tribulação* (3:10). Seria aquele momento apropriado para evangelismo? Não seria um tempo para recolher-se e manter-se seguro, em vez de avançar? Cristo diz não! Ele promete guardar a igreja e a encoraja a cruzar a porta aberta sem medo. Não basta ser uma igreja que guarda a Palavra (v. 8). É preciso proclamar a Palavra. Não basta não negar o nome de Cristo (v. 8). É preciso anunciá-lo. Não basta ser uma igreja ortodoxa, é preciso ser uma igreja missionária! Assim como a cidade tinha uma missão: ser a missionária da cultura grega, a igreja devia ser a missionária do evangelho. A porta estava aberta. A porta está aberta, precisamos aproveitar as oportunidades enquanto é dia!

### Jesus não apenas conhece as dificuldades da igreja, mas dá-lhe uma grande garantia (Ap 3:7)

Em primeiro lugar, *Jesus tem em suas mãos toda autoridade*. Quem tem as chaves tem a autoridade. Jesus tem não apenas as chaves da morte e do inferno (1:18), mas também tem a chave de Davi, a chave da salvação e da evangelização. Ninguém pode entrar até que Cristo tenha aberto a porta. Nem pode alguém entrar quando Ele a fecha. Se a porta é símbolo da oportunidade da igreja, a chave é símbolo da autoridade de Cristo.

Em segundo lugar, *Jesus tem em suas mãos a chave da salvação*. Ninguém senão Jesus pode abrir a porta da salvação. A chave está na mão de Cristo e não de Pedro. Jesus na verdade disse a Pedro: *"Dar-te-ei as chaves do reino dos céus"* (Mt 16:19). E Pedro as usou. Foi por meio da sua pregação que os primeiros judeus foram convertidos no Pentecoste (At 2). Foi mediante a imposição das suas mãos e de João que o Espírito Santo foi dado aos primeiros crentes samaritanos (At 8). Foi através do seu ministério que Cornélio e sua casa, os primeiros gentios, foram salvos (At 10). Pedro de fato abriu o reino do céu para os primeiros judeus, os primeiros samaritanos e os primeiros gentios. Mas as chaves estão agora nas mãos de Jesus.

A porta da salvação foi e ainda está aberta. Todo aquele que se arrepende e crê pode entrar. Mas um dia essa porta será fechada. O próprio Cristo a fechará. Porque a chave que a abriu irá fechá-la novamente. E quando Ele fechá-la ninguém poderá abri-la. Tanto a admissão como a exclusão estão unicamente em seu poder.

Em terceiro lugar, *Jesus tem a chave da evangelização*. Precisamos compreender a soberania de Cristo na realização da sua obra. Há portas abertas e portas fechadas. Quando Ele abre ninguém fecha e quando Ele fecha ninguém abre. Ninguém pode deter a igreja quando ela entra pelas portas que o próprio Cristo abriu. Cristo tem as chaves e abre as portas. Tentar entrar quando as portas estão fechadas é insensatez. Deixar de entrar quando estão abertas é desobediência. A porta aberta é símbolo da oportunidade da igreja e a chave é símbolo da autoridade de Cristo.[9]

## Jesus não apenas conhece a pobreza da igreja, mas promete a ela uma grande recompensa e uma gloriosa herança (Ap 3:12)

Em primeiro lugar, *Jesus ordena à igreja a permanecer firme até a segunda vinda de Cristo* (3:11). Jesus envia um telegrama à igreja: "Eis que venho sem demora!" (3:11). É só mais um pouco e chegará o dia da recompensa. A herança que Ele preparou para nós é gloriosa. Cristo virá em breve. Não precisamos de nada novo. Precisamos guardar o que temos. Precisamos proclamar o que já possuímos. A coroa aqui não é a salvação, mas o privilégio de aproveitarmos as oportunidades de Deus na proclamação do evangelho. Jesus disse para a igreja de Éfeso que se ela não se arrependesse, Ele removeria o seu candeeiro, e removeu!

Em segundo lugar, *Jesus garante que o vencedor será coluna no santuário de Deus* (Ap 3:12). Se nos tornarmos peregrinos nessa vida, seremos uma coluna inabalável na próxima. Aqui os terremotos da vida podem nos abalar, mas no céu estaremos tão firmes e sólidos como a coluna do santuário de Deus. Os crentes de Filadélfia podem viver com medo de terremotos, mas nada os abalará quando permanecerem como colunas no céu.[10]

Em terceiro lugar, *Jesus promete que o vencedor terá gravado em sua vida um novo nome* (3:12). Esse novo nome terá o nome de Deus, da igreja, a nova Jerusalém e o novo nome de Cristo. Pertenceremos para sempre a Deus, a Cristo e ao seu povo. Viveremos com Ele em glória.

A porta aberta representa a oportunidade da igreja. A chave de Davi, a autoridade de Cristo. E a coluna do templo de Deus, a segurança do vencedor. Cristo tem as chaves. Cristo abriu as portas. Cristo promete fazer-nos seguros como as sólidas colunas do templo de Deus. Quando Ele abre as portas nós devemos trabalhar. Quando Ele fecha as portas nós devemos esperar. Acima de tudo, devemos ser fiéis a Ele para vermos as oportunidades e não os obstáculos.

## Capítulo 9

# Uma convocação urgente ao fervor espiritual
(Ap 3:14-22)

DE TODAS AS CARTAS ÀS IGREJAS da Ásia, esta é a mais severa. Jesus não faz nenhum elogio à igreja de Laodiceia. A única coisa boa em Laodiceia era a opinião da igreja sobre si mesma e, ainda assim, completamente falsa, diz Michael Wilcock.[1]

A cidade de Laodiceia foi fundada em 250 a.C., por Antíoco da Síria.[2] A cidade era importante pela sua localização. Ficava no meio das grandes rotas comerciais. Era uma cidade rica e opulenta. William Hendriksen diz que Laodiceia era o lar dos milionários. Na cidade havia teatros, um estádio e um ginásio equipado com banhos. Era a cidade de banqueiros e de transações comerciais.[3]

A igreja tinha a cara da cidade. Em vez de transformar a cidade, a igreja tinha se conformado à ela. Laodiceia era a cidade da transigência e a igreja tornou-se também uma igreja transigente. Os crentes eram frouxos, sem entusiasmo, débeis de caráter, sempre prontos a se comprometerem com o mundo, descuidados. Eles pensavam que todos eles eram pessoas boas. Eles estavam satisfeitos com sua vida espiritual. A igreja de Laodiceia é a igreja popular, satisfeita com a sua prosperidade, orgulhosa de seus membros ricos. A religião deles era apenas uma simulação. George Ladd escreve:

> A carta não menciona perseguições por funcionários romanos, dificuldades com os judeus ou qualquer tipo de falsos mestres dentro da igreja. Laodiceia era muito parecida com Sardes: um exemplo de cristianismo nominal e acomodado. A maior diferença é que em Sardes ainda havia um núcleo que tinha preservado a fé viva (3:4), enquanto que toda a igreja de Laodiceia estava tomada pela indiferença. Provavelmente muitos membros da igreja participavam ativamente da alta sociedade, e esta riqueza econômica exerceu uma influência mortal sobre a vida espiritual da igreja.[4]

A cidade de Laodiceia destacava-se por quatro características:

Em primeiro lugar, *era um centro bancário e financeiro*. Era uma das cidades mais ricas do mundo. Lugar de muitos milionários. Em 61 d.C., foi devastada por um terremoto e reconstruída sem aceitar ajuda do imperador. Os habitantes eram jactanciosos de sua riqueza. A cidade era tão rica que não sentia necessidade de Deus.

Em segundo lugar, *era um centro de indústria de tecidos*. Em Laodiceia produzia-se uma lã especial famosa no mundo inteiro. A cidade se orgulhava da roupa que produzia.

Em terceiro lugar, *era um centro médico de importância*. Ali havia uma escola de medicina famosíssima. Fabricavam-se ali dois unguentos quase milagrosos para os ouvidos e os olhos. O pó frígio para fabricar o colírio era o remédio mais importante produzido na cidade. Esse colírio era exportado para todos os centros populosos do mundo.[5]

Em quarto lugar, *era um centro das águas térmicas*. A região era formada por três cidades: Colossos, Hierápolis e Laodiceia. Em Colossos ficavam as fontes de águas frias e em Hierápolis havia uma fonte de água quente,[6] que em seu curso sobre o planalto tornava-se morna, e nesta condição fluía dos rochedos fronteiros a Laodiceia. Tanto as águas quentes de Hierápolis, como as águas frias de Colossos eram terapêuticas, mas as águas mornas de Laodiceia eram intragáveis.

## O diagnóstico que Cristo faz da igreja

O Cristo que está no meio dos candeeiros e anda no meio dos candeeiros, sonda a igreja de Laodiceia e chega ao seguinte diagnóstico: A igreja tinha perdido seu vigor (3:16-17), seus valores (3:17-18), sua visão (3:18b) e suas vestimentas (Ap 3:17-22). A vida religiosa da igreja de Laodiceia era frouxa e anêmica. Era como uma catarata morna. Parecia que eles tinham tomado um banho morno de religião.[7] Vejamos o diagnóstico de Cristo.

Em primeiro lugar, *Jesus identificou a falta de fervor espiritual da igreja* (3:15). Na vida cristã há três temperaturas espirituais: 1) Um coração ardente (Lc 24:32); 2) Um coração frio (Mt 24:12), e 3) Um coração morno (3:16). Jesus e Satanás conhecem a maré espiritual baixa da igreja. Nada se informa sobre tentação, perseguição, negação, apostasia ou abalos nessa igreja.

O problema da igreja de Laodiceia não era teológico nem moral. Não havia falsos mestres, nem heresias. Não havia pecado de imoralidade nem engano. Não há na carta menção de hereges, malfeitores ou perseguidores. O que faltava à igreja era fervor espiritual. A vida espiritual da igreja era morna, indefinível, apática, indiferente e nauseante. A igreja era acomodada. O problema da igreja não era heresia, mas apatia.

Nosso fogo espiritual íntimo está em constante perigo de enfraquecer ou morrer. O braseiro deve ser cutucado, alimentado e soprado até incendiar. Muitos fogem do fervor com medo do fanatismo. Mas fervor não é o mesmo que fanatismo. Fanatismo é um fervor irracional e estúpido. É um entrechoque do coração com a mente.[8] Jonathan Edwards disse que precisamos ter luz na mente e fogo no coração. A verdade de Deus é lógica em fogo.[9] Muitos crentes têm medo do entusiasmo. Mas entusiasmo é parte essencial do Cristianismo. Não podemos ter medo das emoções, e sim do emocionalismo.

Em segundo lugar, *Jesus identificou que um crente morno é pior do que um incrédulo frio* (3:15,16). Fritz Rienecker diz que o contraste aqui é entre as águas quentes medicinais de Hierápolis e as águas frias, puras, de Colossos. Dessa forma, a igreja em Laodiceia não estava oferecendo nem refrigério para o cansaço espiritual nem cura para o doente espiritual. Era totalmente ineficaz e, assim, desagradável ao Senhor.[10] É melhor ser frígido do que tépido ou morno.[11] É mais honroso ser um ateu declarado do que ser um membro incrédulo de uma igreja evangélica, diz Arthur Blomfield.[12] Charles Erdman diz que religião tépida provoca náuseas.[13] A queixa de Jesus contra os fariseus era contra a hipocrisia deles. Alguém que nunca fez profissão de fé e tem a consciência de sua completa falta de vida moral é muito mais fácil de ser ajudado que algum outro que se julga cristão, mas não tem verdadeira vida espiritual. A indiferença espiritual é pior do que a frieza.

Uma pessoa morna é aquela em que há um contraste entre o que diz e o que pensa ser, de um lado, e o que ela realmente é, de outro. Ser morno é ser cego à sua verdadeira condição.[14]

Em terceiro lugar, *Jesus identificou que a autoconfiança da igreja era absolutamente falsa* (3:17). O autoengano é uma grande tragédia. Laodiceia considerava-se rica e era pobre. Sardes se considerava viva e estava morta. Esmirna se considerava pobre, mas era rica. Filadélfia tinha pouca força, mas Jesus colocara diante dela uma porta aberta. O fariseu, equivocadamente, deu graças por não ser como os demais homens. Muitos no dia do juízo vão estar enganados (Mt 7:21-23). A igreja era morna devido à ilusão que alimentava a respeito de si mesma.

A autossatisfação também é uma grande tragédia. A igreja de Laodiceia disse: "*Não preciso de cousa alguma*". A igreja de Laodiceia era morna em seu amor a Cristo, mas amava o dinheiro. O amor ao dinheiro traz uma falsa segurança e uma falsa autossatisfação. A igreja não tinha consciência de sua condição.

A igreja de Laodiceia enfrentou a tragédia de não ser o que se projetou ser e ser o que nunca se imaginou ser (3:17c). Ela estava orgulhosa do seu ouro, roupas e colírio. Mas era pobre, nua e cega. A congregação de Laodiceia fervilhava de frequentadores presunçosos. Eles diziam: *Estou rico e abastado e não preciso de cousa alguma.* Os crentes eram ricos. Frequentavam as altas rodas da sociedade. Eram influentes na cidade. John Stott afirma que eram tão opulentos os cidadãos de Laodiceia que, quando o terremoto de 60 d.C., devastou toda a região, a cidade foi prontamente reconstruída sem qualquer apelo ao senado romano para o costumeiro subsídio.[15] A cidade era um poderoso centro médico, bancário e comercial. O orgulho de Laodiceia era contagioso. Os cristãos contraíram a epidemia da soberba. O espírito de complacência insinuou-se na igreja e corrompeu-a. Os membros da igreja tornaram-se convencidos e vaidosos. Eles achavam que estavam indo maravilhosamente bem em sua vida religiosa. Mas Cristo teve de acusá-los de cegos, mendigos e nus. Mendigos apesar de seus bancos, cegos apesar de seus pés frígios e nus apesar de suas fábricas de tecidos. São mendigos porque não têm como comprar o perdão de seus pecados. São nus porque não têm roupas adequadas para se apresentarem diante de Deus. São cegos porque não conseguem enxergar a sua pobreza espiritual.

Em quarto lugar, *Jesus revelou que um crente morno, em vez de ser o seu prazer, provoca-lhe náuseas* (3:16). Você só vomita o que ingeriu. Só joga fora o que está dentro. A igreja de Laodiceia era de Cristo, mas em vez de dar alegria, estava provocando-lhe náuseas. Uma religião morna provoca náuseas. Jesus tinha muito mais esperança nos publicanos e pecadores do que nos orgulhosos fariseus. Fomos salvos para nos deleitarmos em Deus e sermos a delícia de Deus. Somos filhos de Deus, herdeiros de Deus, a herança de Deus, a menina dos olhos de Deus, a delícia de Deus. Mas, quando perdemos nossa paixão, nosso fervor, nosso entusiasmo, provocamos dor em nosso Senhor, náuseas no nosso Salvador.

Cristo repudiará totalmente aqueles cuja ligação com Ele é puramente nominal e superficial. A igreja de Laodiceia desapareceu. Da cidade só restam ruínas. A igreja perdeu o tempo da sua oportunidade.

## O apelo que Cristo faz à igreja

Em primeiro lugar, *Cristo se apresenta à igreja como um mercador espiritual* (3:18). Cristo prefere dar conselhos em vez de ordens. Sendo soberano do céu e da terra, criador do universo, tendo incontáveis galáxias de estrelas na ponta dos dedos, tendo o direito de emitir ordens para que lhe obedeçamos, prefere dar conselhos. Ele poderia ordenar, mas prefere aconselhar.

A suficiência está em Cristo. A igreja julgava-se autossuficiente, mas os crentes deveriam encontrar sua suficiência em Cristo. "*Aconselho-te que compres de mim...*".

Cristo apresenta-se como mascate espiritual. Ele apresenta-se à igreja como um mercador, um mascate e um camelô espiritual.[16] Seus produtos são essenciais. Seu preço é de graça. Há notícias gloriosas para os mendigos, cegos e nus. Eles são pobres, mas Cristo tem ouro. Eles estão nus, mas Cristo tem roupas. Eles são cegos, mas

Cristo tem colírio para os seus olhos. Cristo exorta a igreja a adquirir ouro para sua pobreza, vestimentas brancas para sua nudez e colírio para sua cegueira.

A preciosa mercadoria que Cristo oferece é vital . O ouro que Cristo tem é o Reino do Céu. A roupa que Cristo oferece são as vestes da justiça e da santidade. O colírio que Cristo tem abre os olhos para o discernimento. Cristo está conclamando os crentes a não confiarem em seus bancos, em suas fábricas e em sua medicina. Ele os chama a Ele mesmo. Só Cristo pode enriquecer nossa pobreza, vestir nossa nudez e curar a nossa cegueira.

Em segundo lugar, *Cristo chama a igreja a uma mudança de vida* (3:19). Vemos aqui uma explanação e uma exortação: "Eu disciplino e repreendo a quantos amo. Sê, pois, zeloso e arrepende-te"(3:19). Desgosto e amor andam juntos. Cristo não desiste da igreja. Apesar da sua condição, Ele a ama. Antes de revelar o seu juízo (vomitar da sua boca) Ele demonstra a sua misericórdia (repreendo e disciplino aqueles que amo).

Disciplina é um ato de amor. A pedra precisa ser lapidada para brilhar. A uva precisa ser prensada para produzir vinho. Inegavelmente é porque anseia salvá-los do juízo final é que os repreende e disciplina. A base da disciplina é o amor. Porque Ele ama, disciplina. Porque ama chama ao arrependimento. Porque ama nos dá oportunidade de recomeçar. Porque ama está disposto a perdoar-nos.

Arrepender-se é dar as costas a esse cristianismo de aparências, de faz de conta, de mornidão. A piedade superficial nunca salvou ninguém. Não haverá hipócritas no céu.[17] Devemos vomitar essas coisas da nossa boca, do contrário, Ele nos vomitará. Devemos trocar os anos de mornidão pelos anos de zelo.

Em terceiro lugar, *Cristo convida a igreja para a ceia, uma profunda comunhão com Ele* (3:20). Há aqui uma triste situação: Cristo, o Senhor da igreja, está do lado de fora. A igreja não tem comunhão com Ele.

Cristo faz um apelo pessoal. A salvação é uma questão totalmente pessoal. Enquanto muitos batem a porta no rosto de Jesus, outros são convidados por Ele. Cristo vem visitar-nos. Coloca-se em frente da porta do nosso coração. Ele bate. Ele deseja entrar. É uma visita do Amado da nossa alma.

Cristo mostra a necessidade de uma decisão pessoal: "*Estou à porta e bato, se alguém abrir a porta entrarei...*" (3:20). Jesus bate através de circunstâncias e chama através da sua Palavra.[18] Embora Cristo tenha todas as chaves, prefere bater à porta.

Cristo revela sua insistência. Diz Ele: "*Estou à porta e bato*" (Ap 3:20). De que maneira Ele bate? Através das Escrituras, de um sermão, de um hino, de um acidente, de uma doença. É preciso ouvir a voz de Jesus.

O convite é para um relacionamento pessoal com Cristo. É um convite para cear. Que Ele nos convide a vir e cear com Ele é demasiada honra; mas que Ele deseje participar da nossa humilde mesa e cear conosco é tão admirável que ultrapassa nossa compreensão finita.[19] O hóspede transforma-se em anfitrião.[20] Não somos dignos que Ele fique embaixo do nosso teto e Ele ainda vai sentar-se à nossa mesa? Somos convidados para o banquete do casamento do Cordeiro.

## A promessa que Cristo faz à igreja (Ap 3:14,21,22)

A primeira coisa que temos que observar *é que Jesus tem competência para fazer a promessa* (3:14). Ele é o Amém e a Testemunha Fiel e Verdadeira. Para uma igreja marcada pelo ceticismo, incredulidade, tolerância, Jesus se apresenta como o Amém. Ele é a verdade, e fala a verdade e dá testemunho da verdade. Adolf Pohl corretamente afirma: "Deus não apenas jura, Ele próprio é um juramento. Entre Ele e sua Palavra simplesmente não se pode meter nenhuma cunha, porque nele não existe um *entre*".[21]

Seu diagnóstico da igreja é verdadeiro. Seu apelo à igreja deve ser levado a sério. Suas promessas à igreja são confiáveis. Em face da vida morna e indiferente da igreja, Jesus é a verdade absoluta que tudo vê, tudo sonda, tudo conhece.

Ele cumpre o que diz. Ele nunca é inconstante. É absolutamente consistente. Para uma igreja morna, inconstante, Cristo se apresenta como aquele que é preciso e confiável.

A segunda coisa que temos que notar *é que Jesus tem autoridade para tornar a promessa realidade* (3:14). Cristo é o princípio da criação de Deus. Em face da vida caótica da igreja, Jesus é aquele que é a origem da criação. Como colocou ordem no caos do universo, Ele pode arrancar a igreja do caos espiritual.

A terceira coisa digna de nota *é que Jesus tem poder para conduzir os vencedores ao seu trono de glória* (3: 21,22). Cada uma das sete cartas terminou com uma promessa aos vencedores. Esses vencedores, diz Warren Wiersbe, não são um grupo de elite dentro da igreja, mas os verdadeiros crentes que confiaram em Cristo.[22] Quando Cristo entra em nossa casa recebemos a riqueza do Reino. Recebemos vestes brancas de justiça. Nossos olhos são abertos. Temos a alegria da comunhão com o Filho de Deus. Mas temos, também, a promessa que excede em glória a todas as outras promessas ao vencedor. Reinaremos com Ele. Nos assentaremos em tronos com Ele. Um trono é símbolo de conquista e autoridade. A comunhão da mesa secreta é transformada em comunhão de trono pública. Como Cristo participa do trono do Pai, também participaremos do trono de Cristo. Quando abrimos a porta para Cristo entrar em nossa casa, recebemos a promessa de entrar na Casa do Pai. Quando recebemos Cristo à nossa mesa, recebemos a promessa de sentarmos com Ele em seu trono.

## Capítulo 10

# O trono de Deus, a sala de comando do universo
(Ap 4:1-11)

O FUTURO CHEGOU. A porta do céu é aberta e João é convidado a entrar. Ele já tivera a visão do Cristo da glória no meio da sua igreja. Depois que teve essa primeira visão do Cristo exaltado que cuida de sua igreja e a protege, começa a revelação "do que acontecerá depois destas cousas" (1:19). Cristo revelou-se primeiro como aquele que conhece a sua noiva no íntimo. Ele conhece todas as virtudes e fraquezas da sua noiva. Nenhum defeito da sua noiva está oculto diante do seus olhos. Contudo, o Cristo exaltado aponta para a sua noiva o caminho de retorno e diz que Ele é o remédio para a sua própria igreja. Ele não rejeita a sua noiva, mas é o remédio para ela.

"O céu aberto não apenas libera acontecimentos, mas também entendimento".[1] Agora a visão que segue será das grandes tensões que a noiva enfrentará até a segunda vinda do Noivo. Esta revelação inclui a destruição dos poderes do mal. Mas, antes de serem destruídas, estas forças más se empenharão num esforço desesperado de frustrar os planos de Deus, tentando destruir o seu povo. Essa é a grande tensão entre o Reino de Deus e o reino de Satanás. William Hendriksen diz que somente quando miramos todas as coisas, inclusive nossas tribulações, desde o aspecto do trono, é que obtemos um verdadeiro discernimento da história.[2]

A mensagem central do livro de Apocalipse é mostrar para a noiva perseguida, que o seu Deus está no Trono do Universo. Antes do mundo perseguir a igreja (a abertura dos sete selos), e Deus visitá-lo com o seu juízo parcial (sete trombetas) e o seu juízo final (sete taças) é revelado a João que Deus está entronizado e governando o seu universo. Não importa quão temíveis ou incontroláveis forças do mal pareçam agir na terra, elas não podem frustrar os desígnios de Deus nem vencer a igreja, pois Deus está governando o Universo, do seu trono.

O destino da noiva não está nas mãos dos homens, mas nas mãos de Deus. Quando o mundo está incendiado pelo ódio, guerras e conflitos; quando a terra está cambaleando, bêbada de sangue, ou sacudida por terremotos e maremotos, precisamos levantar os nossos olhos e ver o nosso Deus assentado sobre um Alto e Sublime Trono. Ele é quem governa o universo. No meio das provas e tribulações, precisamos fixar nossos olhos naquele que é o Rei dos reis e Senhor dos senhores. Somente quando olhamos todas as coisas, inclusive nossas tribulações, desde o aspecto do trono, é que alcançamos o verdadeiro discernimento da história.

## Apocalipse é revelação do céu, não descobrimento da terra (Ap 4:1-2)

João vê uma porta aberta no céu. O conhecimento do futuro não é alcançado mediante artes mágicas, ou leitura dos astros, nem mesmo por profecias humanas. Matthew Henry diz que nós não podemos conhecer nada do futuro, a menos que Deus o revele para nós. O futuro estará coberto por um véu, até que Deus abra a porta do céu.[3]

Como Adolf Pohl disse, o céu aberto não libera apenas acontecimentos, mas também entendimento, pois João contempla o trono, antes de contemplar os dramas da história. Muitas vezes, sentimos como se o céu estivesse fechado para nós: "Tornamo-nos como aqueles sobre quem Tu nunca dominaste e como os que nunca se chamaram pelo Teu nome. Oh! se fendesses os céus e descesses! [...] para fazeres notório o teu nome aos teus adversários" (Is 63:19-64:2). No começo de Apocalipse aparecem as três portas mais importantes da vida: 1) A porta da oportunidade (3:8); 2) A porta do coração humano (3:20); 3) A porta da revelação (4:1).[4]

João ouve uma voz como de trombeta. Em Apocalipse 1:10, Jesus revelou-se a ele da mesma forma. Lá bastou João voltar-se para ver Jesus (1:11). Agora, João precisa subir ao céu. Não muda apenas de posição, mas de lugar, pois agora não se trata mais de vislumbrar o presente, mas o futuro e o futuro vem sobre nós a partir do Trono de Deus.[5]

João recebe uma ordem: "Sobe para aqui e te mostrarei *o que deve* acontecer depois destas cousas" (4:1). João é chamado ao céu para ver não o aspecto cíclico da história, não a história sem freios e sem rumo, não a história dirigida pelos homens, mas para ver *o que deve acontecer*. O Deus que está no trono é quem determina tudo o que acontece. George Ladd diz que não importa quão temíveis ou incontroláveis as forças do mal pareçam ser na terra, elas não podem anular ou esconder o fato de que, por trás do palco, Deus está governando o universo, no seu trono.[6] Não há acaso nem falta de controle. O futuro está nas mãos de Deus. Não precisamos temer. Tudo o que acontece sobre a terra resulta de algo que sucederá no céu. A causa está no céu, e o efeito se verifica sobre a terra.

João, imediatamente, disse: "eu me achei em espírito". João já não vê com os olhos físicos nem escuta com os ouvidos físicos. Ninguém jamais viu a Deus. Ele habita em luz inacessível. Em carne e sangue João não suportaria contemplar o esplendor da glória. Então, ele tem uma visão.

## Deus está assentado no trono do universo (Ap 4:2-7)

Algumas verdades preciosas são destacadas neste texto:

Em primeiro lugar, *João viu um Trono no céu* (4:2). O trono é um lugar de honra, autoridade e julgamento. Todos os tronos da terra estão sob a jurisdição desse trono do céu. O livro de Apocalipse é o livro da soberania de Deus, da vitória de Deus. Aquele que criou todas as coisas, está no controle de tudo e levará a história para uma consumação final, onde Ele sairá vitorioso. A essência desta revelação é mostrar que todas as coisas são governadas por Aquele que está assentado no Trono.

Das 67 passagens do Novo Testamento em que aparece a palavra *trono*, 47 estão no livro de Apocalipse e 12 vezes só neste capítulo 4. Todos os detalhes estão orientados com vistas ao trono: sobre o trono, em redor do trono, a partir do trono, diante do trono, no meio do trono.[7] O trono é um símbolo da soberania inabalável de Deus. O trono é o verdadeiro centro do universo. Esse trono não está na terra, mas no céu. O universo na Bíblia não é geocêntrico, nem heliocêntrico, mas teocêntrico, diz William Hendriksen.[8] Aqui temos a verdadeira filosofia da história, os céus governam a terra. A verdadeira mente e a verdadeira vontade que dirige o universo é a mente e a vontade do Deus todo-poderoso.[9]

Em segundo lugar, *João viu o glorioso Deus assentado sobre o Trono* (4:2). Para uma igreja perseguida, torturada, martirizada esta é uma mensagem consoladora: saber, que o seu Deus está no trono (Is 6:1; Sl 99:1).

O que João descreve não é Deus mesmo, mas o seu fulgor, seu esplendor, porque a Ele não se pode descrever (Êx 20:4). Não há descrição do trono nem da pessoa que está assentada nele. O que João viu quando olhou para o trono só pode ser descrito em termos de brilho de pedras preciosas. João descreve a Deus como um ser absolutamente misterioso, único, singular, ou totalmente outro. João diz que Ele é semelhante, no aspecto, a pedra de jaspe (a mais cristalina, a mais pura, sem nenhuma poluição). É o nosso diamante. Há uma abundância de luz que emana dessa pedra. E de sardônio (cor vermelha, a mais translúcida que existe). João vê beleza, riqueza, abundância de luz. Deus é luz e Ele habita em luz inacessível.

A pedra de jaspe (branca) descreve a santidade de Deus e o sardônio (vermelho) o seu juízo.[10] Tal é Deus, santo e justo!

Em terceiro lugar, *João faz uma descrição das características do trono de Deus* (4: 3-7):

*O trono de Deus é um trono de Graça e Misericórdia* (4:3). Ao redor do trono há um arco-íris semelhante, no aspecto, à esmeralda. O arco-íris é o símbolo da graça e misericórdia de Deus, da sua aliança com o seu povo, de que não mais o destruiria. Normalmente o arco-íris aparece depois da tempestade, mas aqui, ele aparece antes dela,[11] isto porque a graça sempre antecede ao julgamento. Para os filhos de Deus a tempestade já passou, porque Cristo já se deu a si mesmo para nos resgatar do dilúvio do juízo. Agora, temos o sol da justiça brilhando sobre nós. Ainda que o juízo venha sobre os homens, a igreja de Cristo será poupada. O que foi redimido não pode ser destruído. Ainda que o mal nos alcance, Deus fará com que todas as coisas aconteçam para o nosso bem. Antes de Deus derramar o seu juízo sobre a terra, Ele oferece a sua misericórdia. Antes das taças do juízo, Ele envia as trombetas de alerta.

*O trono de Deus é também um trono de Juízo* (4:5). Os relâmpagos, as vozes e os trovões são evidências de juízo e ira. O arco-íris foi visto antes dos relâmpagos. A graça sempre antecede o julgamento. Aqueles que recusaram a misericórdia terão que suportar o juízo. Quem não foi purificado pelo sangue, terá que suportar o fogo do juízo divino.

Hoje os homens escarnecem de Deus, cospem no seu rosto e zombam da sua Palavra. A mídia diz que Deus está errado. Mas Deus está no trono e derramará o seu juízo. Precisamos tomar posição. O arco-íris vem antes dos relâmpagos e trovões. A graça vem antes do juízo. Na primeira vinda, Jesus veio em graça, na segunda vinda virá em juízo. O Trono de Deus tem se manifestado em juízo contra os homens ímpios (Dilúvio, Sodoma, Egito, Babilônia, Jerusalém). Esse juízo de Deus muitas vezes é em resposta às orações da igreja (8:3-5). O Trono de Deus não é passivo. O cálice da ira de Deus está se enchendo. O juiz de toda a terra fará justiça. Ninguém escapará! O Espírito de Deus aqui não se manifesta como pomba, mas como sete tochas de fogo (símbolo de combate – Gideão).

*O trono de Deus, ainda, é um trono de santidade e transparência* (4:6). Esse mar de vidro está em contraste com o mar de sujeira e poluição do pecado (Is 57:20). Para estar diante do Trono de Deus é preciso ser purificado, estar limpo. Não há sujeira diante do Trono de Deus. Não há corrupção. Tudo é transparente, limpo, puro. Deus é santo. No céu não entra nada contaminado. Deus não se associa com o mal. Ele abomina o mal. Embora ame a todos, não ama a tudo.

## A igreja glorificada participa do reinado e do julgamento do mundo (Ap 4:4)

João vê que ao redor do trono, há também, vinte e quatro tronos. Esses tronos estão ao redor e não no centro.

Deus está no alto e sublime trono. Ele reina sobre todos os outros tronos.

João vê assentados neles, vinte e quatro anciãos. Assentado fala de uma posição de autoridade e poder. A igreja tem a honra não apenas de ser salva, mas também de reinar no céu e ser assistente de Deus no seu julgamento (Mt 19:27-29; 1Co 6:2). Fomos constituídos reinos e sacerdotes (1:6). Os sacerdotes estavam divididos em 24 turnos (1Cr 24:7-18). Aqui somos divididos em igrejas, denominações. Mas no céu seremos uma só igreja: os que foram lavados no sangue do Cordeiro. Os vinte e quatro anciãos representam o povo fiel de Deus, a igreja do Velho e do Novo Testamentos, a igreja dos Patriarcas e Apóstolos, a totalidade da igreja de Deus na história. Esses vinte e quatro anciãos são identificados por suas roupas (brancas), incumbência (assentam-se em tronos para reinar e julgar) e posição (coroas de vencedores).

João vê que os vinte e quatro anciãos estão vestidos de branco, e usando coroas de ouro. As vestiduras brancas falam da justificação. As vestiduras brancas são as vestimentas que se prometem aos fiéis (Ap 3:4). Não há redenção para os anjos, e sim, para os homens. Portanto, os vinte e quatro anciãos não são anjos, mas homens remidos. William Barclay, citando H. B. Swete afirma que o número vinte e quatro representa a igreja na sua totalidade. É uma visão não do que é, mas do que há de ser, ou seja, a igreja plena, como será na glória, adorando e louvando a Deus diante do trono, nos céus.[12]

As coroas de ouro falam da posição de honra, autoridade e prestígio dos remidos no céu. São coroas de vitória prometidas aos que permanecem fiéis mesmo diante da morte (2:10; 3:11). Arthur Blomfield diz que nos céus, os santos podem ser identificados por suas roupas, incumbência e posição. Suas vestiduras são brancas (3:5; 19:8), têm coroas (2:10; 3:11), assentam-se em tronos (2:26; 3:21).[13]

## A doxologia dos quatro seres viventes ao que está assentado no trono (Ap 4:6-8)

Quem são esses quatro seres viventes que estão no meio e ao redor do trono? Arthur Bloomfield pensa que eles representam os quatro evangelhos. O leão mostra Jesus como rei (Mateus). O novilho mostra Jesus como servo (Marcos). O homem mostra Jesus como o homem perfeito (Lucas) e a águia mostra Jesus como aquele que veio do céu e volta ao céu (João).

H. B. Swete e William Barclay pensam que eles representam a totalidade da natureza. Os quatro seres viventes representam todo o nobre, forte, sábio e rápido da natureza. Cada figura têm preeminência em sua própria esfera. O leão é supremo entre os animais selvagens, o boi entre os animais domésticos, a águia é o rei das aves e o homem o supremo entre todas as criaturas viventes. Os quatro seres viventes representam toda a grandeza, poder e beleza da natureza. Aqui vemos o mundo natural trazendo sua doxologia ao que está no trono. A natureza louva ao Criador (Sl 19:1-2; Sl 103:22; Sl 148).[14]

William Hendriksen pensa que os quatro seres viventes representam seres angelicais. Esses quatro seres viventes são querubins (Ez 10:20), anjos de uma ordem superior.[15] Gary Larson diz que os querubins estão ligados ao serviço do trono, enquanto os serafins estão ocupados com a santidade de Deus.[16] Os querubins guardam as coisas santas de Deus (Gn 3:24; Êx 25:20). A canção deles é a canção dos anjos (Is 6:1-4). Eles são descritos como leão, novilho, homem e águia (fortaleza, capacidade para servir, inteligência, rapidez). Essas são características dos anjos (Sl 103:20,21; Hb 1:14; Dn 9:21; Lc 12:8; 15:10). Quando a Bíblia quer usar a linguagem de toda criatura, o faz com precisão em (Ap 5:13).

O que esses quatro seres viventes fazem? Eles proclamam sem cessar a santidade, a onipotência e a eternidade de Deus (Ap 4:8). O livro de Apocalipse está cheio de cânticos de exaltação a Deus (4:8,11; 5:9-13; 7:12-17; 11:15-18; 12:10-12; 15:3-4; 16:5-7; 18:2-8; 19:2-6). O céu é lugar de celebração, louvor, glorificação ao nome de Deus. Veja que eles não cessam de proclamar!

## A doxologia da igreja ao que está assentado no trono (Ap 4:10-11)

João fala sobre três coisas importantes:

Primeiro, *o objeto da adoração*. Os remidos adorarão Àquele que vive pelos séculos dos séculos. Também adoram o Espírito Santo (1:4-5; 4:5). Igualmente adoram o Cordeiro (5:12,13).

Segundo, *os atos de adoração*. A igreja se prostra diante daquele que está assentado no Trono. A glória deles é glorificar ao que está assentado no trono. Eles depositarão suas coroas diante do trono em sinal de total submissão e rendição.

Terceiro, *as palavras da adoração*. Aquele que está assentado no trono é Senhor e Deus. "Tu és digno, Senhor e Deus nosso, de receber a glória, a honra e o poder". Ele é digno de receber a glória, eles não são dignos de glorificar, por isso, se prostram e depositam suas coroas diante do trono. A visão do trono de Deus levou Haendel a escrever a sua obra maior "Aleluia".

O que está assentado no trono é o criador de todas as coisas. O mesmo Deus que criou tudo, sustenta tudo, levará o mundo, a história e a igreja à consumação final. João é chamado ao céu para ver o trono e o Entronizado. O trono de Deus está no centro do universo. Tudo acontece a partir do trono. Tudo está ao redor do trono. Graça e juízo emanam do trono. Todo o louvor e glória são dirigidos Àquele que está assentado no trono.

# Capítulo 11

## Para onde caminha a história?
(Ap 5:1-14)

TODA A HISTÓRIA COMEÇA COM Deus, está sob o controle de Deus e terminará segundo a vontade de Deus. Não são os poderosos deste mundo que determinam os rumos da história. Não são os historiadores que deciframos mistérios da história. Não são os filósofos que interpretam os segredos da história. Não são os futurólogos que retiram o véu da história.

Duas são as visões humanistas da história:

Primeiro, *a visão cíclica dos antigos gregos*. A história não se move para uma meta. Não há esperança, não há redenção. O que é, é o que foi, o que foi, será. Não há uma consumação.

Segundo, *a visão do existencialismo ateu*. A história é uma sucessão de fatos sem significado. Não há plano, não há esperança.

A novela de Albert Camus *A PRAGA* descreve esse estado de desespero: "A cidade de Orán foi invadida por ratos que trouxeram a temida peste bubônica. O médico e seus associados batalharam até vencer a epidemia. Mas no final do livro, o médico disse: 'É só uma questão de tempo, os ratos voltarão'. As coisas não vão mudar."

Qual é o sentido da história? Friedrich Hagel no seu livro *Filosofia da História* disse que os povos e os governos nunca aprenderam nada da história. Winston Churchill disse que os homens cresceram em poder e conhecimento, mas não evoluíram moralmente. Sob pressão, o homem moderno praticará os mais terríveis atos. O historiador Gibbon, no seu livro *Declínio e Queda do Império Romano* disse que "a história é pouco mais que um registro dos crimes, loucuras e infortúnios da humanidade."

Thomas More em seu livro *Utopia* antevê um tempo na terra em que o homem construiria um paraíso por suas mãos. A brisa do otimismo chegou a soprar. O homem moderno aspergido por essa brisa, nutriu a esperança de construir com as suas próprias mãos um paraíso na terra. Mas no século 20, assistimos duas sangrentas guerras mundiais e o otimismo humanista desvaneceu. O mundo está como uma panela de pressão, quase explodindo. Há alguma esperança para a história?

## O Deus que está no Trono do universo tem um propósito para a história (Ap 5:1)

A história tem sentido. Sua vida não está solta, ao léu, jogada de um lado para o outro ao sabor das circunstâncias.

*Para onde caminha a história?*

Você não caminha para um ocaso, para um fim trágico. As forças do mal não prevalecerão. Deus está no trono. Ele reina. Ele faz todas as coisas conforme o conselho da sua vontade.

Deus tem em sua mão direita um livro. Esse livro contém todos os decretos de Deus, as linhas gerais de todos os acontecimentos até o fim dos tempos.[1] Este livro contém o registro antecipado da história.[2] Fritz Rienecker diz que o livro aqui mencionado parece ser o livro dos decretos de Deus e contém o pleno relato do que Deus, em sua soberana vontade, determinou quanto ao destino do mundo.[3] Deus tem um plano para cada criatura. Deus escreveu o livro da história, antes dela acontecer. Ele conhece, controla e dirige todas as coisas para uma consumação final. O livro tem sequência e consequência. Toda a história da humanidade está na mão de Deus. Não importa a fúria de Satanás ou a agitação do mundo, a história sempre estará na mão de Deus.[4]

O livro da história está escrito por dentro e por fora. Tudo está traçado, escrito e determinado. Nada foi esquecido nem omitido. O futuro está nas mãos de Deus.

## O digno procurado – ninguém tem capacidade de desvendar nem de conduzir a história à sua consumação (Ap 5:2-3)

O livro está selado com sete selos (5:1). William Hendriksen diz que o rolo selado indica o plano não revelado e não cumprido de Deus. Se permanecesse selado este rolo, os propósitos de Deus não seriam realizados, nem se levaria a cabo seu plano. Abrir aquele rolo, desatando seus selos, significa não somente revelar o plano de Deus, mas levá-lo a cabo.[5] O número sete significa completo. O livro está totalmente selado. A história sem Deus é um livro lacrado. Só Deus pode dar sentido à história e à sua vida.

Ninguém foi achado digno de abrir o livro (5:3). Primeiro, ninguém foi achado digno no céu: Miguel, Gabriel, serafins, querubins, anjos, Abraão, Moisés, Elias, Paulo, Pedro, Maria. Ninguém foi encontrado digno para dirigir a história. Segundo, ninguém foi encontrado digno na terra: nenhum homem, por mais poderoso e influente, pode decifrar o sentido da história. Terceiro, ninguém foi encontrado digno debaixo da terra: nem o Diabo, nem os demônios, nem os espíritos atormentados podem revelar a você o sentido da história e da vida.

Não há ideologia, nem partido político, nem sistema econômico que possa realizar os sonhos e as esperanças do coração humano. Sozinha a humanidade não vai a lugar nenhum. Sozinha seu destino é o caos. Há uma impossibilidade radical de que o homem seja o senhor do seu próprio destino.

Há uma clara impotência humana para desvendar o futuro (Ap 5:4). Há uma grande questão: Quem é digno? Há uma grande constatação: ninguém podia abrir o livro. Há uma grande decepção: João diz, "e eu chorava muito".

A crise de João é a crise da impotência de todos nós. Olhamos ao nosso redor e vemos o mundo em pé de guerra, o mal triunfando, a violência crescendo, o terrorismo ameaçando, as guerras tornando-se cada vez mais encarniçadas, as famílias cada vez mais barbarizadas, os jovens cada vez mais se drogando e a nossa reação é também chorar.

Por que João chorou? Primeiro, porque isso parecia frustrar a promessa de Apocalipse 4:1. Segundo, porque a história estaria à deriva como um barco sem leme.

## O digno encontrado – a solução para a história vem do céu (Ap 5:5)

Há consolo para nós: Não chores! Às vezes, choramos como João com medo do futuro. O que vem pela frente? Como será o meu amanhã, a minha velhice? A voz ecoa no céu: Não chores! Às vezes choramos por um conhecimento limitado das verdades circunstanciais. Deus tem a solução para os problemas que nos levam às lágrimas. O Senhor põe um basta à nossa angústia. Ele traz a solução: Não chores. O digno procurado é agora o digno encontrado. Há alguém capaz de dirigir a história e dar sentido à vida.

A solução da história está em Jesus (5:5-7). O livro da história está nas mãos de Jesus. Ele tem todo o poder e toda a autoridade. Jesus tem a chave da interpretação da história nas mãos. Ele venceu para abrir o livro. Jesus é o Leão de Judá e a Raiz de Davi. Ele venceu o Diabo, o mundo, o pecado e a morte. Jesus só é apresentado como o Messias Vencedor, porque antes foi o Messias Sofredor. Ele só é o Leão, porque antes foi o Cordeiro.

O Jesus vencedor é o Cordeiro que foi morto. João vê sua marca: "como tinha sido morto". A sua vitória foi conquistada na cruz. João vê sua posição: Ele está em pé (ação e poder). João vê o seu lugar: no meio do trono (autoridade). William Hendriksen diz que agora Deus governa o universo por meio do Cordeiro. Fritz

Rienecker diz que numa colocação brilhante, João relata seu tema central da revelação do Novo Testamento – a vitória mediante o sacrifício.[6] Esta é a recompensa dada a Cristo, e é nossa consolação. Um momento muito significativo na história é esta coroação, esta investidura do Mediador com o ofício de rei sobre o universo.[7]

Jesus é digno de desvendar o sentido da sua vida. Primeiro, porque Ele é onisciente: é cheio de olhos. Segundo, porque Ele é onipotente: tem sete chifres. Terceiro, porque Ele é onipresente: os sete espíritos são enviados por toda a terra (5:6). Warren Wiersbe declara: "Nós temos aqui o perfeito poder (sete chifres), a perfeita sabedoria (sete olhos) e a perfeita presença (sete espíritos em toda a terra). Os teólogos poderiam chamar esses atributos de onipotência, onisciência e onipresença. Todos esses são atributos exclusivos de Deus".[8]

## Quais as implicações de Jesus estar com o livro da história nas mãos

A primeira implicação é que isso deve levar-nos a orar confiadamente acerca do destino das pessoas (5:8). As orações agora fazem sentido. Orar é falar com quem está com o livro da história nas mãos.

A segunda implicação é que isso deve levar-nos à evangelização fervorosa (5:9). Cristo morreu para comprar com o seu sangue pessoas que procedem de todo grupo étnico: tribo; de todo grupo linguístico: língua; de todo grupo político: povo, e de todo grupo social: nação.[9] Cristo não morreu apenas para possibilitar a compra; Ele morreu para comprar. A morte de Cristo foi vicária, substitutiva, eficaz. Todos aqueles por quem

Cristo morreu, serão chamados com graça irresistível, e salvos eternamente (Rm 8:30).

A terceira implicação é que isso deve levar-nos a tomar posse da nossa alta posição espiritual (5:10). Nós fomos constituídos reino: já reinamos com Cristo espiritualmente, pois estamos assentados com Ele nos lugares celestiais e reinaremos com ele plenamente na sua segunda vida. Fomos, também, constituídos sacerdotes: agora temos livre acesso à presença do Pai, por intermédio de Jesus.

A quarta implicação é que isso deve levar-nos a dedicar tudo que somos e temos ao Cordeiro (5:11-12). A Ele sejam o poder, a riqueza, a sabedoria, a força, a honra, a glória e o louvor.

## O digno procurado e encontrado, agora é adorado (Ap 5:8-14)

O Cordeiro é adorado por quem Ele é: Leão de Judá, Raiz de Davi e Cordeiro que foi morto (5:5-7). Também é adorado por onde está: Ele está no trono (5:6). De igual forma, Ele é adorado pelo que fez: com o seu sangue nos comprou para Deus e constituiu-nos reino e sacerdotes (5:9,10). Ainda Ele é adorado por aquilo que tem: a adoração de todo o universo (5:11-14).

Que tipo de cântico é esse que lhe é entoado? Warren Wiersbe, comentando este texto, diz que João menciona aqui quatro cânticos: Primeiro, cântico de adoração: Tu és digno. Segundo, cântico de pregação: "Porque foste morto". Em Gênesis 22 o cordeiro substitui Isaque (Cristo oferecido para o indivíduo). Em Êxodo 12:3, na Páscoa, o cordeiro é oferecido para uma família. Em Isaías 53:8 diz que o Cordeiro foi morto por uma nação.

Mas João 1:29 diz que o Cordeiro morreu para salvar os que procedem de todo o mundo.[10] Terceiro, cântico missionário: "compraste para Deus os que procedem de toda tribo, língua, povo e nação". Quarto, cântico devocional: "e os constituíste reino e sacerdotes" e, finalmente, cântico profético: "e reinarão sobre a terra".[11]

Segundo Charles Erdman, os cânticos desses dois capítulos são dois grandes oratórios. 1) O oratório da criação (cap. 4); 2) O oratório da redenção (Cap. 5). Oratório é um gênero musical dramático, com solos e coros, acompanhados de orquestra.[12] Aqui as vozes da igreja glorificada, dos serafins, dos anjos e da natureza se unem para o louvor celestial.

Primeiro, o culto ao Criador começa com um quarteto, cantando o hino seráfico: "Santo, Santo, Santo é o Senhor Deus, o todo-poderoso, aquele que era, que é e que há de vir".

Segundo, a isso segue o coro, constituído de vinte e quatro anciãos, a igreja, que prossegue o louvor do Criador: "Tu és digno, Senhor e Deus nosso, de receber a glória, a honra e o poder, porque todas as coisas tu criaste, sim, por causa da tua vontade vieram a existir e foram criadas".

Terceiro, então se ouvem os solistas: "Quem é digno de abrir o livro e de lhe desatar os selos?".

Quarto, vem o responso: "o Leão da tribo de Judá, a Raiz de Davi, venceu para abrir o livro e os seus sete selos".

Quinto, e quando o Cordeiro toma o livro da mão do Criador, ouvem-se em uníssono o quarteto e o coro dos anciãos, no novo cântico: "Digno és de tomar o livro e abrir-lhe os selos, porque foste morto e com o teu sangue compraste para Deus os que procedem de toda tribo, língua, povo e nação, e para o nosso Deus os constituíste reino e sacerdotes; e reinarão sobre a terra".

Sexto, prorrompe o coro majestoso. São anjos que cantam. Vozes de milhões de milhões e milhares de milhares avolumam o canto triunfal: "Digno é o Cordeiro, que foi morto, de receber o poder, e riqueza, e sabedoria, e força, e honra, e glória, e louvor".

Sétimo, prossegue o canto num crescendo arrebatador até alcançar o clímax de grandioso final. Não somente a igreja, os serafins, os anjos se combinam, mas ouve-se "toda criatura que há no céu e sobre a terra, debaixo da terra e sobre o mar, e tudo o que neles há" louvando ao Criador e ao Redentor: "Àquele que está sentado no trono, e ao Cordeiro, seja o louvor, e a honra, e a glória, e o domínio pelos séculos dos séculos".

Por fim, quando serena o estrondo do coro universal, ouve-se grandioso "AMÉM", que parte dos lábios dos quatro seres viventes, os serafins. Segue-se um silêncio ofegante, e os anciãos (a igreja) se prostram e adoram.

É assim a música do céu: Ao mesmo tempo que ela é cheia de entusiasmo, produz profundo senso de adoração, a ponto da igreja prostrar-se! Ninguém pode contemplar o Senhor na sua beleza e no seu fulgor, sem se prostrar.

A igreja na terra não tem o que temer, não importando de quantos juízos esteja repleto o rolo da história humana. Porquanto o sentido da música é este: o Criador entregou ao Redentor toda autoridade no céu e na terra, e os que O seguem jamais passarão despercebidos do seu amor e cuidado.

# Capítulo 12

## A abertura dos sete selos
(Ap 6:1-17)

Os TRÊS PRIMEIROS capítulos do Apocalipse apresentam o Cristo da glória no meio da sua igreja, sondando, corrigindo, exortando e encorajando.

As sete cartas revelam o que as igrejas aparentam ser aos olhos dos homens e o que de fato elas são aos olhos de Cristo.

Vimos nos capítulos 4 e 5 o Deus criador no trono, bem como o Cordeiro, o Redentor, sendo igualmente glorificado por todos os seres do universo. Vimos que o Cordeiro está com o livro da história nas mãos.

Os capítulos que temos agora apresentarão quadros dos sofrimentos da igreja, dos juízos divinos sobre os seus inimigos, e do triunfo final de Cristo. Esse tempo descreve as dores de parto. Esse tempo está sujeito à revelação da ira de Deus.

Os sete selos descrevem movimentos que caracterizarão a era ou a dispensação inteira, desde a ascensão até o regresso glorioso de Cristo. São visões de paz e de guerra, de fome e de morte, de perseguição à igreja e do juízo de Deus sobre os seus inimigos.

À medida que os selos são abertos no céu, efeitos tremendos acontecem na terra. O céu comanda a terra. Jesus abre os selos. Está encarregado de todo o programa. A história está em suas mãos. Nos primeiros quatro selos vemos a ira de Deus misturada com graça. Mas a partir do sexto selo, há o derramamento da ira sem mistura de Deus. É o dia do juízo.

Apocalipse 6 é como um texto paralelo de Mateus 24, Marcos 13 e Lucas 21: Guerras (Mt 24:6,7a e 6:4); fomes (Mt 24:7b e 6:5-8); perseguições (Mt 24:9-25 e 6:9-11); abalos do mundo (Mt 24:29 e 6:12-17); segunda vinda (Mt 24:30-31 e 6:16-17).

Aprendemos desse fato quatro verdades: Primeiro, quem está assentado no trono e o Cordeiro são adorados por todo o universo. A história não está à deriva, Deus reina. Segundo, quem tem o livro tem o controle. É Ele quem abre os selos. Dele emana a ordem dos acontecimentos. O Cordeiro governa! Terceiro, os eventos do juízo não acontecem sem seu conhecimento, permissão ou controle. Tudo acontece porque Ele conhece, determina, permite e controla. Até os inimigos estão debaixo da autoridade e do controle do Cordeiro. Quarto, todo o universo está sob a autoridade do Cordeiro e serve aos seus propósitos. É do trono que sai a ordem para os cavaleiros do Apocalipse. Os cavaleiros devem dar a largada para dentro da história.

# Os quatro cavaleiros do Apocalipse (Ap 6:1-8)

## O cavalo branco, uma figura do Cristo vencedor (Ap 6:1-3)

Adolf Pohl[1] e Warren Wiersbe[2] interpretaram o cavalo branco e seu cavaleiro como sendo o anticristo. O argumento é que o Apocalipse usa imagens duplas para fazer contrastes: Duas mulheres: a mulher e a prostituta; duas cidades: Jerusalém celeste e Babilônia; dois personagens sacrificados: O cordeiro e a besta. Assim, o anticristo estava se contrapondo a Cristo.[3] Desta forma, o cavalo branco seria uma inocência encenada, fingida, de uma luz falsa: o anticristo é um deslumbrador. O anticristo apresenta-se como um pacificador. Ele terá estupendas vitórias. Ele vai ser aclamado como alguém invencível. Ele vai controlar o mundo inteiro. O senhorio do Cordeiro é que impele o anticristo a deixar sua posição de reserva para que se manifeste. O Diabo gosta de esconder-se. O lobo predador precisa ser despido de sua pele de ovelha.

William Barclay, interpretou o Cavalo branco como as conquistas militares.[4] As grandes invasões militares do Império Romano conquistando o mundo e depois dele, outros impérios que se levantaram. O cavalo branco era usado pelo rei vencedor e o arco um símbolo do poderio militar. Uma conquista militar sempre traz tragédias. Nesta mesma linha de pensamento Edward McDowell diz que o cavalo branco representa todo indivíduo que se empenha em conquistar o mundo.[5]

Simon Kistemaker e George Ladd interpretaram o cavalo branco como sendo a pregação do evangelho em dimensões universais.[6] Mesmo em meio às terríveis perseguições, o evangelho tem sido pregado e será pregado vitoriosamente no mundo inteiro para testemunho a todas as nações (Mt 24:14). Sem escolas, os cristãos confundiram os letrados rabinos; sem poder político ou social, mostraram-se mais fortes que o sinédrio; não tendo um sacerdócio, desafiaram os sacerdotes e o templo; sem um soldado sequer, foram mais poderosos que as legiões romanas. E foi assim que fincaram a cruz acima da águia romana.

William Hendriksen[7] e Martyn Lloyd-Jones[8] interpretaram o cavalo branco e seu cavaleiro como sendo Jesus Cristo. Sempre que Cristo aparece, Satanás se agita e assim as provas para os filhos de Deus são iminentes (os cavalos vermelho, preto e amarelo). As palavras só podem aplicar-se a Cristo: BRANCO + COROA + SAIU VENCENDO E PARA VENCER. Cabelos brancos (1:14), pedrinha branca (2:17), roupas brancas (3:4,5,18), nuvem branca (14:14), cavalos brancos (19:11,14), trono branco (20:11). Branco não pode ser usado nem para o Diabo nem para o anticristo. Arthur Blomfield diz que o branco está ligado à retidão – sempre.[9] Esse primeiro selo não traz nenhuma maldição. Este texto está de acordo com o texto paralelo de Apocalipse 19:11-16, onde a descrição de Jesus Cristo em sua gloriosa vinda é incontroversa. Este texto está de acordo com o tema geral do livro que é a vitória de Cristo.[10] A ideia do Cristo vencedor é como um fio passando através de todo este livro desde o princípio até o fim.[11] Ele é o Leão da Tribo de

Judá que venceu (5:5). "[...] e foi-lhe dada uma coroa"; a palavra grega é *stephanos*. Sempre é usada em relação a Cristo ou aos santos, e jamais com relação ao anticristo.[12] A espada do cavaleiro do cavalo branco está de acordo com Mateus 10:34. Cristo vence com a Palavra. Vence com o evangelho. Subscrevemos essa posição. Entendemos que ela é mais consistente com o ensino geral das Escrituras.

## O cavalo vermelho, uma figura da perseguição religiosa e da guerra (Ap 6:4)

O dispensacionalista Russell Norman Champlin crê que o cavalo vermelho é um símbolo da terceira guerra mundial.[13]

Porém, o nosso entendimento é que esse cavaleiro do cavalo vermelho representa a perseguição ao povo de Deus ao longo dos séculos. William Hendriksen diz que o cavalo vermelho se refere à perseguição religiosa contra os filhos de Deus mais que à guerra entre as nações. O cavalo vermelho pertence à categoria de sinais mais diretamente relacionados com os crentes e sua perseguição pelo mundo.[14] Ricardo Mascareñas diz que ao todo, foram 249 anos de perseguições intermitentes do Império Romano contra os cristãos durante os quais, 129 anos foram de perseguição intensa e 120, de relativa paz. O número oficial de mártires é bem impreciso. Entre 100 mil e 200 mil cristãos pagaram com suas vidas a fidelidade a Cristo.[15]

O futuro será um período de guerras e rumores de guerras, de conflitos e perseguição até à morte.

Perseguição pelos judeus, pelos romanos, pela inquisição, perseguição na pré-reforma, perseguição na pós-Reforma (França, Inglaterra). Perseguição no Nazismo, Fascismo e Comunismo. Perseguições atuais. O maior número de mártires da história foi morto no século 20.

A ideia da perseguição religiosa é fortalecida pela abertura do quinto selo. Ali são vistas as almas dos mártires que tombaram pelo testemunho da verdade.

Esse cavaleiro tinha uma grande espada. Essa espada *machaira* era o cutelo sacrificador. Martyn Lloyd-Jones diz que a palavra grega aqui para espada contém a ideia de matança.[16] Onde chega Cristo, chega também a perseguição aos que são de Cristo (Mt 5:10,11; Lc 21:12; At 4:1, 5:17. Pense em Estêvão, Paulo, Policarpo, Perpétua, Felicidade, a Inquisição, a Noite de São Bartolomeu, as perseguições movidas pelo Comunismo, Nazismo e Islamismo radical.[17]

A paz foi tirada da terra para que os homens se matassem uns aos outros. Não há paz em parte alguma. O Príncipe da paz foi rejeitado. Há perplexidade entre as nações. Esse cavalo vermelho descreve um espírito de guerra. A guerra tem sido uma parte da experiência humana desde que Caim matou Abel.[18] Os homens perdem a paz e buscam a paz pela guerra. As guerras são insanas porque os homens se matam em vez de se ajudarem. As guerras são fratricidas. As guerras estão aumentando em número e em barbárie (as duas guerras mundiais, as guerras tribais, as guerras étnicas, as guerras religiosas e de interesses econômicos). No fundo, todos são vítimas sacrificadas sobre o altar de Satanás. Com irracionalidade total investem tudo no armamento e desconhecem o caminho da paz. Quem não quer viver sob a cruz, viverá sob a espada.[19]

Esse cavalo vermelho é um agente do dragão vermelho, que é assassino desde o princípio (12:3). A terra está bêbada de sangue e cambaleando pela guerra. Os homens se tornam loucos, feras bestiais, prontos a adorarem a besta e o dragão.

## O cavalo preto, uma figura da pobreza, da escassez e da fome (Ap 6:5-6)

Esse cavalo preto representa fome, pobreza, opressão e exploração. Fome e guerra andam juntas.[20] Se a paz for tirada da terra, não poderá haver livremente comércio nem negócios.[21] O mundo inteiro sofrerá tremendas agitações. Comer pão pesado representa grande escassez, diz Adolf Pohl.[22] Há trigo, mas o preço está muito alto. Um homem precisará trabalhar um dia inteiro para comprar um litro de trigo. Normalmente ele compraria 12 litros pelo mesmo preço.[23] Esse cavalo fala do empobrecimento da população. Só pode alimentar a família com cevada, o cereal dado aos animais. O racionamento leva um homem a gastar tudo que ganha para alimentar-se.

Essa pobreza virá também pelo fato dos crentes não fazerem concessões, não aceitarem a marca da besta e não poderem comprar nem vender (13:17). Os fiéis preferirão a morte à apostasia.

A fome é um subproduto da concentração da riqueza e dos recursos, bem como da explosão populacional. Hall Lidsay diz que para alcançar o primeiro bilhão de habitantes o homem levou desde o início dos tempos até o ano 1850. De 1850 a 1930 ele alcançou a marca de dois bilhões. De 1930 a 1960 chegou aos três bilhões. E levou apenas de 1960 a 1975 para alcançar o quarto bilhão.[24] Hoje já somos mais de seis bilhões de habitantes. Porém, a questão mais agravante ainda não é a explosão do crescimento populacional, mas a perversa e injusta distribuição das riquezas.

A pobreza não atinge a todos. O azeite e o vinho, produtos que descrevem vida regalada, não são danificados. Os ricos sempre sabem garantir o seu luxo, enquanto a população passa fome. Eles têm suas fontes de abastecimento, não precisando abrir mão de nada.[25] No mesmo mundo onde reina a fome, reinam também o esbanjamento, o luxo, a desigualdade. Enquanto uns morrem de fome, outros morrem de abastança.

## O cavalo amarelo, uma figura da morte (Ap 6:7-8)

A figura da morte e do inferno são pleonásticas, representando uma única realidade.[26] O *hades* sempre vem atrás da morte. A morte derruba e o *hades* recolhe os mortos. A morte pede o corpo, enquanto o *hades* reclama a alma do morto.[27]

A morte e o *hades* não podem fazer o que querem. Eles estão debaixo de autoridade. Só atuam sob permissão divina. Seu círculo de ação é limitado e seu território definido: a quarta parte e não mais.[28]

A morte usa quatro instrumentos para sacrificar suas vítimas: *A espada:* Aqui não é *machaira*, mas *rhomphaia*, espada comprida usada na guerra. Aqui trata-se da morte provocada pela guerra. *A fome:* A fome é subproduto da guerra, cidades sitiadas, falta de transporte com alimentos. *Pestilência ou mortandades:* As pragas, as pestilências crescem com a pobreza, a fome, as guerras. *As bestas feras da terra:* despedaçam e devoram tudo que encontram.

## O quinto selo: o clamor no céu (Ap 6:9-11)

As almas dos que morreram pela sua fé estão no céu (6:9). Com a abertura do quinto selo muda-se o cenário, da terra passa-se ao céu. Passamos da causa para o efeito. Essas pessoas foram mortas, mas ainda não ressuscitaram. Elas foram mortas e a matança prossegue. As almas sobrevivem sem o corpo e são conscientes. Elas não estão dormindo, estão no céu. Essa é nossa gloriosa convicção. Morrer é estar com Cristo. É deixar o corpo e habitar com o Senhor. É entrar na posse do Reino. A morte não os havia separado de Deus.[29]

Deus não poupou essas pessoas do martírio, mas deu-lhes poder para morrerem por causa da Palavra. Enquanto os falsos crentes vão apostatar, amando o presente século, adorando o anticristo e apostatando diante da sedução do mundo ou da perseguição do mundo, os fiéis selarão com o seu sangue o seu testemunho e preferirão a morte à apostasia. Jesus deixou isso claro no sermão profético: "Então vos entregarão à tribulação, e vos matarão, e sereis odiados de todas as gentes por causa do meu nome" (Mt 24:9,10). Muitos mártires conhecidos e desconhecidos morreram e ainda morrem por causa da sua fidelidade a Cristo e sua Palavra.

As almas dos fiéis pedem não vingança pessoal, mas a vindicação da glória do Deus santo. Sua pergunta não é a mesma de Jesus: "Por quê?", mas "Até quando?".[30] Eles não perguntam: "Se", mas "Até quando?". Como conciliar essa pergunta com o perdão que Cristo ofereceu aos seus algozes na cruz e a atitude de Estêvão para com os seus apedrejadores? O clamor não pede vingança pessoal, mas a vindicação da justiça divina (Lc 18:7-8). Esse é o clamor da igreja diante dos massacres: arenas, piras, campos de concentração, prisões, câmaras de gás, fornos crematórios. Não é o próprio grito de lamentação, mas o lamento pela honra de Deus.

As almas dos fiéis recebem vestes brancas, representando retidão, santidade e alegria. Estar no céu é bem-aventurança, glorificação. Os réus e condenados vestiam-se de preto. Os fiéis foram condenados na terra, mas não no céu. Deus os veste de branco. Estão absolvidos, justificados, salvos.

As almas dos fiéis estão descansando, não dormindo, até chegar o dia em que se completará o número dos mártires. Os crentes estão no céu descansando de suas fadigas. Lá não tem mais dor, nem pranto nem luto. O dia está determinado. O número está determinado. Até que esse número não tenha sido completado na terra, o dia do juízo não pode chegar. O Cordeiro está no controle. Nem um fio de cabelo nosso pode ser tocado sem que Ele permita. Mas, precisamos saber que nos é dada a graça não apenas de crer em Cristo, mas também de sofrer por Ele e até de dar a vida por Ele (Fp 2:17; 2Tm 4:6). Deus mostra para esses mártires que o seu sacrifício não foi um acidente, mas um apontamento.[31] Até na morte do seu povo, Deus está no controle. Quando o inimigo pensa estar ganhando a batalha, a igreja o vence, ao se dispor a morrer pela sua fé.

Há um limite para essa crescente enxurrada de injustiça, além do qual ela não prosseguirá. Deus anuncia esse limite intransponível. Trata-se do número completo dos mártires. Ele não é citado, mas existe. Justamente no momento em que a violência celebra seus maiores triunfos e apregoa seus mais altos índices de sucesso, sua ruína torna-se visível. Perseguições aos cristãos amadurecem o juízo sobre o mundo, apressando o seu fim.[32]

## O clamor sobre a terra – o juízo chegou (Ap 6:12-17)

O juízo chegou: as portas da graça estão fechadas, é o dia da ira do Cordeiro. O sexto selo introduz o dia do juízo. O medo, o terror, o espanto e a consternação daquele dia se descrevem sob dois simbolismos: um universo sendo sacudido e os homens completamente aterrorizados, tentando se esconder.[33]

O juízo chegou: o próprio universo está abalado (6:12-14). O sol, a lua, as estrelas, o céu, os montes, as ilhas; tudo aquilo que se considerava sólido, firme, está abalado. As vigas de sustentação do universo estão cambaleando. A antiga criação está se desintegrando.[34] O apóstolo Pedro refere-se a esse momento assim: "Virá, entretanto, como ladrão, o dia do Senhor, no qual os céus passarão com estrepitoso estrondo e os elementos se desfarão abrasados; também a terra e as obras que nela existem serão atingidas" (2Pe 3:10). Este é um quadro simbólico do terror do dia do juízo. O simbolismo inteiro nos ensina uma só lição, a saber, que será verdadeiramente terrível a efusão final e completa da ira de Deus sobre um mundo que tem perseguido a igreja. Esse momento virá repentinamente. Será como o ladrão de noite. Os homens desmaiarão de terror. O Senhor Jesus descreve essa cena, assim:

> "Haverá sinais no sol, na lua e nas estrelas; sobre a terra, angústia entre as nações em perplexidade por causa do bramido do mar e das ondas; haverá homens que desmaiarão de terror e pela expectativa das cousas que sobrevirão ao mundo; pois os poderes dos céus serão abalados. Então se verá o Filho do Homem vindo numa nuvem, com poder e grande glória".[35]

O juízo chegou: os homens estão em profundo desespero (6:15-17). Há seis classes de pessoas descritas; da mesma forma que tinham seis classes de elementos abalados: reis, grandes, comandantes, ricos, poderosos, escravo e livre. João vê nessa imagem do *terror universal* todos os ímpios sobressaltados de um repentino terror, tentando fugir e se esconder do Deus irado. Os homens estão buscando um lugar para se esconder. Mas para onde o homem pode fugir e se esconder de Deus? Deus está em toda parte. Para Ele luz e trevas são a mesma cousa. O primeiro instinto do pecador é se esconder. Essa tem sido sua desesperada atitude desde o Éden.

De que estão fugindo? Dos montes que estão se desmanchando? Do universo que está em convulsão? Não, há algo mais terrível: eles estão fugindo do Deus irado. Arthur Blomfield diz que os homens saberão de onde procedem as dificuldades que tanto os assustam.

Tentarão esconder-se daquele que se assenta no trono e do Cordeiro, exclamando: "... chegou o grande dia da ira deles...".[36] Warren Wiersbe diz que a ira de Deus é a evidência do seu santo amor por tudo o que é certo e o seu santo repúdio por tudo o que é mau.[37] Eles buscam a morte, mas ela não os pode esconder da ira do Cordeiro. Adolf Pohl diz que a corrida pela vida torna-se súplica pela morte.[38] William Barclay, citando H. B. Swete, diz que o maior temor do pecador não é a morte, mas a manifestação plena da presença de Deus.[39] O aspecto mais terrível do pecado é que converte o homem num fugitivo de Deus. Mas agora, nem caverna, nem a morte podem escondê-los desse encontro com Deus. O tempo da graça acabou. Aqueles que não buscaram a graça, encontrarão inexoravelmente a ira de Deus. A porta está fechada. Agora é o juízo!

Posição, riqueza e poder político não puderam lhes dar proteção e segurança. Absolutamente nada pode evitar que os homens enfrentem o tribunal de Cristo. Importa que todos compareçam perante o Justo juiz de toda a terra.

O dia do juízo se aproxima.[40] Mas hoje ainda é o dia aceitável. Ainda você pode se voltar para Deus e encontrar perdão. Você quer vir a Cristo agora mesmo? Você está preparado para encontrar-se com Cristo? Você está disposto a enfrentar perseguição, pobreza, espada, fome e a própria morte por amor a Cristo e sua Palavra?

# Capítulo 13

## As glórias da igreja na glória
(Ap 7:1-17)

O CAPÍTULO 7 DE APOCALIPSE descreve a mesma cena do capítulo anterior, porém, noutra perspectiva. Ele vem depois do capítulo 6 na ordem das visões de João, mas não parece ser a sequência da ordem dos eventos. Lá, os quatro cavalos; aqui, os quatro ventos. Lá, os cavalos trazem o juízo; aqui, os ventos do juízo estão prontos para começar a sua missão destrutiva. O fato de serem quatro anjos, nos quatro cantos da terra, a segurar os quatro ventos da terra, indica que o juízo que vai desabar é universal. Ninguém escapa. O controle divino sobre os cavaleiros e os ventos assegura que a igreja será selada e ficará segura antes que os cavaleiros avancem. A destruição desabará sobre o mundo, mas a igreja é indestrutível.

Deus faz distinção entre o seu povo e os ímpios (7:3). Antes que venha esse tempo de terror e devastação, os fiéis têm de ser marcados com o selo de Deus. Fritz Rienecker comentando sobre o selo, escreve:

> Para os contemporâneos do profeta, "selo" teria conotado a marcação de gado ou a tatuagem de escravos e soldados, especialmente os que estavam a serviço do imperador e que poderiam ser reconhecidos por sua marca, se desertassem. A marcação de um soldado, ou membro de uma guilda, na mão, ombro ou pescoço, era usada para selá-lo como um devoto religioso, isto é, como membro de uma milícia sagrada. A marca, nesse caso, era um sinal de consagração à divindade. Poderia se referir à marca que os profetas trariam em sua fronte, pintada ou tatuada; ou poderia se referir aos filactérios carregados na fronte ou na mão.[1]

A destruição não pode dar sua largada antes dos remidos serem selados. Os selados não precisam temer o juízo. O castigo que deveria cair sobre nós, caiu sobre Jesus na cruz. Segundo William Hendriksen, o selo tem três significados: *Proteção:* Ninguém pode violar o que está selado. Foi assim que o túmulo de Jesus foi selado (Mt 27:66). *Propriedade:* Na antiguidade, escravos podiam ser selados por seu proprietário. A marca do dono era inscrita neles. Quem violava esse escravo atacava o seu dono. O selo nos dá garantia que somos propriedade exclusiva de Deus (Ct 8:6; Ef 1:13; 1Pe 2:9). *Genuinidade:* O que está selado não pode ser adulterado (Ester 3:12).[2]

Deus livra o seu povo na tribulação e não da tribulação (7:14). Todos os textos que tratam da segunda vinda de Cristo mostram que a igreja não será arrebatada secretamente antes da grande tribulação. Ela será poupada *na* e não *da* tribulação (Mt 24:29-31; 2Ts 1:1-10).

Aqui temos a resposta à pergunta dos ímpios: "Quem poderá suster-se diante do Deus irado?" (6:17). A resposta da Bíblia é que aqueles que foram selados como propriedade de Deus, estarão em pé diante do trono, com vestes brancas e palmas nas suas mãos, celebrando a Deus eternamente. Os salvos terão três tipos distintos de glória: 1) A glória de sua aparência: vestiduras brancas e palmas nas mãos; 2) A glória do seu serviço: estarão diante de Deus em contínuo serviço litúrgico; 3) A glória do seu lar eterno: comunhão com Deus e provisão celestial. William Hendriksen, falando sobre a bem-aventurança dos remidos na glória, diz que os redimidos descansam, veem a face de Cristo, ouvem, agem, desfrutam de prazeres, vivem e reinam.[3]

William Barclay diz que há três elementos nesta visão do capítulo 7: Primeiro, *uma advertência:* Tempos difíceis estão pela frente. Será o tempo da grande tribulação. Segundo, *uma segurança*: Os selados jamais serão condenados com o mundo. Passarão pelas provas vitoriosamente. Terceiro, *uma recompensa:* Os que lavaram suas vestiduras no sangue do Cordeiro desfrutarão da bem-aventurança eterna.[4]

## Na perspectiva divina (do céu) os selados têm um número exato (Ap 7:4-8)

O número é visto e também ouvido. O número dos selados é declarado por revelação expressa. Deus conhece os que lhe pertencem (2Tm 2:19). Esse grupo é contável para Deus. Esse número 144 mil é metafórico. Ele é mais um símbolo do que uma estatística, diz Michael Wilcock.[5] Ele representa a cifra completa e perfeita dos crentes em Cristo. As doze tribos de Israel não apontam aqui para o Israel literal, mas o Israel verdadeiro, espiritual, a igreja.[6] Júlio Andrade Ferreira diz que encontramos, antes de Cristo, a igreja na forma de Israel; encontramos, depois de Cristo, Israel na forma de igreja.[7] Assim, toda a igreja de Cristo é selada, e, está segura (Jo 10:28,29; 17:12).

Há três interpretações principais sobre o significado desses 144 mil:

Primeiro, *a interpretação dos Testemunhas de Jeová*. As Testemunhas de Jeová são uma seita herética. Entendem que a igreja que vai morar no céu limita-se apenas a este número. Todas as demais criaturas que receberão a vida eterna não terão parte na igreja, mas viverão nesta terra, sob o domínio de Cristo Jesus e sua igreja nos céus.

Segundo, *a interpretação dispensacionalista*. William R. Goetz diz: "São selados 144.000 judeus para pregarem o evangelho em todo o mundo, sendo protegidos sobrenaturalmente por Deus, enquanto realizam essa missão".[8] Esses são israelitas que estarão vivendo no tempo da angústia de Jacó (Jr 30:5-7). Embora as tribos tenham cessado, Deus as conhece (Is 11:11-16) e preservará um remanescente até restaurar o reino a Israel (At 1:6). Esse será o tempo da plenitude dos gentios (Lc 21:24), com a plenitude do número dos gentios completo (At 15:14; Rm 11:25). Os dispensacionalistas entendem que esses 144 mil referem-se aos judeus que se converterão depois do arrebatamento[9] e antes do milênio e que viverão na Palestina do período da grande tribulação e serão poupados dos juízos que virão sobre o anticristo. Esses judeus aguardarão Jesus Cristo, o seu rei, em sua segunda vinda, quando destruirá o anticristo e implantará o seu reino milenar.

Terceiro, *a interpretação pré-milenista histórica e amilenista*. Para os pré-milenistas históricos e amilenistas esse número é simbólico.[10] O número 144 mil não é estatístico, mas metafórico.[11] Primeiro, o número 3, que significa a Trindade, é multiplicado por 4, que indica a inteira criação, porque os selados virão do Norte e do Sul, do Leste e do Oeste. 3 multiplicado por 4 são 12. Portanto, esse número indica: a Trindade (3) operando no universo (4). Assim, temos a antiga dispensação (3 x 4) =12 patriarcas e a nova dispensação 12 apóstolos. Para ter uma ideia da igreja da antiga e da nova dispensação, temos que multiplicar esse número 12 por 12. Isso nos dá 144. A Nova Jerusalém (a igreja) tem 12 portas, com o nome das 12 tribos e os 12 fundamentos com o nome dos 12 apóstolos (21:9-14). Lemos também que a altura do muro é de 144 côvados (21:17). Com o objetivo de acentuar o fato de que 144 mil significa não uma pequena parte da igreja, senão a igreja militante inteira, este número é multiplicado por mil. Mil é 10 x 10 x 10 que indica um cubo perfeito, inteireza reduplicada. De acordo com Apocalipse 21:16, os 144 mil selados das doze tribos do Israel literal simbolizam o Israel espiritual, a igreja de Deus na terra.[12] William Barclay, é bem claro nessa questão:

> O número 144.000 não é uma limitação, pois representa a cifra completa e perfeita dos crentes em Jesus

Cristo. Está concebida a partir da multiplicação de 12 por 12, o quadrado perfeito, que por sua vez é multiplicado por 1.000 para que seja ainda mais includente e completo. Longe de ser uma quantidade limitada e excludente, este número é, no imaginário judeu, a quantidade que inclui o todo, o conteúdo completo.[13]

Esse número não pode aplicar-se às tribos de Israel. Martyn Lloyd-Jones diz que é quase ridículo concluir que esse número signifique 144 mil judeus.[14] As dez tribos de Israel já haviam desaparecido no cativeiro Assírio e as duas tribos do Sul (Benjamim e Judá) haviam perdido sua existência nacional quando Jerusalém caiu no ano 70 d.C. Se o símbolo significa Israel segundo a carne, por que foram omitidas as tribos de Efraim e Dã e colocadas em seu lugar Levi e José? A ordem das tribos foi trocada e não temos nenhuma lista das tribos semelhante a esta em toda a Bíblia. Segundo Apocalipse 14:3-4, os 144 mil foram comprados por Deus de entre os da terra e não da nação judaica somente. Assim, João queria dizer que as doze tribos de Israel não são o Israel literal, mas o Israel verdadeiro, espiritual, a igreja.[15]

A igreja é o Israel de Deus: O Novo Testamento considera a igreja o verdadeiro Israel espiritual (Gl 6:16; Rm 9:6-8). Quem é de Cristo é descendente de Abraão (Gl 3:29). Abraão é o pai de todos os que creem, circuncidados ou não (Rm 4:11). O verdadeiro judeu não é o descendente físico de Abraão, mas o descendente espiritual (Rm 2:28-29). Nós que adoramos a Deus no Espírito e nos gloriamos em Cristo Jesus é que somos a verdadeira circuncisão (Fp 3:3). Em Esmirna havia judeus físicos que eram sinagoga de Satanás (2:9); eram judeus de fato, mas não o Israel espiritual. A igreja é a Nova Jerusalém (21:12,14), o povo de Deus (18:4; 21:3). Concluímos que a igreja é o verdadeiro Israel espiritual. Por isso, esta interpretação é a que melhor faz jus ao sentido do texto e mostra o relacionamento que há entre as duas multidões. Elas são constituídas das mesmas pessoas, aquelas que foram seladas e guardadas por Deus.

## Na perspectiva humana (da terra) os selados são uma multidão inumerável (Ap 7:9-12)

De repente muda-se o cenário. O leitor é novamente transportado da terra para o céu. Agora, João vê a igreja redimida no céu. No lugar de uma tensão cheia de desgraça em vista do perigo iminente, ocorre o cântico da vitória. O céu não será apenas mudança de lugar, mas mudança de nós mesmos. No céu conservaremos a nossa individualidade. "Quem são?" São pessoas, indivíduos que vêm de lugares diferentes, mas que não perdem sua individualidade. As distinções que nos separam na terra, não nos separarão no céu. Lá não teremos ricos e pobres, nobres e servos, mas aqueles que foram lavados no sangue do Cordeiro.

Quais são as características dessa igreja glorificada?

Em primeiro lugar, *é uma igreja inumerável* (7:9). Isso é o cumprimento da promessa feita a Abraão: "Olha para os céus e conta as estrelas, se é que o podes. E lhe disse: Será assim a tua posteridade" (Gn 15:5). Conforme Hebreus 11:12 ela é para ele incontável. Essa multidão também é incontável para João (7:9). A multidão contável por Deus é incontável para João.[16]

Em segundo lugar, *é uma igreja universal* (7:9). Inclui os eleitos, os selados judeus e gentios, procedentes de todas as culturas, línguas, povos e nações, de todos os lugares e de todos os tempos. Em Abraão haveriam de ser "abençoadas todas as nações, todas as famílias da terra" (Gn 12:3; 22:18). João vê na igreja a humanidade abençoada em Abraão.

Em terceiro lugar, *é uma igreja honrada* (7:9). Estar em pé diante do trono significa ter companheirismo com o Cordeiro, servi-lo e participar em sua honra.

Em quarto lugar, *é uma igreja pura* (7:9). As vestes brancas apontam para a absoluta pureza da igreja. A igreja não foi purificada pelo sofrimento, mas pelo sangue. O sangue do Cordeiro exclui a glória humana. A igreja que fora liberta da condenação do pecado na justificação; do poder do pecado na santificação; agora está livre da presença do pecado na glorificação. Nada contaminado pode entrar no céu (21:27). Roupas brancas ainda indicam alegria e felicidade, além de santidade.

Em quinto lugar, *é uma igreja vencedora* (7:9). Este é um símbolo de vitória. A igreja selada por Deus, protegida por Ele, venceu e chegou ao lar, à sua pátria, ao céu. A igreja é vitoriosa a partir da roupa, das palmas e dos gritos.

Em sexto lugar, *é uma igreja que tributa a Deus a sua salvação* (7:10). Depois do símbolo da vitória, segue-se o grito de vitória. A salvação não é mérito, nem fruto das obras, nem de quem a igreja é ou faz. A salvação é de Deus, vem Deus e só Ele merece a glória.

Em sétimo lugar, *é uma igreja que une sua voz às vozes angelicais para exaltar a Deus* (7:11-12). Os anjos e os querubins se unem à igreja glorificada, prostram-se e adoram a Deus, rendendo-lhe uma sétupla atribuição de louvor.

## A procedência, a identidade e a missão eterna da igreja glorificada (Ap 7:13-17)

João fala em primeiro lugar *da procedência da igreja* (7:13-14). A igreja vem da grande tribulação. Essa ideia da grande tribulação remonta a Daniel 12:1. É vista em Mateus 24:21-22, em 2Tessalonicenses 2:3-4 e também em Apocalipse 13:7,15. Os crentes em todos os lugares e em todas as épocas enfrentaram tribulações (2Tm 3:12; At 14:22). Mas, os crentes que viverem nesse tempo do fim enfrentarão não apenas o começo das dores, mas também, a grande tribulação. A grande tribulação é caracterizada como o período da grande apostasia e também da manifestação do homem da iniquidade (2Ts 2:3-9). Nesse tempo o conflito secular entre Deus e Satanás estará no seu auge. A igreja será protegida não da tribulação, mas na tribulação. Ela emergirá do meio da tribulação, como um povo selado e vitorioso.

Em segundo lugar, *João fala da identidade da igreja* (7:14). Os remidos são aqueles que lavam as suas vestiduras no sangue do Cordeiro. A base da salvação não está no mérito humano, nem na sua religiosidade, nem nos seus predicados morais, nem mesmo no seu conhecimento doutrinário. A base da salvação está na apropriação da redenção pelo sangue de Cristo. Ninguém entrará no céu por pertencer a esta ou àquela igreja ou por defender esta ou aquela doutrina. O apóstolo João diz que é o sangue de Cristo que nos limpa de todo o pecado (1Jo 1:7). Paulo diz que é o sangue de Cristo que faz propiciação pelos nossos pecados (Rm 3:25) e é por meio dele que temos a redenção (Ef 1:7) e a paz com Deus (Cl 1:20). Pedro diz que fomos comprados pelo sangue de Cristo (1Pe 1:19).

Em terceiro lugar, *João fala da missão eterna da igreja* (7:15-17). João destaca quatro aspectos importantes: *Adoração:* A igreja prestará a Deus um serviço litúrgico (latria) incessante (7:15). A igreja glorificada é uma igreja adoradora. Ela presta um serviço cultual em contraste com um serviço escravo. *Comunhão:* Intimidade contínua com Deus. O sexto selo trouxe a visão de um céu enrolado que se recolhe e de uma humanidade apavorada num mundo sem teto (6:15-17). Aqui, porém, a cena é oposta. A igreja está numa nova realidade, cheia de paz. Deus vai armar uma tenda conosco. Ele vai acampar com a igreja. Deus mesmo habitará com a igreja (21:3). *Ausência completa de sofrimento:* João enumera três afirmações negativas: Fome, sede e calor não existem mais. Isto está de acordo com Apocalipse 21:4. Finalmente, *Presença completa da plenitude de vida.* João enumera três afirmações positivas: O Cordeiro as apascentará, o Cordeiro as guiará às fontes da água da vida e Deus lhes enxugará dos olhos toda lágrima. Os salvos gozam a felicidade mais perfeita. O Cordeiro agora é o seu pastor. O Cordeiro os guia à fonte e a fonte é Deus. O Cordeiro os traz de volta para Deus e para o paraíso. Ele então, enxugará dos nossos olhos toda lágrima. Ele nos tomará no colo e nos consolará para sempre!

O capítulo 6 termina mostrando os terrores que os ímpios enfrentarão no juízo. O capítulo 7 termina mostrando as glórias dos remidos na segunda vinda de Cristo. Enquanto os ímpios buscam a morte física, só encontram a segunda morte, a morte eterna; os remidos, mesmo enfrentando a morte física, desfrutam para sempre das bem-aventuranças da vida eterna. De que lado você está? Em que grupo você estará quando Jesus voltar?

## Capítulo 14

# As trombetas começaram a tocar
### (Ap 8:1-13)

OS SELOS FALAM DO SOFRIMENTO da igreja perseguida pelo mundo (6:9); as trombetas do sofrimento do mundo incrédulo em virtude das orações da igreja (Ap 8:4). Os selos mostram o que vai acontecer na história até o retorno de Cristo, dando particular atenção ao que a igreja terá de sofrer. As trombetas, começando no mesmo ponto, descrevem o que vai acontecer na história até o retorno de Cristo, dando ênfase ao sofrimento pelo qual o mundo irá passar, como expressão da advertência de Deus.[1] George Ladd comenta:

> É digno de nota que tanto os selos como as trombetas nos levam ao fim dos tempos. O sexto selo, como já vimos, fala de catástrofes cósmicas que identificarão a vinda do dia do Senhor (6:17).

De maneira semelhante a sétima trombeta anuncia a vinda do fim. Quando o sétimo anjo a tocou, foram ouvidas vozes celestiais, dizendo: "O reino do mundo se tornou de nosso Senhor e do seu Cristo, e ele reinará pelos séculos dos séculos (11:15)".[2]

Tanto os selos (Apocalipse 7) como as trombetas (Apocalipse 10-11) são interrompidos por um interlúdio.

## Antes das trombetas tocarem houve silêncio e súplicas no céu (Ap 8:1-5)

O silêncio no céu pode representar duas verdades (8:1):

Primeiro, *o céu fica em silêncio para ouvir as orações dos santos*. As hostes celestiais tinham adorado o Pai e o Cordeiro com vozes altissonantes (7:10-12). Mas quando o Cordeiro abriu o sétimo selo, os céus ficaram em silêncio por trinta minutos.[3] As orações dos santos estão a ponto de serem elevadas para Deus. Quando os santos oram todo o céu faz silêncio para que se possa escutar. As necessidades dos santos significam muito mais para Deus do que todas as músicas do céu.[4] A música celestial silencia para que o clamor dos santos chegue ao trono de Deus.

Segundo, *o céu fica em silêncio como atitude de suspense e tremor diante do julgamento de Deus ao mundo*. Antes desse tempo havia apenas regozijo e música no céu. Houve a celebração da igreja, dos querubins, dos anjos e de todo o universo. Agora, toda a música cessa. Os exércitos celestiais, vendo os julgamentos de Deus que desabarão sobre o mundo, ficam em silêncio. É o silêncio da terrível expectativa dos acontecimentos que estão por vir.[5]

É extremamente consolador entender o grande valor que tem as orações dos santos (8:3-5):

Primeiro, *as orações dos santos sobem aos céus* (8:4). Orar não é apenas um exercício meditativo. Nossas orações sobem à presença de Deus. Quando oramos, unimo-nos a Deus no seu governo moral do mundo. Assim como o juízo de Deus veio ao Egito como resposta ao clamor do povo de Israel (Êx 3:7-8), assim, também, em resposta ao clamor dos santos, Deus envia o seu juízo aos ímpios (6:9-10; 8:3-5).

Segundo, *as orações dos santos provocam o justo juízo de Deus sobre os ímpios* (8:5). O mesmo incensário que leva as orações é o incensário que derrama o juízo e traz calamidades sobre os habitantes da terra. O mesmo fogo que queimou o incenso sobre o altar, causa destruição sobre a face da terra.[6] As orações dos santos desatam a vingança de Deus sobre os ímpios, diz William Barclay.[7] Charles Erdman diz que os juízos Divinos sobrevêm como responso ao brado de sua igreja sofredora.[8] Os trovões, vozes, relâmpagos e terremoto são sinais da advertência do julgamento de Deus que se aproxima. O mundo que perseguiu e oprimiu a igreja, agora está sendo alvo do juízo Divino em resposta às orações dos santos. Quem é inimigo do povo de Deus é inimigo de Deus. Quem toca na igreja, toca na menina dos olhos de Deus. O julgamento de Deus cairá sobre o mundo em resposta às orações dos santos. "Não fará Deus justiça aos seus escolhidos, que a ele clamam dia e noite, embora pareça demorado em defendê-los? Digo-vos que, depressa, lhes fará justiça" (Lc 18:7-8). A igreja que ora faz história.

Terceiro, *as orações dos santos provam que o altar e o trono estão muito próximos*. As orações que sobem do altar chegam ao trono. Orar é algo extremamente sério. Quando oramos, estamos nos unindo ao que está assentado no trono. Altar e trono trabalham juntos. Somos cooperadores de Deus à medida em que oramos. Não podemos afastar o altar do trono.

Quarto, *as orações são de todos os santos e não apenas dos mártires* (Ap 8:3). Isso é uma forte evidência de que o Apocalipse está se preocupando com o destino de toda a igreja na terra em todas as épocas. Os julgamentos de Deus atingem a terra em resposta às orações dos santos.[9]

## As trombetas se preparam para tocar (Ap 8:6)

As trombetas são um símbolo das intervenções de Deus na história. O apóstolo João, como judeu, entendia bem a importância da trombeta na história de Israel. Warren Wiersbe comenta:

> De acordo com Números 10, as trombetas tinham três usos importantes: eram usadas para reunir o povo (Nm 10:1-8); eram usadas para anunciar uma guerra (Nm 10:9) e eram usadas para anunciar um tempo especial (Nm 10:10). A trombeta soou no Monte Sinai quando a Lei foi dada (Êx 19:16-19) e também soou quando um rei foi ungido e colocado no trono (1Rs 1:34,39)... A voz do Senhor foi como voz de trombeta aos ouvidos do apóstolo João (Ap 1:10). Foi uma voz como de trombeta que o convocou a subir ao céu (Ap 4:1). A segunda vinda de Cristo será anunciada pelo toque da trombeta de Deus (1Ts 4:13-18).[10]

As trombetas são divididas em dois grupos: catástrofes naturais e sofrimentos impostos diretamente aos homens.

*As trombetas começaram a tocar*

As quatro primeiras trombetas falam de catástrofes naturais que atingem a terra, o mar, os rios e os astros. As três últimas trombetas falam de sofrimentos impostos diretamente aos homens. Elas são chamadas também de AIS.

Em Mateus 24:4-8 e 24:13-22 encontramos uma divisão semelhante. As quatro primeiras trombetas se distribuem sobre a terra, mar, rios e astros. Deus derruba o edifício cósmico, que Ele próprio levantara (14:7). Seu habitante, o ser humano, até agora tão familiarizado com sua moradia, nela instalado de maneira tão segura, vê agora o colapso do seu habitat. Sua casa está sendo demolida de fora para dentro, o telhado descoberto de cima para baixo e o chão abalado de baixo para cima. Essa irrupção do caos anuncia a ira de Deus.

As trombetas falam dos juízos divinos que precedem a volta de Cristo. Considerar tais descrições como profecias de sentido literal, ou procurar interpretar os símbolos em termos de eventos específicos, seria enveredar pelo caminho da fantasia e do grotesco. Essas trombetas indicam uma série de calamidades que ocorrem muitas vezes durante toda esta dispensação.

As trombetas também têm o propósito de advertir os homens e chamá-los ao arrependimento. George Ladd diz que, em sua ira, Deus não pensa só em julgamento; seu propósito é também misericordioso.[11] O propósito desses juízos preliminares é levar os homens ao arrependimento (9:20). Antes de Deus derramar o seu completo juízo sobre a terra, Ele oferece uma oportunidade de arrependimento aos homens. Essa é a ira misturada com a graça. Em sua ira, Deus se lembra da misericórdia. Entretanto, o sofrimento em si não é suficiente para levar os ímpios ao arrependimento (9:20; 16:9-10). Calamidades terríveis sucedem aos ímpios com o fim de castigá-los por sua oposição à causa de Cristo e por sua perseguição aos santos. Mas, por meio desses juízos, Deus está continuamente chamando os ímpios ao arrependimento. A função das trombetas é admoestar.

As trombetas são semelhantes às pragas enviadas ao Egito. As pragas no Egito foram a manifestação do juízo de Deus em resposta ao clamor do povo de Israel oprimido no cativeiro. Assim, também, as trombetas anunciam os juízos de Deus sobre os habitantes da terra em resposta às orações dos santos. A primeira trombeta relaciona-se à sétima praga; a segunda trombeta relaciona-se à primeira praga; a terceira trombeta às águas amargas; a quarta trombeta relaciona-se à nona praga.

As trombetas mostram que os juízos de Deus são universais. Essas trombetas de juízo afetam as diferentes partes do universo: terra, mar, rios, astros. Não há em nenhuma parte refúgio para os maus. As quatro primeiras trombetas fazem dano aos maus em seu ser físico; as últimas três causam angústia espiritual: o próprio inferno é aberto.

## As trombetas começam a tocar (Ap 8:7-13)

### A primeira trombeta (Ap 8:7)

Há uma tempestade de granizo, fogo e sangue que atinge a terra. Ela é semelhante à sétima praga no Egito com uma chuva de pedra com fogo (Êx 9:23). Aqui, porém, acrescenta-se sangue, o que acentua o seu caráter destrutivo. Adolf Pohl escreve: "Anuncia-se algo de certa forma horrível: cidades ardendo em chamas, pessoas se esvaindo em sangue, juízo, vingança, tormentos. A impressão é apavorante".[12]

Nessa forma simbólica, o livro de Apocalipse bem como todas as Escrituras, nos dizem que calamidades tais como terremotos, vulcões e inundações estão sob a mão de Deus e são parte do seu método de castigar o pecado e de anunciar ao mundo que Ele não pode perseguir o seu povo impunemente. Ele é Senhor e exerce punição por tais atos.

O significado é que o Senhor que está reinando afligirá os perseguidores da sua igreja, desde a primeira até a segunda vinda, com vários desastres que sucederão na terra. Esses eventos não podem ser datados. Mas o espaço de habitação das pessoas e seu alimento são duramente atingidos.

Esses desastres "foram atirados à terra". Esses desastres são controlados no céu. São enviados por Aquele que está no trono. Todas as coisas acontecem sob o total controle de Deus. Porém, a destruição ainda é parcial. É apenas o prelúdio do fim. Ainda há chance de arrependimento.

## A segunda trombeta (Ap 8:8-9)

Desde a primeira vinda de Cristo os ímpios têm perseguido a igreja. Deus tem enviado o seu juízo sobre o mundo em forma de catástrofes, tragédias, calamidades terríveis, pestilências que atingem a terra e agora também o mar.

Esta trombeta fala das espantosas calamidades marítimas, bem como de todos os desastres que acontecem no mar. As montanhas, verdadeiras "colunas" do edifício cósmico,[13] ardendo em chamas, são atiradas no mar. Esse juízo é mais severo que o primeiro. Pois aqui não só há dano na natureza, mas também danos materiais e, por inferência, de pessoas que viajam nessas embarcações.

A ira de Deus queimará todas as seguranças deste mundo. A pesca e a navegação são submetidas a uma tragédia. Aqui, tanto o comércio como vidas estão sofrendo. São desastres ecológicos e econômicos em proporções gigantescas.

A segunda trombeta é semelhante à primeira praga no Egito, quando as águas do Nilo transformaram-se em sangue e os peixes morreram (Êx 7:20-21). Mais uma vez o juízo permanece delimitado. O juízo ainda não é total.

### A terceira trombeta (Ap 8:10-11)

O juízo agora é que a água doce é transformada em água amargosa, o contrário do que aconteceu em Mara (Êx 15:25). A bênção torna-se maldição. Deus faz sua criação retroceder.[14] Deus ataca a água potável. Estima-se que o maior problema do século 21 não será de energia nem de petróleo, mas de água potável. Os recursos naturais que sustentam a vida entrarão em colapso.

Pragas têm visitado o mundo, doenças têm provindo de rios e fontes poluídas, e inundações têm ocorrido. Pessoas têm sido destruídas nesses castigos Divinos, que são a vara da ira de Deus contra um mundo hostil à sua igreja.

*As trombetas começaram a tocar*

Os perseguidores ímpios não encontrarão em nenhuma parte do universo descanso verdadeiro, nem tampouco gozo permanente. Não somente a terra e o mar, mas também as fontes e os rios, durante essa época, estarão contra essas pessoas malignas.

Às vezes nos esquecemos que as enchentes, as inundações são atos do juízo de Deus. Os jornais anunciam sobre tempestades, inundações e epidemias originados por essas calamidades, mas não explicam que estes juízos são a voz de Deus admoestando os ímpios. Esses desastres naturais são trombetas de Deus chamando os homens ao arrependimento.

Uma aflição amarga encherá o coração dos ímpios como resultado dessa praga indicada. Muitos homens morrem, mas nem todos. O juízo ainda não é final (8:11). Consequentemente, esse juízo é mais grave do que os outros dois primeiros, pois, aqui, a morte de pessoas é explícita. Arthur Blomfield diz: "Os homens rejeitaram a Água da Vida; zombaram do sangue de Cristo; derramaram o sangue dos santos. E agora, o seu suprimento de água se transformou em sangue venenoso".[15]

## A quarta trombeta (Ap 8:12)

Os astros, o sol, a lua e as estrelas, desde as suas órbitas lutam contra os inimigos da igreja de Deus. Deus está usando os astros celestes para admoestar aqueles que não o servem e perseguem os seus filhos.

Calamidades têm vindo à humanidade como resultado das coisas que ocorrem nos céus, meteoros caindo sobre a terra, eclipses, tempestades de areia, furacões, tornados e outras calamidades terríveis vindas do céu têm visitado a terra. Essas tragédias são trombetas de Deus alertando os homens a se arrependerem. Diz Michael Wilcock que os selos mostraram a igreja sofredora clamando para que a justiça seja feita. Mas as trombetas mostram a misericórdia sendo oferecida ao mundo pervertido.[16]

A terra, o mar, os rios e os astros são trombetas de Deus que anunciam o seu juízo e convocam os homens ao arrependimento. O ser humano encontra adversidade em quatro lados, isto é, por todos os lados. É terrível como a bênção vai abandonando uma região após a outra e como o caos vai tomando conta. Nesta visão João descreve como Deus usa as forças elementares da natureza para advertir aos homens sobre a proximidade do fim.[17]

## Uma águia voando no céu, avisando sobre o caráter trágico das últimas três trombetas (Ap 8:13)

João vê e ouve uma águia predizendo as calamidades mais terríveis que sobrevirão aos homens como resultado das últimas três trombetas. Em outras palavras, ele está dizendo: "Se vocês pensam que as coisas que já aconteceram são terríveis, simplesmente esperem, pois coisas piores virão".

Em grande voz a águia dizia: "Ai! Ai! Ai! dos que moram na terra, por causa das restantes vozes da trombeta dos três anjos que ainda têm de tocar". A tríplice repetição é ênfase superlativa. As últimas três trombetas são denominadas "Ais", e isso demonstra que serão pragas extremamente severas. João está afirmando que o pior ainda está por vir. A quinta e a sexta pragas destruirão os homens, enquanto a sétima destruirá as obras dos homens.

Essas três últimas calamidades serão piores que as primeiras. Elas atingirão não os elementos da natureza, mas diretamente os homens.

Assim como o povo de Israel foi poupado das pragas que sobrevieram ao Egito, a igreja será poupada das pragas decorrentes das trombetas. Enquanto os selos tratam da perseguição do mundo à igreja, a grande tribulação; as trombetas falam do juízo da ira de Deus sobre o mundo. A igreja não sofrerá essa ira.

O que Deus está fazendo aqui, nessas quatro primeiras trombetas? Um dano terrível é infligido à terra e à vegetação, ao mar e seus navios, às águas que o homem bebe e à luz pela qual o homem vê – o meio ambiente, o comércio, os recursos naturais e a visão.

Mas o dano é parcial e não total; as trombetas soam para advertir e não para destruir totalmente. A maioria da raça humana sobrevive, vendo a ira de Deus manifesta contra o pecado, e tem uma chance para arrepender-se. Aqui vemos a ira misturada com graça. Esses atos de juízo são também expressões da bondade de Deus.

Os selos mostraram a igreja sofredora clamando por justiça. As trombetas mostram a misericórdia sendo oferecida ao mundo pervertido. A oferta é recusada, e o mundo, de fato, não se arrependerá (9:20).

Nunca poderemos afirmar que Deus não deu ao homem a oportunidade de arrepender-se, movendo para isso céus e terra.

# Capítulo 15

# A cavalaria do inferno
(Ap 9:1-12)

As TROMBETAS SÃO OS JUÍZOS de Deus sobre os ímpios, em resposta às orações dos santos. Esses juízos não são finais, pois visam o arrependimento. Na sua ira, Deus se lembra da sua misericórdia.

As quatro primeiras trombetas foram juízos que atingiram a natureza: a terra, o mar, os rios e os astros. Mas, agora, os terrores do tempo do fim vão aumentando em tensão e intensidade. Agora, não são calamidades naturais, nem terrores deste mundo, mas terrores demoníacos, que vêm do abismo, onde estão aprisionados anjos caídos, que invadem a terra para atormentar os homens.[1]

As últimas três trombetas trazem juízos mais severos e estes atingem os homens ímpios diretamente. São "ais" que lhes sobrevirão. Essa quinta trombeta fala de um tormento imposto aos homens que não têm o selo de Deus. Há inquietação no mundo. As pessoas não têm paz. Elas buscam refúgio na religião, no dinheiro, na bebida, no sexo, nas drogas, na fama, mas o vazio é cada vez maior. A degradação dos valores morais aumenta. As famílias estão se desintegrando. A imoralidade campeia. A violência aumenta. Os conflitos se avolumam. Vivemos dias difíceis, ferozes (2Tm 3:1; Mt 8:28).

George Ladd fala da quinta trombeta assim:

> A quinta praga são gafanhotos diabólicos que atacam o corpo das pessoas, mas não as matam. Pano de fundo para isto é Joel 2:4-10, onde uma praga de gafanhotos precederá o dia do Senhor. Em Joel os gafanhotos se pareciam com cavalos, fazendo um estrondo como carros, avançando como um exército poderoso, escurecendo o céu. A diferença é que Joel vê gafanhotos de fato, enquanto que no Apocalipse eles simbolizam as hostes demoníacas.[2]

Para um mundo que rejeita a Deus, a maldição é receber o que deseja, os próprios demônios. Um mundo sem Deus somente pode existir como um mundo em que penetra o satânico. Deus dá aos homens o que eles querem e nisso está a sua maior ruína (Rm 1:18-32). Deus usa ainda a obra do Diabo como um castigo e uma admoestação aos maus (9:20,21). Martyn-Lloyd Jones diz que há certos períodos da história em que parece que o inferno é liberado, a restrição Divina é retirada e o Diabo e suas forças agem livremente entre os homens e as mulheres do mundo.[3]

## O rei da cavalaria do inferno (Ap 9:1,11)

Quem é o comandante dessa cavalaria do inferno?

Em primeiro lugar, *ele é uma estrela caída do céu* (Ap 9:1). Os anjos são descritos na Bíblia como estrelas (Jó 38:7). Lúcifer rebelou-se contra Deus e foi lançado para fora do céu. "Como caíste do céu, ó estrela da manhã, filho da alva! Como foste lançado por terra, tu que debilitas as nações" (Is 14:12). Jesus diz: "Eu vi a Satanás como um raio, que caía do céu" (Lc 10:18). A estrela que João viu, foi a estrela *caída*. João não viu uma estrela caindo. A estrela já estava caída. A queda de Satanás é fato passado. Ele é um ser caído, decadente, derrotado. Satanás, havendo se rebelado contra Deus, perdeu sua santidade, sua posição no céu e seu esplendor. Essa estrela é um ser inteligente, pois certos trabalhos lhe são distintamente atribuídos. Uma chave lhe é dada; ele a toma e a usa para abrir uma porta, permitindo que saiam, de sua prisão, os ocupantes do abismo.[4]

Em segundo lugar, *ele tem um caráter pervertido, ele é destruidor* (9:11). No Antigo Testamento Abadom já era personificado como príncipe da perdição (Jó 28:22). Os demônios que saem do poço do abismo são liderados por esse ser maligno. Ele é assassino, ladrão e mentiroso. Ele veio roubar, matar e destruir (Jo 10:10). Há um espírito gerador de crise na política, na economia e nas instituições. Há um espírito gerador de conflitos dentro do homem, entre os homens e entre as nações. Ele é o deus deste século, o príncipe da potestade do ar. O Diabo é esse espírito terrível que atua nos filhos da desobediência (Ef 2:3). Arthur Blomfield diz que Cristo é chamado de

Jesus por ser Ele o Salvador. Esse rei é chamado de Abadom, no hebraico, e de Apoliom, no grego, por ser um destruidor – o oposto de Salvador.[5]

Em terceiro lugar, *ele tem sua autoridade limitada* (9:1,4,5). O Diabo é um ser poderoso, mas Deus é todo-poderoso. O Diabo não tem autoridade de agir a não ser que Deus o permita.

A autoridade do Diabo é limitada em três aspectos: Primeiro, *ele precisa receber autoridade para abrir o poço do abismo* (9:1). O Diabo não tem a chave do poço do abismo. Essa chave lhe é dada. É Jesus quem tem as chaves da morte e do inferno (1:18). Ele solta um bando de demônios que estavam presos (Jd 6). Existem dois tipos de demônios: os presos aguardando julgamento em algemas eternas e aqueles que estão em atividade. Parte daqueles que estavam presos são liberados aqui (2Pe 2:4). Nos abismos do inferno existem anjos guardados para o juízo. Agora, Satanás recebe permissão para que esses demônios saiam e perturbem os homens. Segundo, *sua autoridade é limitada quanto à ação* (9:4,5). Os gafanhotos são insetos que destroem a vegetação (Êx 10:14,15; Jl 1:4). Mas esses gafanhotos aqui são seres malignos. Eles não podem causar dano à erva da terra (Ap 9:4); eles não podem matar os homens, mas apenas atormentá-los (9:5) e eles não podem atormentar os homens selados por Deus. Terceiro, *sua autoridade é limitada quanto ao tempo* (9:5). Cinco meses não devem ser entendidos aqui como um tempo literal. Cinco meses é a duração da vida do gafanhoto, da larva à plenitude da sua ação.[6] Ele não tem poder para agir todo o tempo. Ele está limitado em sua ação e em seu tempo.

## Características dos gafanhotos que saem do abismo (Ap 9:7-11)

Do abismo[7] sobem gafanhotos e eles são como cavalos preparados para a peleja (9:7) e ferroam como escorpiões. Em todo o Antigo Testamento o gafanhoto é símbolo de destruição. Originários do deserto, eles invadem áreas cultivadas em busca de comida. Podem viajar em colunas de mais de cem metros de altura e seis quilômetros de comprimento, deixando a terra nua de toda vegetação.[8] Os gafanhotos são insetos insaciáveis. Eles comem e defecam ao mesmo tempo. Quando passam por uma região devastam tudo. Em 1866 uma praga de gafanhotos invadiu a Argélia e tão grande foi a devastação que 200 mil pessoas morreram de fome nas semanas seguintes por falta de alimento.[9] Fritz Rienecker, citando o historiador Plínio, diz que esta praga dos gafanhotos é interpretada como um sinal da ira dos deuses, pois eles têm um tamanho incomum, e também voam com um barulho de asas que faz com que sejam confundidos com pássaros, e escureçam o sol, lançando as nações na ansiedade, com medo de que destruam todas as suas terras.[10]

Esses gafanhotos que João descreve, porém, não são insetos, mas demônios. O cavalo, o homem, o leão e o escorpião estão reunidos neles. Em certos períodos da história parece que todo o inferno é liberado para agir na terra sem restrição Divina (Rm 1:18-32). Deus o permitiu. Deus os entregou. Assim, o terrível problema moral que assola o nosso século é o castigo Divino aos homens que O desprezam e zombam da sua Palavra. Deus retirou suas restrições. Esse é o toque da quinta trombeta.

Como são esses gafanhotos? Quais são características deles?

Em primeiro lugar, *são espíritos de obscuridade* (9:2-3). William Barclay diz que quando os gafanhotos aparecem voando em bando, podem chegar a escurecer a luz do sol. Eles cobrem a terra com uma nuvem de trevas.[11] O Diabo é das trevas. Ele não suporta a luz. Seus agentes também atuam onde há fumaça, onde a luz é toldada, onde o sol da verdade não brilha, onde reina a confusão. Onde prevalecem as trevas, aí os demônios oprimem. Esses agentes do inferno criam um nevoeiro na mente das pessoas com falsas filosofias, com falsas religiões. O Diabo cega o entendimento dos incrédulos. O grande projeto desses demônios é manter a humanidade num berço de cegueira, numa vida de obscurantismo espiritual e depois levá-los para o inferno.

Em segundo lugar, *são espíritos de destruição* (9:11). É difícil imaginar uma praga mais devastadora do que um bando de gafanhotos (Êx 10:15; Jl 1 e 2). Esses demônios que saem do abismo têm uma ânsia destruidora. Eles são capitaneados por Abadom e Apoliom. Eles são implacáveis, impiedosos, destruidores. Os gafanhotos não têm rei, agem em bando. "*Os gafanhotos não têm rei; contudo, marcham todos em bandos*" (Pv 30:27). Esses espíritos malignos, porém, agem sob o comando de Satanás e se infiltram nos lares, nas escolas, nas instituições, na televisão, no cinema, no teatro, na imprensa, nas ruas, na vida dos homens e como uma cavalaria de guerra em disparada provocam grande tormento.

Esses espíritos malignos têm atormentado vidas, arruinado lares, jogado jovens na vala repugnante das drogas, empurrado outros para a prática da imoralidade, semeado a ganância criminosa no coração de homens depravados. Eles destroem a paz. Essa cavalaria do inferno em sua cavalgada pisoteia crianças, jovens, famílias, trazendo grande sofrimento por onde passam.

Em terceiro lugar, *são espíritos que têm poder e domínio* (9:7). Esses demônios atuam nos filhos da desobediência (Ef 2:3). Eles mantém no cativeiro seus escravos (Mt 12:29). Os ímpios estão sob o domínio de Satanás (At 26:18) e estão no reino das trevas (Cl 1:13). O Diabo é o deus deste século (2Co 4:4), é o príncipe da potestade do ar (Ef 2:2) e o espírito que atua nos filhos da desobediência (Ef 2:3). Há pessoas que vivem debaixo de um reinado de medo e terror. Há pessoas que são verdadeiros capachos de Satanás, indo a cemitérios para fazer despachos. Outros são ameaçados de morte ao tentarem sair dos seus tentáculos. Esses espíritos controlam a vida daquelas pessoas que vivem na prática da mentira, pois o Diabo é o pai da mentira. Esses espíritos controlam aqueles que vivem com o coração cheio de mágoa e ressentimento (Mt 18:34; 2Co 2:10-11). Eles cegam o entendimento dos incrédulos, mantendo as pessoas no cativeiro da incredulidade (2Co 4:4).

Em quarto lugar, *são espíritos que têm inteligência* (9:7). Esses espíritos malignos podem discernir os que têm o selo de Deus daqueles que não o têm. No reino espiritual anjos e demônios sabem quem é você. Encantamento não vale contra a tenda do povo de Deus. O Diabo não lhe toca. O Diabo e seus demônios não podem atingir você a não ser que Deus o permita. Esses espíritos possuem uma inteligência sobrenatural. Eles são peritos estrategistas. Precisamos ficar atentos contra as ciladas do Diabo. Eles são detetives invisíveis. Eles armam ciladas, criam sutilezas, inventam filosofias e religiões para torcer a verdade. Esses gafanhotos invadem a imprensa, as universidades, a televisão e até os púlpitos.

Em quinto lugar, *são espíritos de sensualidade* (9:8). Devemos fugir daquela ideia medieval que pinta o Diabo como um ser horrendo. Ele se dissimula. Ele aparece como anjo de luz. Ele usa uma máscara atraente.

O culto mais popular da Ásia era a Dionísio, voltado à sensualidade. Adolf Pohl diz que nesse culto, os adeptos se extasiavam loucamente, meneando o cabelo volumoso, em danças obscenas.[12] Esses espíritos despejam no mundo uma torrente de sensualidade. Não obstante a impureza proceder do nosso coração pecaminoso, esses espíritos malignos promovem toda sorte de sensualidade. A orgia, a pornografia, o homossexualismo, e toda sorte de depravação moral estão enchendo a nossa cultura como uma fumaceira que sobe do abismo. O sexo no namoro, a infidelidade conjugal e as aberrações sexuais estão se tornando coisas normais para essa sociedade decadente. A pornografia industrializou-se poderosamente sob a indiferença de uns e a conivência de outros.

Em sexto lugar, *são espíritos de violência* (9:8b). Dentes de leão falam de poder de aniquilamento (Jl 1:6). Dentes como de leão retratam o poder destrutivo e devastador desses demônios. Eles não brincam, não descansam, não tiram férias. Eles são atormentadores. Agem com grande violência. Eles estão por trás de facínoras como Hitler. Estão por trás de gangues de narcotráfico. Estão por trás do execrado e nefasto crime organizado. Essa cavalaria do inferno por onde passa deixa um rastro triste de violência e destruição.

Em sétimo lugar, *são espíritos inatingíveis* (9:9). Esses espíritos são seres invisíveis, inatingíveis que não podem ser atacados por armas convencionais (Jl 2:7-9). Eles não podem ser detidos em prisões humanas. Eles não podem ser destruídos por bombas. Precisamos enfrentar essas hordas com armas espirituais. Não podemos enfrentar esses gafanhotos na força da carne. Não podemos entrar nesse campo sem o revestimento do poder de Deus. Esses gafanhotos têm couraças de ferro. São como os esquemas de corrupção do crime organizado que se instalam nas instituições e que resistem à ação repressiva da lei.

## A missão principal desses gafanhotos que saem do abismo (Ap 9:4-6,10)

A missão principal desses demônios é atormentar os homens (9:4-5). João vê que, ao ser aberto o abismo, sobem imediatamente do poço colunas de fumaça, semelhantes à fumaceira de uma grande fornalha. É a fumaceira da decepção e do erro, do pecado e do vício, da violência e degradação moral. Tão lôbrego é esse fumo, que são entenebrecidos o sol e o ar. Isso é símbolo da terrível cegueira moral e espiritual provocada por essas forças terríveis que agem na terra (9:3).

Essa estrela caída é um dragão cheio de cólera (12:12). Esses gafanhotos são como uma cavalaria infernal que pisoteia e faz trepidar a terra e como escorpiões que ferroam os homens com o seu terrível veneno.

João está falando de uma invasão extraterrestre, de forças cósmicas do mal invadindo a terra. Há um cerco de demônios em volta da terra. Os homens estão cercados pelos gafanhotos do inferno.

Esses gafanhotos tornam a vida dos homens um pesadelo. Eles despojam os homens de toda perspectiva de felicidade. Eles tornam a vida humana um palco de dor e um picadeiro de angústias infernais. Eles ferroam os homens como escorpiões cheios de veneno (9:5,10). George Ladd diz que os escorpiões eram, como as cobras, criaturas hostis ao homem, tornando-se, desta forma, um símbolo das forças espirituais malignas (Lc 10:19).[13]

Esses gafanhotos tiram a paz da terra. O homem vive atormentado, inquieto. Não há paz para o ímpio. Não há paz nas famílias. O mundo está em conflito. Nesse desespero existencial, os homens buscam a fuga no misticismo, nas drogas, no alcoolismo, mas não encontram alívio.

O sofrimento que esses gafanhotos provocam não é imaginário, mas real. Não é apenas espiritual, mas também físico. Não é apenas um sofrimento escatológico, mas histórico, presente.

Outra missão desses demônios é causar dano aos homens (9:4,10). Esses seres malignos receberam poder (9:3), para causar dano aos homens (9:4,10). Ah! Quantos danos eles têm causado aos homens! Quantas perdas, quantas lágrimas, quanta vergonha, quanta dor, quanta angústia nos lares arrebentados, quantas vidas iludidas, quantas pessoas com a esperança morta. O Diabo é um falsário. Ele promete prazer, mas só dá desgosto. Promete vida, mas provoca a morte. Onde ele age, há danos e perdas.

O tormento que eles causam é pior do que a morte (9:6). Como em Apocalipse 6:15-16, as pessoas buscam a morte em lugar de Deus (9:6). Cerca de cinquenta por cento das pessoas já pensaram, equivocadamente, em suicídio como uma saída para as tensões da vida. São muitos aqueles que flertam com a própria morte com medo ou tédio da vida. Essas pessoas não têm nenhuma disposição para o arrependimento (9:20). Adolf Pohl diz que o espírito da época consiste de saturação da vida e de um medo estranho de viver, atraído misteriosamente pelo jogo com o desespero. O ser humano desperdiça-se, sem livrar-se de si mesmo. Ele transforma-se no suplício em pessoa.[14]

O tormento causado por esses gafanhotos é tão grande que os homens buscarão a morte a fim de encontrar alívio para a agonia que sentem, mas nem mesmo a morte lhes dará alívio.

Hoje, muitos flertam com a morte e preferem-na à vida. Pior que qualquer ferida é querer morrer e não poder fazê-lo. Os homens verão a morte como alívio, mas até mesmo a morte não lhes trará alívio, mas tormento eterno. A morte não consegue matar esse desespero. Esse tormento é pior do que a morte. William Barclay, citando o escritor latino Cornélio Gallo, diz: "pior que qualquer ferida é querer morrer e não poder fazê-lo".[15]

Soren Kierkegaard, diz Russell Norman Champlim, retratou isso bem:

> O tormento do desespero é exatamente esse, não ser capaz de morrer. Quando a morte é o maior perigo,

o homem espera viver; mas, quando alguém vem a conhecer um perigo ainda mais terrível que a morte, esse alguém espera morrer. E, assim, quando o perigo é tão grande que a morte se torna a única esperança, o desespero consiste no desconsolo de não ser capaz de morrer.[16]

O sofrimento é tal que a morte seria preferível. Os homens verão a morte como um alívio. Mas nem a morte pode livrá-los desse indescritível sofrimento. Jó fala desse sentimento: "Por que se concede luz ao miserável e vida aos amargurados de ânimo, que esperam a morte, e ela não vem? Eles cavam em procura dela mais do que tesouros ocultos" (Jó 3:20,21).

## A condição do povo de Deus diante dessa cavalaria do inferno (Ap 9:4b)

O Diabo e seus demônios conhecem aqueles que são de Deus e não lhes tocam. Quando você pertence à família de Deus, você se torna conhecido no céu, na terra e no inferno. Quem é nascido de Deus, o maligno não lhe toca (1Jo 5:18). Aquele que está em nós é maior do que aquele que está no mundo (1Jo 4:4). Nenhuma arma forjada contra nós prosperará (Is 54:17). Porque Deus é por nós, ninguém poderá ser contra nós e nos destruir (Rm 8:31). Agora estamos nas mãos de Jesus (Jo 10:28).

O povo de Deus é distinguido dos ímpios pelo selo de Deus. A igreja é o povo selado de Deus (7:4). Aqueles que receberam o selo de Deus são protegidos do ataque desse bando de gafanhotos (9:4b).

O selo de Deus é o Espírito Santo que recebemos quando cremos. O Espírito Santo é o selo e o penhor da nossa redenção (Ef 1:13-14). Somos propriedade exclusiva de Deus (1Pe 2:9). Somos o povo genuíno de Deus. Somos invioláveis. O Diabo não pode nos tocar.

Os selados estão livres dos tormentos. Aqueles que estão debaixo do abrigo do sangue do Cordeiro não estão debaixo do tormento dos demônios. "A maldição do Senhor habita na casa do perverso, porém a morada dos justos ele abençoa" (Pv 3:33).

## Capítulo 16

# O Juízo de Deus sobre os ímpios
(Ap 9:13-21)

Vimos, no capítulo anterior, que na quinta trombeta Satanás recebeu autoridade para abrir o poço do abismo e de lá saíram demônios para atormentar os homens, não podendo estes, porém, atacar aqueles que tinham recebido o selo de Deus.

Agora, na sexta trombeta, vamos observar como o juízo de Deus avança para um desfecho final e como as coisas se agravam. O horror desta cena aumenta. A quinta trombeta trouxe sofrimento, a sexta traz morte.

### O juízo de Deus que desaba sobre os ímpios é resultado das orações dos santos (Ap 9:13-15)

As grandes operações de Deus na terra vêm em resposta às orações do povo de

Deus. Foi assim no Êxodo (Êx 3:7,8). Tem sido assim ao longo da história. Sobretudo, o livro de Apocalipse revela essa conexão entre o altar e o trono. Apocalipse 6:9-11 revela as orações dos mártires e o resultado está descrito em Apocalipse 6:12-17, na cena do juízo.

Apocalipse 8:3-5 mostra as orações dos santos subindo do altar ao trono e descendo do trono em termos de juízos de Deus conforme Apocalipse 8:5-6. Agora, novamente, em Apocalipse 9:13-14 somos informados que a voz procedendo dos quatro ângulos do altar de ouro, o altar da oração é que desencadeia a soltura dos quatro anjos do juízo sobre os ímpios. Quando a igreja ora, ela se une ao Deus soberano em seus atos de justiça na história. Quando a igreja ora, Deus se manifesta. Adolf Pohl corretamente interpreta:

> Os santos suplicam pela restauração da honra de Deus nesse mundo, não por guerras, as quais acontecem de imediato e para a satisfação deles. As guerras resultam da resistência contra a honra de Deus e do Cordeiro. Elas são anticristãs. Significam sempre: quem não quiser ouvir, terá de sofrer! Quem não dá ouvidos aos mandamentos de Deus e pratica o mal, experimentará que o mal não vai bem – porque Deus vive.[1]

## O juízo de Deus é executado pelos quatro anjos que estão atados junto ao rio Eufrates (Ap 9:14)

Esses anjos são agentes da justiça divina. Eles são anjos maus, anjos caídos, que executam o juízo de Deus sobre o mundo. Eles se agradam de precipitar os homens à guerra. Quatro é o número do mundo. O mundo inteiro aqui está em vista.

Esses anjos estão atados junto ao rio Eufrates. Foi justamente aqui no rio Eufrates, onde ficava o Éden, que os poderes satânicos, levaram nossos pais à queda. Havia uma previsão profética de invasão de cavalos vindos do Norte (Ez 38:14; Is 5:26-30; Jr 6:22-26). João transformou essa expectativa militar em uma invasão de hordas de demônios. O Eufrates torna-se materialização de uma barreira, atrás da qual se represam tragédia e juízo, barrados por Deus ou liberados por Ele com ira.[2] O Eufrates é o limite oriental da terra prometida, onde estavam os terríveis inimigos do povo de Deus: a Assíria e a Babilônia. Assim, este rio representa a Assíria e a Babilônia, ou seja, o mundo ímpio. O profeta Isaías diz: "O Senhor fará vir sobre eles as águas do Eufrates, fortes e impetuosas, isto é, o rei da Assíria..." (Is 8:7). Isaías descreve uma invasão desses inimigos como se fosse uma enchente do Eufrates. Uma enchente quebra barreiras, seguindo-se a destruição.[3] George Ladd diz que uma enchente de poderes demoníacos vai transbordar sobre o mundo civilizado.[4]

O ponto central aqui não é a geografia do Eufrates. Eufrates é apenas um símbolo. Esses cavalos da destruição virão de toda parte, do mundo inteiro.

## O juízo desencadeia-se no tempo determinado por Deus (Ap 9:15)

A soberania de Deus controla os agentes, o espaço e o tempo. Deus está no trono. Nada acontece sem sua permissão. Ele está no controle. É Ele quem dá autoridade para Satanás abrir o poço do abismo. É Ele quem ordena, em resposta às orações dos santos, soltar os quatro anjos do juízo. É Ele quem determina de onde esses anjos procedem. É Ele quem determina o tempo exato da ação desses anjos do juízo.

Esses anjos do juízo não são livres para agir da forma que querem e quando querem. Eles estão debaixo de autoridade. Eles foram preparados para essa hora definida. Eles só podem agir no tempo estabelecido por Deus. George Ladd diz que no Apocalipse não encontramos um determinismo rígido. O tempo está sob o controle de Deus; o tempo do fim e todos os acontecimentos finais se desenrolam de acordo com o propósito divino.[5]

No tempo que Deus determinar, esses duzentos milhões de cavalos serão soltos, e uma enchente de poderes demoníacos vai transbordar sobre o mundo civilizado. O fato de serem soltos representa a liberação da ação punitiva no prazo previsto por Deus. Ao permitir que esses anjos sejam desatados, Deus usa a guerra como uma voz de admoestação aos maus (9:20). A guerra também está incluída no decreto de Deus, havendo sido determinada a sua hora.

## O juízo desencadeado pela sexta trombeta é mais severo do que o anunciado pela quinta trombeta (Ap 9:15)

Em primeiro lugar, *os juízos vão se intensificando à medida que a história caminha para o seu fim* (9:15b). Os gafanhotos que saíram do poço do abismo tinham limites bem definidos sobre o que podiam e o que não podiam fazer. Os demônios estão debaixo da autoridade absoluta de Deus. Até eles estão sob as ordens de Deus e precisam cumprir os propósitos soberanos de Deus. Eles não podiam destruir a vegetação, nem matar os homens, nem tocar nos selados de Deus. Mas, agora, eles recebem poder para matar uma terça parte dos homens.

Há uma semelhança entre os gafanhotos da quinta trombeta e os cavalos da sexta trombeta: Em ambos os casos a natureza demoníaca dos seres torturadores são vistos em figura de escorpiões (9:3,5) e em figura de serpentes (9: 19). Em ambos os casos o poder desses seres reside na cauda. Sua atividade é causar dano (Ap 9: 4,19). São comparados com leões (9:8,17) e cavalos de batalha (9: 7,16). Ambos os textos falam de fumaça infernal (9:2, 17,18). Mas a intensificação do flagelo na sexta trombeta é inegável; no lugar de tortura (9:5) aparece agora a matança (9:15,18,20).

Em segundo lugar, *os juízos descritos na sexta trombeta descrevem a guerra* (9:15). Não é uma guerra particular, mas todas as guerras, passadas, presentes e futuras, diz William Hendriksen.[6] Sobretudo, a sexta trombeta fala daquelas guerras espantosas que abalarão o mundo à medida que avançamos para o fim. A guerra aqui não é apenas um castigo, mas também, uma voz de admoestação de Deus aos ímpios. As guerras resultam da resistência contra a honra de Deus e do Cordeiro. Elas são anticristãs. Significam sempre: quem não quiser ouvir, terá de sofrer! Quem não dá ouvidos aos mandamentos de Deus e pratica o mal, experimentará que o mal não vai bem, porque Deus vive!

Em terceiro lugar, *os agentes do juízo são uma multidão incontável* (9:16). João não vê o exército, ele ouve o seu número: vinte mil vezes dez milhares, ou seja, um exército com duzentos milhões de cavalos. Esse número é simbólico, representa uma multidão incontável. É uma espécie de invasão demoníaca com sede de sangue que invade a terra. Essa cavalaria não apenas atormenta, mas também mata uma terça parte dos homens. Tornam os homens seres ferozes, malignos, violentos.

Em quarto lugar, *os agentes do juízo transformam-se em máquinas assassinas* (9:17-19). Eles são seres inatingíveis (9:17). Eles têm couraça de fogo. Não podem ser destruídos com armas convencionais. Eles são seres mistos (cavalo, leão e serpente). Eles são seres ferozes (9:17b). Eles parecem leões, símbolo de força, ferocidade e poder destruidor. Eles são peçonhentos como serpentes (9:19). Esses cavalos têm um grande poder destruidor. São altamente letais e venenosos. Eles não são cavalos ordinários, eles simbolizam máquinas e instrumentos de guerra de toda classe: tanques, canhões, aviões de combate, bombas, armas nucleares, químicas e biológicas. Eles flagelam e matam os homens (9:18). Esses espíritos malignos agem nos homens e através dos homens e os atormentam e matam.

Três flagelos são mencionados: fogo, fumaça e enxofre. O fogo queima, a fumaça tira a visibilidade, o enxofre polui. O propósito deles é destruir. Por meio deles matam uma terça parte dos homens. Isso fala das guerras em sua truculência, ferocidade e poder destruidor. Essas guerras sangrentas têm o poder de matar uma terça parte dos homens. Quando os homens tentam se desvencilhar de Deus, começam a lutar uns contra os outros e a destruir uns aos outros em grande número. Eles têm o controle da imprensa (9:19). O poder desses agentes destruidores está na boca. Eles têm a comunicação em seu poder. Eles dominam a imprensa. Eles controlam o mundo pela sua filosofia. O poder está na boca e a peçonha na cauda. Eles têm poder quando falam e através da cauda destilam letal peçonha.

## O juízo de Deus na sexta trombeta, por mais dramático é ainda limitado (Ap 9:15,18,20,21)

A ira de Deus ainda está misturada com a misericórdia. Deus impõe um limite. Esse limite não pode ser ultrapassado. É uma terça parte dos homens e nada mais. Deus está no controle, mesmo quando os agentes do juízo estão em ação na história.

Essa trombeta é a última chamada de Deus aos ímpios antes do juízo completo chegar. A sexta trombeta é a última advertência aos habitantes da terra. A advertência é a morte de uma terça parte dos homens. Um terço da raça humana é destruída, com o objetivo de levar os outros dois terços ao arrependimento. Quando chegar a sétima trombeta, será tarde demais. A cena da sétima trombeta é a cena do juízo final. Então, não haverá mais chance (11:15-18). As sete taças falam da consumação da cólera de Deus (15:1).

O propósito da sexta trombeta é dar aos homens uma chance de arrependimento antes do fim. As tragédias que desabam sobre a história não são fruto do acaso, nem apenas desastres naturais. Elas são trombetas de Deus, chamando os homens ao arrependimento. As guerras, na sua fúria e lealdade, são trombetas de Deus convocando os homens a se voltarem para Deus. As guerras que têm destruído vidas não são apenas provocadas por problemas econômicos e políticos, mas Deus falando à humanidade, punindo o mundo de homens e mulheres que não lhe dão ouvidos. Não obstante, eles ainda não se arrependerão. Muitos cristãos pensam que se houver uma guerra, um terremoto, as multidões voltar-se-ão para Deus e haverá um grande reavivamento. Muitos pensaram assim no final da Segunda Guerra Mundial. Mas isso é um ledo engano. Só o Espírito de Deus pode levar uma pessoa ao verdadeiro arrependimento.

## Os juízos mais severos não produzem o arrependimento dos ímpios (Ap 9:20-21)

Os ímpios desperdiçam suas últimas oportunidades. Eles são cegos para perceberem a mão de Deus nos juízos sobre a história. Eles veem os ímpios morrendo na sua impiedade e não se apercebem de que Deus está lhes embocando a sua trombeta, chamando-os ao arrependimento. Em vez de se voltarem para Deus, eles continuam na prática de seus abomináveis pecados (9:20,21). Não apenas não se voltam para Deus e continuam nos seus pecados, mas se rebelam ainda mais contra Deus (16:9-11). O mesmo refrão chocante perpassa em Amós 4:6,8-11, bem como no coração cada vez mais endurecido de Faraó. A impenitência é a causa não somente do derramamento das taças da ira final (Ap 15 e 16), mas também é a razão da culminação desta ira no juízo final.

O pecado da impiedade conduz ao pecado da perversão, ou seja, a idolatria produz a imoralidade (9:20-21). A falsa religiosidade, produz a falsa moralidade. A teologia determina a ética. A idolatria promove a imoralidade. Esse é o ensino de Paulo em Romanos 1:18-32.

A idolatria conduz ao pecado da adoração de demônios (9:20). Os ídolos são obras das mãos do homem: são feitos de ouro, prata, cobre, pedra e pau. Eles não podem ver, nem ouvir, nem andar. Eles precisam ser carregados. Eles podem ser quebrados. Eles não são nada (1Co 8:4). Mas por trás do ídolo estão os demônios (1Co 10:19-20). Os homens adoram os demônios que estão nos ídolos. As pessoas passam a confiar em ídolos feitos por suas próprias mãos e são enganadas por um espírito de prostituição (Os 4:12).

Os ímpios quebram as duas tábuas da lei de Deus (9:20-21). Eles deixam de adorar o Deus vivo para se prostrarem diante de ídolos, quebrando os dois primeiros mandamentos da primeira tábua da lei (9:20). Esse tempo do fim é marcado por intensa religiosidade, mas uma religiosidade falsa: adoração de ídolos e demônios. Eles quebram o sexto, o sétimo e o oitavo mandamentos da segunda tábua da lei (9:21).

Os ímpios encharcam-se de perversão e transformam a sociedade em um caos (9:21). Não há respeito à vida. As pessoas perdem o respeito pela dignidade da vida. Acontecem assassinatos cruéis, brutais. A vida se torna sem valor. Não há respeito à lucidez. Feitiçarias vêm de *farmakeia*, de onde vêm drogas. É uma geração entorpecida, drogada. Não há respeito à pureza moral. Os homens não respeitam o casamento, nem a castidade. A imoralidade é aplaudida. É uma sociedade pansexual. Não há respeito à propriedade privada. Impera nessa sociedade caotizada a exploração, o roubo, o furto, a desonestidade, a corrupção dos valores morais.

Ódio às pessoas, mesclado de venenos intelectuais, infidelidade e exploração do ser humano pelo ser humano, esse é o semblante de uma sociedade, contra a qual se dirigem a ira do Cordeiro e todos os flagelos de Deus, diz Adolf Pohl.[7]

O objetivo sempre presente de Deus, no entanto, é chamar o homem ao arrependimento. O que mais nos choca neste capítulo 9 de Apocalipse não é tanto o severo juízo de Deus sobre os ímpios, mas a sua persistência em continuarem pecando contra Deus enquanto Ele os está julgando. Em lugar de voltar-se para Deus, acontecem iniciativas cada vez mais precipitadas de afastar-se dele. Essa é uma época em que a pregação de arrependimento se torna notoriamente difícil, notoriamente rara e notoriamente urgente!

Ainda aprendemos com esse texto que o sofrimento, a calamidade e as tragédias da vida, por si mesmas, não podem levar sequer uma pessoa à conversão. Muitos cristãos pensam que se houver uma guerra, um terrível terremoto ou algum desastre natural, as pessoas serão sensibilizadas e se voltarão para Deus e haverá um grande avivamento. Martyn Lloyd-Jones diz que muitos pensaram assim no final da Segunda Guerra Mundial. Mas isso é impossível. Precisa-se do Espírito Santo para salvar uma alma. Portanto, não devemos esperar das guerras, das calamidades e das pestilências. Essas coisas parecem endurecer e enfurecer ainda mais os homens e as mulheres.[8]

## Capítulo 17

# O prelúdio da sétima trombeta
(Ap 10:1-11)

Estamos tratando a respeito das sete trombetas. Soaram as seis primeiras, e agora, aguardamos a sétima. As últimas três trombetas foram anunciadas como "ais" que viriam. A quinta trombeta fala dos gafanhotos saídos do abismo que vieram para atormentar os homens que não têm o selo de Deus. A sexta trombeta fala de uma cavalaria inumerável que mata uma terça parte dos homens impenitentes.

Quando a sétima trombeta tocar, não haverá mais chance para os pecadores. A sétima trombeta aponta para o juízo final. Então, será tarde demais.

Os capítulos 10 e o 11:1-14 são um interlúdio antes do juízo final. Assim como entre o sexto e o sétimo selo houve uma mensagem de consolo para a igreja, mostrando os santos em glória, também entre a sexta e a sétima trombeta haverá um interlúdio, com a mensagem do anjo forte, trazendo o livrinho aberto em sua mão. O primeiro interlúdio salientou a segurança e a glória do povo de Deus perseguido. Esta, agora, descreve uma mistura de doce e amargo.

## A descrição do anjo forte (Ap 10:1-7)

Há mais de sessenta referências aos anjos no livro de Apocalipse. Eles são o exército de Deus enviado para realizar o seu propósito na terra. Raramente pensamos neles como espíritos ministradores em nosso favor (Hb 1:14), mas um dia no céu iremos aprender tudo o que eles fizeram por nós.[1]

Os anjos são valorosos em poder (Sl 103:20), mas há anjos mais poderosos que outros. Aqui temos um anjo forte e sua descrição tem grandes semelhanças com o próprio Deus e com o Cordeiro.

Alguns estudiosos entendem que esse anjo forte seja uma descrição do próprio Cristo glorificado,[2] conforme Ele se apresentou a João no capítulo 1 de Apocalipse. Outros, entretanto, creem que ele seja um anjo que vem direto da presença de Deus e do Cristo ressurreto.

Há semelhanças estreitas entre esse anjo e o próprio Cristo. Contudo, no Apocalipse, anjos são sempre anjos; Cristo nunca é chamado de anjo. Esse anjo não recebe adoração. O Apocalipse nunca confunde o Senhor que está assentado no trono com os seus emissários que descem à terra.[3]

## O prelúdio da sétima trombeta

Esse anjo anunciará a sétima trombeta, então, virá o fim (1Co 15:52). Vejamos a descrição que o texto faz desse anjo:

Em primeiro lugar, *esse anjo desce do céu envolto em nuvem* (10:1). Deus é geralmente identificado com nuvens. Deus conduziu o povo de Israel através de uma nuvem luminosa (Êx 16:10). Nuvens escuras cobriram o Sinai quando a lei foi dada (Êx 19:9). Quando Deus apareceu a Moisés foi numa nuvem de glória (Êx 24:15; 34:5). Deus faz das nuvens a sua carruagem (Sl 104:3). Uma nuvem recebeu Jesus quando Ele foi assunto ao céu (At 1:9) e quando voltar, Ele virá entre nuvens (Ap 1:7). Aqui temos uma operação da santidade de Deus simbolizada pelo rosto do anjo, do juízo indicado pela nuvem (Sf 1:15) e da misericórdia e fidelidade ao seu pacto com o seu povo expressada pelo arco-íris.

Em segundo lugar, *esse anjo tem um arco-íris por cima da sua cabeça* (Ap 10:1). O arco-íris aparece ao redor do trono de Deus (4:3). Fala que o trono de Deus é um trono de misericórdia, antes de ser um trono de juízo. Deus se lembra da sua misericórdia na sua ira. O arco-íris é o símbolo da aliança de Deus.

Em terceiro lugar, *esse anjo tem o rosto como o sol* (10:1). Esta é a mesma descrição de Jesus Cristo dada no início(1:16). Quando Jesus apareceu em glória na transfiguração, seu rosto brilhava como o sol. Ninguém podia olhar no rosto dele.

Em quarto lugar, *esse anjo tem as pernas como colunas de fogo* (10:1). Esta descrição é semelhante à que descreve o Cristo glorificado em Apocalipse 1:15. Onde Ele pisa, queima e purifica.

Em quinto lugar, *esse anjo tem na mão um livrinho* (10:2). A palavra grega para livrinho (10:2) é diferente da usada em (5:1). Livrinho não dá a ideia de rolo. O livrinho está aberto, no sentido de que seu conteúdo é conhecido. O rolo (5:1) contém a revelação do propósito da redenção e justiça que Deus executa na história humana; o livro pequeno deve contar uma parte deste propósito Divino. Outros identificam esse livrinho como a Palavra de Deus que deve ser comida e pregada ao mundo (10:11). Ezequiel e Jeremias também receberam ordens semelhantes (Ez 2:9; 3:3; Jr 15:16-17). Ambos comeram o livro e pregaram. O livro era a Palavra de Deus: julgamento e castigo a um povo rebelde. Assim também João é chamado a comer o livro e pregar. A igreja é chamada a comer o livro e pregar para uma geração que se aproxima do fim. A Palavra de Deus é doce e amarga; contém doces promessas e amargas profecias de julgamento. Não existe nada mais doce neste mundo do que o evangelho da graça redentora, mas tão logo você se torna um cristão, surgem os problemas.[4]

Em sexto lugar, *esse anjo tem o pé direito sobre o mar e o esquerdo sobre a terra* (10:2). Deus manifesta sua reivindicação de propriedade sobre o mundo inteiro[5], pois foi Ele quem o criou (10:6). Nas seis primeiras trombetas apenas parte da criação era o alvo. Agora está em jogo toda a criação. Isso descreve que Ele exerce poder em todo o mundo e sua palavra é para o mundo inteiro. O mar e a terra representam a totalidade do universo criado.

Em sétimo lugar, *esse anjo tem voz como de leão* (10:3). A voz do leão é a voz do juiz que se aproxima. A plenitude do juízo se aproxima. Esta descrição é semelhante àquela dada a Jesus Cristo em Apocalipse 5:5. A voz de Deus é semelhante ao rugido do leão (Am 3:8). O Antigo Testamento comumente fala de "o anjo do Senhor" como uma referência a Cristo (Êx 3:2; Jz 2:4; 6:11-12; 2Sm 24:16). Isto era uma temporária manifestação para um propósito especial, e não uma permanente encarnação. O leão é o rei dos animais. Quando ele ruge não tem animal que pie. Todos se silenciam. Quando Cristo bradar, todos vão ouvir a sua voz. Quando Cristo bradar os sete trovões, todos os trovões, a artilharia do céu, estarão prontos a agir.

Em oitavo lugar, *esse anjo, ao falar, se ouvem sete trovões* (10:3-4). Não nos é informado por que João agora não pode escrever sobre o conteúdo dos sete trovões. Esses trovões são semelhantes à voz poderosa de Deus que é como o trovão (Sl 29:3). Esse número precisaria ser sete, visto que há em torno do trono sete espíritos, sete tochas, sete chifres e sete olhos. Esses trovões estão dirigidos aos inimigos de Deus. O contexto pode nos ajudar a entender por que sempre que a palavra "trovões" aparece em Apocalipse é para falar de um aviso de iminentes manifestações da ira de Deus (8:5; 11:19; 16:18). O juízo está se aproximando, mas João não tem autorização para falar sobre o seu conteúdo. Essa revelação, semelhante àquela que Paulo teve no céu, não pode ser anunciada (2Co 12:4). João a entendeu, mas não recebeu autorização para escrevê-la. Não devemos especular o que Deus não nos revelou. A voz de Deus é geralmente comparada a trovões (Sl 29; Jó 26:14; 37:5; Jo 12:28-29). O significado da ordenança para João guardar segredo sobre as vozes dos sete trovões é a seguinte: Não podemos nunca saber nem descrever todos os fatores e agentes que determinam o futuro. Sabemos o significado dos sete candeeiros, dos sete selos, das sete trombetas, das sete taças. Mas não nos foi dado saber sobre o significado da mensagem dos sete trovões (10:4). Isso, porque há outras forças trabalhando; há outros princípios que estão operando neste universo. Portanto, tenhamos cuidado em fazer previsões a respeito do futuro. O anjo está anunciando que não haverá mais tempo antes que o fim venha. O fim não será mais adiado. Está na hora de responder às orações dos santos. O propósito divino será alcançado plenamente.

Em nono lugar, *esse anjo posiciona-se como um conquistador universal* (Ap 10:2,5). A postura do anjo é a de um conquistador tomando posse do seu território. Ele reivindica o mundo inteiro (Js 1:3). Obviamente só Jesus pode fazer esse reclamo. Em breve o anticristo vai reivindicar seu domínio no mundo inteiro e vai querer que o mundo inteiro se submeta ao seu controle. Mas somente Jesus recebeu do Pai essa herança (Sl 2:6-9). Satanás ruge como leão para espantar as suas presas (1Pe 5:8), mas Jesus ruge como leão para proclamar a sua vitória.

### A declaração do anjo (Ap 10:5-7)

Três fatos são dignos de destaque aqui:

Em primeiro lugar, *a solenidade com que o anjo declara a sua palavra* (10:5-6). Esta declaração enche-nos de espanto não somente por causa do que diz, mas também pela forma como diz. Esta é uma cena solene. O anjo levanta a sua mão direita ao céu e faz um juramento. Mas,

## O prelúdio da sétima trombeta

se este anjo é Jesus, como faz um juramento em nome de Deus? Deus colocou-se sob juramento quando fez seu pacto com Abraão (Hb 6:13-20). Deus também jurou por si mesmo quando prometeu a Davi que o Cristo viria de sua família (At 2:29-30). O juramento é feito ao Deus criador (10:6).

Em segundo lugar, *o conteúdo do juramento deixa claro que já não haverá mais demora para a chegada do juízo* (10:6). Vários julgamentos já haviam vindo sobre a terra, o mar, os rios, os astros, os homens. Mas, mais julgamentos ainda estavam para vir. Por que a demora? Por que Deus parece demorar? Deus tem adiado o seu julgamento para que os pecadores perdidos tenham tempo para se arrependerem (2Pe 3:1-9). Esse foi o propósito da sexta trombeta (9:20-21). Mas, agora, Deus irá acelerar o seu julgamento e realizar seus propósitos. Os santos martirizados estavam clamando por justiça e questionando a demora de Deus (6:10-11). Os próprios ímpios, escarnecerão de Deus e da sua Palavra em virtude da demora de Deus em seu julgamento (2Pe 3:4).

Mas agora não haverá mais prazo, mais tempo, mais demora para o arrependimento e a conversão. O juízo está chegando. No confronto entre Deus e os seus inimigos, sua vitória será esmagadora. A história avança para o inevitável triunfo de Deus, e ainda que pareça que o mal esteja florescendo, não é possível que no fim ele triunfe. Essa palavra "Não haverá mais demora (cronos)" significa também que a paciência de Deus tem limite. O soar das seis trombetas representa todas as oportunidades que Deus dá ao homem para que se arrependa. Mas, aqui o caso é diferente. O homem chegou num ponto tal de insensibilidade e endurecimento que não há mais possibilidade de arrependimento. É aí que o anjo jura que não haverá mais demora para a sétima trombeta.

Em terceiro lugar, *quando a sétima trombeta tocar haverá o desvendamento total do mistério de Deus* (10:7). O mistério de Deus aqui tem a ver com o velho problema do mal no mundo. Por que o mal natural e moral existem ainda no mundo? Por que Deus não faz alguma coisa a esse respeito? É óbvio que sabemos que Deus fez, sim, algo a esse respeito no Calvário, que Jesus se fez pecado por nós e experimentou em sua carne a ira de Deus pelo mundo pecador. Nós sabemos que Deus está permitindo que o mal aumente até o mundo ficar maduro para o juízo (2Ts 2:7ss; Ap 14:14-20). Desde que Deus já pagou o preço pelo pecado, Ele é livre para adiar o julgamento.

Mas, esse adiamento está chegando ao fim. Quando o anjo tocar a sétima trombeta, o juízo virá (11:15-19). Então, será o tempo da consumação da ira de Deus (15:1). O v. 7 não diz no momento em que soar a trombeta, mas nos dias da voz do sétimo anjo. A ideia é clara. A sétima trombeta não será tocada só por um instante, mas isso simboliza um período de tempo. A sétima trombeta inclui as sete taças ou sete flagelos (Ap 16:1-21), que levam diretamente ao julgamento final. Logo, o povo de Deus receberá sua gloriosa herança final, sua plena salvação conforme a promessa anunciada aos seus servos, os profetas.

## A ordem do anjo (Ap 10:8-11)

Vários aspectos aqui são dignos de destaque:

## O prelúdio da sétima trombeta

Em primeiro lugar, *João recebe a ordem para comer o livrinho* (10:8-9). Este episódio revela a necessidade de assimilarmos a Palavra de Deus e fazê-la parte da nossa vida interior. Não era suficiente para João ver o livrinho ou mesmo conhecer o livrinho. Ele precisava comê-lo. Quem não come o livro não pode pregar o livro. O profeta não pode ser um autômato. A Palavra de Deus é sua alegria, seu prazer. É preciso interiorizar a mensagem, assimilá-la. A mensagem de Deus tem que se encarnar em nós. A Palavra de Deus é comparada a comida: ela é como pão (Mt 4:4), leite (1Pe 2:2), carne (1Co 3:1-2) e mel (Sl 119:103). Jeremias e Ezequiel receberam a ordem de comer a Palavra antes de pregá-la aos outros (Jr 15:16; Ez 2:9-3:4). A Palavra precisa fazer-se carne (Jo 1:14), antes que possamos dá-la àqueles que dela necessitam. Ai do pregador e do professor que ensinam a Palavra sem encarná-la em suas próprias vidas. Só quando nos apropriamos da Palavra é que podemos proclamar as promessas ou os juízos de Deus com fervor.

Em segundo lugar, *esse livrinho é doce ao paladar e amargo no estômago* (10:9-10). Quando um menino judeu aprendia o alfabeto escrevia as letras numa tabuleta de farinha e mel.[6] O professor ensinava o valor fonético de cada letra. Quando o menino era capaz de repetir o som das letras, tinha a permissão de comer as letras uma a uma, à medida que recordava de modo correto. O alfabeto era, assim, como o mel em sua boca. A Palavra de Deus é doce como o mel. Não existe nada mais doce no mundo do que o evangelho de Cristo. Mas, logo que alguém se torna um cristão começam os problemas. Vem o sofrimento, a perseguição (os sete selos). Quem quiser viver piedosamente em Cristo será perseguido (2Tm 3:12). Não deem ouvidos àqueles que dizem que os problemas acabam quando você é convertido. A doçura não acaba, mas ela é seguida de amargura. A conversão desemboca em perseguição do mundo. O evangelho é doce quando o experimentamos, mas amargo quando vemos suas implicações na vida daqueles que o rejeitam. Jesus chorou sobre Jerusalém. Davi, Jeremias e Paulo igualmente choraram.

Em terceiro lugar, *João é ordenado a continuar profetizando* (10:11). Este verso 11 determina o significado do pequeno livro: ele é uma reafirmação do ministério de João. O fim ainda não veio, mas está às portas. A época final, os dias da sétima trombeta, estão para começar. Neste período, a cólera de Deus será manifestada em proporções nunca vistas, e à vista disto a missão de João é mais uma vez confirmada. Após digerir o conteúdo do livrinho, João precisará profetizar. É impossível comer o livro e ficar calado. É impossível guardar essa boa nova apenas para nós.

O anjo comissionou João a profetizar novamente. Sua obra ainda não tinha terminado. Ele deveria profetizar não a vários povos, nações, línguas e reis, mas sobre ou a respeito de muitos povos, raças, línguas e reis (5:9). A profecia de João deve alcançar o mundo inteiro. O v. 11 revela que o trabalho da igreja continua. Este evangelho precisa ser pregado ao mundo inteiro com rapidez porque o juízo já se aproxima e não tardará. A tarefa é urgente, porque o juízo se aproxima.

## Capítulo 18

# A igreja selada, perseguida e glorificada
(Ap 11:1-19)

O CAPÍTULO 11 DE APOCALIPSE é ainda o interlúdio antes do toque da sétima trombeta. Vimos no capítulo 10 sobre o anjo forte com o livrinho na mão e como João recebeu a ordem de comer o livro e depois profetizar.

A igreja precisa interiorizar a Palavra, comê-la e proclamá-la. Essa Palavra é doce e também amarga. Doce para quem a proclama, amarga para quem a rejeita. Ela traz vida e também o juízo.

No capítulo 11 veremos de forma viva a missão da igreja no mundo, sua proteção, proclamação, perseguição, triunfo e então, o surgimento triunfante e vitorioso do Reino de Deus.

Este capítulo pode ser analisado através de alguns quadros ou cenas:

## A igreja é representada pelo santuário de Deus sendo medido (Ap 11:1-2)

Há aqui uma clara separação entre o povo de Deus e o mundo ímpio (11:1-2). O que simboliza esse santuário? Simboliza a igreja verdadeira, ou seja, todas as pessoas salvas, todos os verdadeiros filhos de Deus que O adoram em espírito e em verdade. Os dispensacionalistas acreditam que João esteja falando de um santuário literal que será reerguido em Jerusalém, um santuário físico. Os pré-milenistas acreditam que este capítulo esteja falando da salvação dos judeus e não da igreja.

O que simboliza essa medição do santuário? William Hendriksen diz que conforme o contexto (21:15) e passagens do Antigo Testamento (Ez 40:5; 42:20; 22:26 e Zc 2:1), essa medição significa apartar o povo de Deus do povo profano, para estar completamente seguro e protegido de todo dano.[1] Medida é imunidade contra danos (21:15-17). Esta figura é a mesma que aparece dos 144 mil selados (7:4), dos homens que receberam o selo de Deus (9:4). Esses que são medidos são os verdadeiros adoradores, o verdadeiro Israel de Deus, a verdadeira igreja em contraste com os gentios, aqueles que permanecem na sua impiedade, e vão perseguir a igreja e adorar o anticristo. Essa proteção não se estende a todos os que se dizem cristãos (11:2). Os santos vão sofrer severamente, mas nunca perecerão, serão protegidos do juízo final. Mas, os membros da igreja que amam o mundo, estarão sem essa proteção.

O que simbolizam esses quarenta e dois meses? Esse período não é literal. Ele fala da perseguição do mundo durante todo o período da igreja, da primeira à segunda vinda de Cristo. Obviamente, na medida que o tempo avança para o fim, essa perseguição torna-se mais renhida. Esse período de 42 meses e 1.260 dias não pode ser entendido literalmente, pois o tempo dos gentios (Lc 21:24), deveria começar no ano 70, quando Jerusalém foi destruída pelos romanos. No livro de Apocalipse esse tempo representa: o tempo em que a cidade santa é oprimida (11:2), o tempo em que as duas testemunhas executam o seu testemunho (11:3), a mulher celestial, a igreja, será preservada no deserto (12:6,14), e o tempo que a besta tem permissão para exercer sua autoridade (13:5).[2] Esse é o período que Satanás exerce o seu poder no mundo, especialmente nos últimos dias, com a atuação do anticristo. Esse período é um símbolo como a cruz vermelha ou a suástica, uma forma taquigráfica para indicar um período durante o qual as nações, os incrédulos parecerão dominar o mundo, no qual o povo de Deus manterá o seu testemunho, diz Michael Wilcock.[3]

Quais são os argumentos que contribuem para o entendimento de que esse santuário é espiritual e não físico?

Em primeiro lugar, *o Novo Testamento ensina que o santuário de Deus é a igreja e não um prédio*. Deus mora na igreja por meio do seu Espírito. Portanto, a igreja é seu santuário (1Co 3:16,17; 2Co 6:16,17; Ef 2:21).

Em segundo lugar, *o santuário representa as pessoas que oferecem o incenso da oração* (11:1), ou seja, um símbolo de todos os verdadeiros cristãos.

Em terceiro lugar, *o santuário refere-se aos fiéis enquanto os que estão no átrio exterior não recebem proteção* (11:2). Tanto o santuário como o átrio exterior referem-se a pessoas e não a edifício físico.

Em quarto lugar, *todos os salvos são contados, selados e protegidos* (7:4; 22:4). Tanto o contar, como o selar e o medir são figuras da proteção da igreja. Assim, a verdadeira igreja na terra, o santuário espiritual, é simbolizado pelo santuário terrenal de Israel, assim como Israel físico é símbolo da igreja verdadeira.

Em quinto lugar, *esta interpretação concorda com o simbolismo do Antigo Testamento* (Ez 43, 47). Ezequiel fez uma representação da igreja como Corpo de Cristo. Assim na figura do santuário, a igreja é o povo que adora a Deus e na próxima figura, a figura das duas testemunhas, a igreja é o povo que proclama a Palavra de Deus perante as pessoas. A igreja é o povo que fala a Deus e aos homens.

## A igreja é representada pelas duas testemunhas (Ap 11:3-14)

Quem são essas duas testemunhas? Uns entendem que elas falam de Enoque e Elias. Alguns acreditam assim, em virtude de que esses foram os dois homens que foram para o céu sem experimentarem a morte. Outros entendem que elas falam de Moisés e Elias. Essa descrição tem um rico simbolismo. Na verdade, João vê essas duas testemunhas com características desses dois profetas. Elias é representado nos versos 5 e 6 e Moisés é representado no verso 6b. Ainda outros entendem que elas falam do Antigo e do Novo Testamento; assim pensa Martyin Lloyd-Jones.[4] Concordo com William Hendriksen e Simon Kistemaker que entendem que elas falam do testemunho da igreja.[5]

Moisés e Elias (a lei e os profetas) representam toda a igreja; essas duas testemunhas são o povo de Deus na terra, a igreja de Deus no mundo, o povo de Deus entre as nações, aqueles para quem o evangelho é doce em meio àqueles para os quais o evangelho é amargo.[6]

O povo de Deus é chamado em Apocalipse de: doze tribos, sete candeeiros, reis e sacerdotes, noiva do Cordeiro, Jerusalém celeste. Agora é chamado de santuário de Deus e também de duas testemunhas. Duas testemunhas era o método usado por Cristo para o testemunho ao mundo (Lc 10:1). Uma questão só recebia validade pelo testemunho de duas pessoas. Essas duas testemunhas falam da igreja como uma poderosa agência missionária durante toda a época evangélica presente. Isso pode ser provado como segue:

Primeiro, as duas testemunhas são duas oliveiras e dois candeeiros (11:4). Estas duas figuras são encontradas em Zacarias 4:1-7, referindo-se a Josué e Zorobabel que anunciam a Palavra no poder do Espírito para restaurar a Israel. Essas duas oliveiras e esses dois candeeiros são símbolos da Palavra de Deus, proclamada pela igreja.

Segundo, assim como os missionários eram enviados de dois em dois, assim a igreja cumpre a sua missão no mundo.

Terceiro, assim como o fogo do juízo e condenação saíram da boca de Jeremias (Jr 5:14), devorando os inimigos de Deus, assim também a igreja anuncia os juízos de Deus aos ímpios.

Quarto, assim como Elias orou e o céu fechou-se e Moisés recebeu autoridade para converter a água em sangue, assim também quando o mundo rejeita a mensagem da igreja, ele se expõe ao juízo de Deus. Somos perfumes de vida para a vida e aroma de morte para a morte (2Co 2:16).

João passa a falar agora sobre cinco verdades solenes:

Em primeiro lugar, *a igreja será indestrutível até cumprir cabalmente a sua missão* (11:7). A igreja será indestrutível até completar o seu trabalho. Ninguém poderá destruir a igreja de Deus até ela completar a sua carreira.[7] A igreja é provada, mas, não desamparada. As testemunhas são preservadas até concluírem o seu testemunho (11:5-7). A proclamação do evangelho é aquilo que mantém a igreja de pé. Sua vocação é adorar a Deus (santuário) e proclamar a Palavra (testemunha). Satanás não pode deter o avanço da igreja. Ele não pode impedir que os eleitos sejam salvos. O valente está amarrado. As testemunhas seguem proclamando.

Em segundo lugar, *a igreja será perseguida e sofrerá a morte* (11:7b-9). O espírito do anticristo sempre esteve no mundo (1Jo 2:18-22). Mas esse espírito de oposição vai se encarnar na pessoa da besta no último tempo e vai perseguir terrivelmente a igreja. O anticristo vai fazer guerra contra os santos e os vencer (13:7). Ele é o homem da iniquidade (2Ts 2:3-9). Ele vai querer ser adorado como Deus (Dn 9:27; Ap 13:8). Bem próximo ao fim da história, haverá uma terrível matança contra a igreja e ela dará todas as evidências de estar por baixo. Jesus disse que se esse tempo não fosse abreviado a igreja não suportaria (Mt 24:11ss). A igreja sofrerá, mas continuará indestrutível. Os crentes, ao morrerem, vencerão o Diabo e o anticristo (12:11). A palavra "testemunhas" é *martyria,* que traz o significado de proclamador e mártir.

Era uma e a mesma coisa. Nem mesmo essa matança fica fora do desígnio de Deus, pois ao anticristo é dado vencer (13:7). O Diabo e seus agentes só podem agir sob a permissão de Deus.

Em terceiro lugar, *a vitória do mundo sobre a igreja será passageira e infundada* (11:8-11). Essa cidade não é literal (11:8); não é nem Jerusalém nem Roma, e contudo, em certo sentido, é tanto Jerusalém como Roma. É a cidade desta ordem terrestre, que inclui todos os povos e tribos, e línguas e nações. Essa cidade é o mundo hostil a Deus e à igreja. O mundo sempre teve a pretensão de destruir a igreja de Cristo. As perseguições desde o começo visaram banir a igreja e calar a sua voz. Os homens ímpios odeiam a Palavra de Deus.

Várias perseguições intentaram acabar com a igreja: em 1572, na Noite de São Bartolomeu na França, setenta mil huguenotes foram mortos por ordem de Catarina de Médici e o aplauso do papa; em 1789, na Revolução Francesa, milhares de cristãos foram mortos; na Revolução Russa de 1917 o comunismo se fortaleceu e até seu colapso em 1989, ele abocanhou um terço da população mundial, levando à morte milhões de cristãos em quase todo o mundo. Muitas vezes o mundo pensou que a igreja estava morta. No século 18 os enciclopedistas profetizaram a decadência da igreja na Inglaterra. Mas, chegou o reavivamento e a igreja emergiu das cinzas. Muitas vezes a igreja tornou-se como um cadáver na praça. Ezequiel 37 fala de um vale de ossos secos. O júbilo dos adversários, porém, é uma alegria transitória. Deus terá sempre a última palavra. O mundo celebra o martírio dos santos (11:10). Mas o mundo é néscio e seu gozo prematuro. O mundo vai festejar seu massacre sobre a igreja, achando que está livre dela e de sua mensagem. Mas, a igreja ressurgirá, ascenderá e se assentará no trono para julgar o mundo. Os acusados (11:10) são transformados em terror dos acusadores.[8]

Em quarto lugar, *a ressurreição gloriosa da igreja* (11:11). Esses três dias e meio também representam um número simbólico. A igreja que experimentou a comunhão no sofrimento de Cristo, agora experimenta o poder de sua ressurreição. Em conexão com a segunda vinda de Cristo, serão restituídos à igreja vida, honra, poder e influência, mas para o mundo a hora da oportunidade terá passado para sempre. A vinda de Cristo e a ascensão da igreja serão visíveis para o mundo (1:7; 11:12). Não há aqui menção de um arrebatamento secreto. Cristo desce e a igreja sobe na mesma nuvem de glória. Isso está de acordo com o ensino de 1Tessalonicenses 4:16-17 e 1Coríntios 15:52. Todos os santos e mártires têm sido encorajados com a certeza da ressurreição, do arrebatamento e da glória celestial. Esta é a nossa bendita esperança.

Em quinto lugar, *o terror indescritível dos ímpios* (11:13-14). A alegria do mundo transforma-se rapidamente em grande temor. A terra está tremendo. É o mesmo quadro de Apocalipse 6:12. O terremoto aqui também precede o juízo final. Os ímpios são cobertos de terror. Eles dão glória a Deus não porque se convertem. São como Nabucodonosor, que muitas vezes deu glória a Deus, mas não era convertido. O mundo está maduro para o juízo, porque apesar da sua impenitência, ainda rejeitou o testemunho da igreja e perseguiu e matou os fiéis (11:7).

## O anjo toca a sétima trombeta: a alegria dos remidos e o pavor dos ímpios (Ap 11:15-18)

João destaca aqui quatro verdades importantes:

Em primeiro lugar, *um anúncio de vitória*. O céu prorrompe em vozes de exaltação a Cristo (11:15). Na abertura do sétimo selo houve silêncio no céu em virtude dos terríveis juízos que desabariam sobre os homens. Agora, com a sétima trombeta houve grandes vozes no céu.[9] É que chegou a *parousia*, com a irrupção total da glória de Deus e o triunfo final da igreja. E com a chegada da Noiva na Casa do Pai, os céus prorrompem em gritos de alegria e exaltação ao Noivo da igreja (11:15). Lembremo-nos que a sétima trombeta aponta o fim das oportunidades, e não é um dia, mas "dias" (10:7), visto que a sétima trombeta traz os sete flagelos ou sete taças da ira de Deus (15:1). George Ladd diz que o soar da sétima trombeta inicia não o fim, mas o tempo do fim.[10]

Em segundo lugar, *o reinado vitorioso e eterno de Deus e do seu Cristo é proclamado pelos anjos* (11:15). O Reino de Deus está presente, mas ainda não na sua plenitude. Deus sempre reinou. Cristo jamais deixou de ter todo poder e toda autoridade. Jesus ensinou claramente que o Reino de Deus já estava presente em seu ministério (Mt 12:28; Lc 17:20-21). Algumas parábolas de Jesus deixam claro que o seu Reino já está presente (Mt 13:44-46; Lc 14:28-33). Mas esse poder e essa autoridade que Ele exerce no universo nem sempre se manifestou, diz William Hendriksen.[11] Cristo despojou-se de sua glória. Fez-se servo. Morreu na cruz. Foi sepultado. Ressuscitou. Voltou ao céu. Mas, quando Ele vier com grande poder e muita glória, então, assentar-se-á no seu trono e seu reinado será pleno, vitorioso, completo, cabal. Às vezes, parece que Satanás é o governante supremo, mas uma vez chegado o dia do juízo, o esplendor real da soberania de Deus será revelado em sua totalidade, porque naquele tempo toda oposição será suprimida e o reinado de Cristo será pleno. O reinado de Cristo será vitorioso e eterno. Essa é a mensagem do "Messias de Haendel". Cristo vai reinar até colocar todos os seus inimigos debaixo dos seus pés, então, entregará o Reino ao Deus e Pai e aí será o fim (1Co 15:23-26). Antony Hoekema diz que o Reino de Deus é uma realidade tanto presente como futura.[12] O Reino de Deus já chegou, mas não ainda em sua plenitude.

Em terceiro lugar, *uma aclamação de louvor*. A igreja glorificada e honrada se prostra e adora a Deus (11:16-17). A igreja não apenas está na glória, mas também no trono. Os anciãos deixam os seus próprios tronos e se prostram em adoração diante do trono de Deus. Eles dão graças por três bênçãos especiais: 1) Que Cristo reina supremamente (11:17); 2) Que Cristo julga justamente (11:18). O cordeiro é também o leão; 3) Que Cristo recompensa graciosamente (11:18).[13] Em Apocalipse 4:10-11, os anciãos louvam o Criador; em Apocalipse 5:9-14, eles adoram o Redentor. Aqui a ênfase é sobre o conquistador e rei (11:17-18).

Em quarto lugar, *a igreja anuncia as cenas do juízo final, onde as glórias da igreja serão contrastadas com o tormento dos ímpios* (11:18). Enquanto os santos estão dando graças, os ímpios estão enfurecidos. Em Apocalipse 11:2 os ímpios estão perseguindo a igreja. Em Apocalipse 11:9 eles estão se alegrando por matar os membros da igreja.

Mas em Apocalipse 11:18, os ímpios estão furiosos porque a igreja está na glória. Os ímpios não ouviram as testemunhas, não escutaram a voz de advertência, nem abandonaram seus pecados, por isso quando chega o juízo estão cheios de fúria, enquanto a igreja está dando graças e adorando a Deus.

Enquanto os santos recebem galardões, os ímpios são destruídos. Os santos ressuscitam para a vida, para a glória, mas os ímpios enfrentam o juízo e serão exterminados, não aniquilados, ou seja, banidos para sempre da face de Deus.

O dia do juízo será dia de glória para os santos, mas o dia da ira de Deus para os ímpios. Esse dia já está determinado. Ele será dia de trevas e não de luz para todos aqueles que desprezaram a Jesus e perseguiram a sua igreja. Será o dia da ira de Deus (6:16-17). Essa sétima trombeta é proclamada como o último ai. Isso, porque as chances acabaram e não há mais apelação.

## A igreja no céu em comunhão íntima com Deus em contraste com os ímpios sendo atormentados (Ap 11:19)

O santuário aberto no céu é um símbolo da profunda comunhão dos remidos com Deus (11:19). O santuário está aberto de par em par. Não há nada encoberto ou escondido. A arca é o lugar do encontro com Deus, onde a glória de Deus está presente. Ela é símbolo da comunhão superlativa, íntima e perfeita entre Deus e o seu povo.[14] Aqui se cumpre Apocalipse 21:3: "Eis o tabernáculo de Deus com os homens, Deus mesmo habitará com eles".

Também Apocalipse 21:22: "Nela, não vi santuário, porque o seu santuário é o Senhor, o Deus todo-poderoso, e o Cordeiro". Essa comunhão é baseada na expiação. Os salvos estão diante do trono da graça. Os salvos estão desfrutando de todas as bênçãos da aliança da graça em toda a sua doçura.

Para os ímpios aquela mesma arca, símbolo da graça de Deus, é um símbolo de ira (11:19b). A ira de Deus agora revela-se plenamente aos ímpios (11: 19b). Eles estão em completo e eterno desamparo, enquanto a igreja está completa e eternamente desfrutando da bem-aventurança eterna.

Quem você é? Santuário de Deus ou átrio exterior? Quem você é? Testemunha fiel ou amante do mundo? Onde você estará quando a sétima trombeta tocar? Você estará no santuário aberto de Deus ou atormentado pelos flagelos? O tempo da oportunidade é agora. Amanhã pode ser tarde demais. Volte-se para o Senhor enquanto é tempo e busque-o enquanto ele está perto.

## Capítulo 19

# O dragão ataca a igreja
(Ap 12:1-18)

O LIVRO DE APOCALIPSE tem duas grandes divisões: Apocalipse 1-11 fala da perseguição do mundo contra a igreja e os juízos de Deus aos ímpios em resposta às orações dos santos; Apocalipse 12-22 fala da perseguição cruel do quarteto do mal que ataca a igreja: Satanás, o anticristo, o falso profeta e a grande Babilônia e a vitória retumbante de Cristo e sua igreja sobre esses inimigos.

Na primeira divisão (1-11) tivemos três seções: os sete candeeiros (1-3), os sete selos (4-7) e as sete trombetas (8-11). Na segunda divisão (12-22), teremos quatro seções: o quarteto do mal (12-14), as sete taças da ira de Deus (15-16), a vitória retumbante de Cristo sobre a Grande Babilônia, o Anticristo e o Falso Profeta

(17-19) e a vitória final de Cristo sobre o Diabo, os ímpios e a morte e os novos céus e nova terra (20-22).[1]

Em cada seção, cobre-se todo o período que vai da primeira à segunda vinda de Cristo. Tendo visto a cena do juízo final no prelúdio do sétimo selo e no prelúdio das sete trombetas, agora, em Apocalipse 12, voltaremos ao início da história, na primeira vinda de Cristo. William Hendriksen sintetiza essa verdade assim:

> Como em cada uma das seções anteriores, assim também aqui voltaremos ao princípio de nossa dispensação atual para recorrer ao mesmo terreno. Em cada visão fazemos uma viagem que nos leva através do curso inteiro desta era, desde a primeira até a segunda vinda de Cristo. Por meio de um simbolismo inequívoco, o vidente nos transporta até o momento do nascimento e da ascensão de Cristo (12:1-5). Não se termina a visão desta quarta seção (12-14) até que vemos "sentado um semelhante ao Filho do Homem, que tem em sua cabeça uma coroa de ouro, e em sua mão uma foice afiada (14:14-20). Chegou novamente o dia do juízo.[2]

O tema principal da segunda divisão do livro (12-22) é o mesmo da primeira (1-11): a vitória de Cristo e de sua igreja. Contudo, aqui a luta do Diabo e seus anjos contra a igreja será mais renhida. Edward McDowell diz que daqui em diante a história do livro do Apocalipse é a história do conflito entre a soberania de Deus em Jesus Cristo e a pretensa soberania de Satanás atuando nos governantes do mundo.[3]

O capítulo 12 de Apocalipse revela-nos três cenas. O dragão realiza três lutas: 1) Contra Deus e seu Messias (v.

1-6); 2) contra Miguel (v. 7-12); 3) contra a mulher (v. 13-18).[4] Em todas as três lutas ele sai derrotado.

## A descrição da mulher perseguida (Ap 12:1-2,6)

João destaca seis aspectos dessa mulher:

Em primeiro lugar, *essa mulher é um símbolo da igreja* (12:1-2).[5] A Igreja Católica Romana entende que essa mulher seja um símbolo de Maria.[6] Os dispensacionalistas creem que essa mulher seja um símbolo da nação de Israel.[7] Mas, a interpretação mais coerente é entendê-la como um símbolo da Igreja.[8] Em ambas as dispensações, a Igreja é uma só, um só povo escolhido em Cristo, uma só vinha, uma só família, um só rebanho, um só corpo, uma só esposa, uma só nova Jerusalém.[9]

Em segundo lugar, *essa mulher está vestida do sol, ou seja, ela é gloriosa e exaltada* (12:1).[10] A igreja reflete a beleza de Cristo. Ela reverbera o brilho da glória de Deus. Assim como o ouro cobria as tábuas de acácia do tabernáculo, a glória de Deus cobre a igreja. A beleza de Deus está estampada na igreja. A glória de Deus refulge na e através da igreja.

Em terceiro lugar, *essa mulher tem debaixo dos pés a lua, ou seja, ela exerce domínio* (12:1).[11] O cabeça da igreja é aquele que tem todo poder e toda autoridade no céu e na terra. A igreja está em Cristo. Ela está entronizada com Ele. Ela é a noiva do Cordeiro. Ela está assentada com Ele acima de todo principado e potestade. A Igreja recebeu autoridade sobre o Diabo e suas hostes. A autoridade da igreja foi dada por Jesus. O domínio da Igreja não é político nem econômico, mas espiritual.

Em quarto lugar, *essa mulher tem em sua cabeça uma coroa de doze estrelas, ou seja, ela é vitoriosa* (12:1).[12] A igreja é vencedora. Ela está em Cristo. A vitória de Cristo é a sua vitória. A exaltação de Cristo é a sua exaltação. A igreja é mais do que vencedora (Rm 8:31-39). A igreja triunfa com Cristo. Na mesma nuvem em que Cristo vem, a igreja vai (11:12). A igreja se assentará em tronos para julgar o mundo e os anjos (1Co 6:2).

Em quinto lugar, *essa mulher está grávida, ou seja, sua grande missão é dar à luz a Cristo segundo a carne* (12:2).[13] Deus preparou um povo especial para ser o veículo da chegada do Messias ao mundo. Esse processo foi doloroso, sofrido. Houve muita dor e lágrimas. Muitas forças hostis e muitas artimanhas do Dragão tentaram frustrar esse plano e destruir essa criança. Ao longo da história narrada no Antigo Testamento houve muitas perseguições tentando impedir a vinda do Messias prometido. Mas Deus protegeu o seu povo e na plenitude dos tempos Jesus nasceu.

Em sexto lugar, *essa mulher é protegida por Deus da fúria do dragão* (12:6,14). A igreja é protegida por Deus. Ela tem sido sustentada por Deus no deserto. O deserto aqui não é um lugar geográfico, identificado no mapa. A Igreja pode ser protegida até mesmo em Pérgamo, onde está o trono de Satanás e apesar disso vencer (2:13,17) sem emigrar. O mundo não é o habitat da Igreja. Somos peregrinos aqui. Não estamos em casa aqui. Durante mil duzentos e sessenta dias, um símbolo de todo o período da Igreja, ela é protegida por Deus: às vezes não da morte, mas na morte (12:11). De acordo com Apocalipse 7:3 e 9:4 a Igreja recebeu um selo. De acordo com

Apocalipse 11:1 ela recebeu uma medida. Agora, ela recebe asas (12:14). Todos esses símbolos evidenciam que Deus protege o seu povo do poder do mal.

## A descrição do Filho da mulher perseguida (Ap 12:5)

O apóstolo João oferece quatro características do Filho da mulher perseguida.

Em primeiro lugar, *o Filho da mulher é o Messias vencedor* (12:5,10). A descrição do Filho não é de sua humilhação, mas de sua exaltação. O Filho que nasceu é o Rei que tem o cetro nas mãos. Seu reinado é universal e irresistível.

Em segundo lugar, *o Filho da mulher é o Messias que completou a sua obra* (12:5). O versículo não menciona a sua obra expiatória, porém, sabemos à luz das Escrituras que a exaltação é um resultado da sua humilhação até à morte e morte de cruz (Fp 2:5-11). Jesus, na cruz, triunfou sobre os principados e potestades (Cl 2:15).

Em terceiro lugar, *o Filho da mulher é o Messias que subiu ao céu para assentar-se no trono* (12:5). Ele venceu o dragão na cruz (Gn 3:15). E agora, está no trono, governando os céus e a terra (Mt 28:18). Ele vai reinar até colocar todos os seus inimigos debaixo dos seus pés (1Co 15:25). A ascensão de Cristo é a vitória judicial sobre Satanás, o pecado e a morte. Os dispensacionalistas entendem que esse filho arrebatado ao trono seja uma figura da igreja invisível que será arrebatada,[14] porém, essa visão está em desacordo com o ensino geral das Escrituras e com o contexto deste capítulo.

Em quarto lugar, *a vitória do Filho e a expulsão do dragão, provocam proclamação de alegria no céu* (12:10,12). A vitória de Cristo, agora, é vista e publicada. Embora, Cristo esteja reinando hoje, os agentes do mal ainda estão operando. Mas, então, essa vitória será reconhecida plenamente.

### A descrição do dragão (Ap 12:3-16)

O apóstolo João elenca várias características do dragão.

Em primeiro lugar, *o dragão é um ser pessoal* (12:9). Ele não é um mito, uma figura lendária ou folclórica. Ele não é um ser impessoal, uma energia negativa. Ele é um anjo caído, um ser que tem vontade, planos e estratégias. Ele tem sentimentos, pois está cheio de cólera (12:12) e permanentemente irado contra a igreja (12: 17). Ele tem inteligência, pois é capaz de seduzir (12:4). Ele tem objetivos claros, perseguir o Messias (12:4) e sua igreja (12:13). Sua grande obsessão é devorar Jesus (12:4). O verdadeiro alvo do dragão não é a mulher, mas sim o Filho. Quando a igreja sofre aflições, o dragão quer atacar o Filho na Igreja (At 9:4). A luta contra Cristo na Igreja é a obsessão do dragão, porque ele é vencido pelo sangue do Cordeiro e pela palavra do testemunho (12:11). Adolf Pohl comenta assim:

> Quando a igreja sofre aflições, jamais é a igreja em si que está em jogo, jamais necessariamente a religião, a fé em Deus, orações e atos litúrgicos. O dragão, o príncipe desse mundo, consegue conviver com tudo isso. Ele sempre visa atingir o Cristo na igreja. É por isso que Cristo interpela Saulo, que persegue a igreja, com: "Por

que me persegues?" (At 9:4). Ou seja, a luta é pelo Cristo na igreja e, em decorrência, pelo testemunho desse Cristo, pelo apego ao seu nome e pela fidelidade a Ele (2:13). Somente pelo testemunho persistente de Cristo é que o dragão será vencido (12:11).[15]

Em segundo lugar, *o dragão é um inimigo que exerce influência universal* (12:3,9).[16] Ele tem sete cabeças. Isso representa que ele exerce poder e grande autoridade de forma universal. Ele é o deus deste século, o príncipe da potestade do ar, que atua nos filhos da desobediência. Ele é o pai daqueles que vivem para fazer sua vontade (Jo 8:44). Ele é o sedutor de todo o mundo (12:9). Ele tem dez chifres. Isso simboliza sua capacidade destruidora. Ele é o Abadom e o Apoliom, o destruidor. Jesus o chama de homicida (Jo 8:44). Ele é o ladrão que veio para matar, roubar e destruir (Jo 10:10). Ele tem sete diademas, simbolizando que o seu governo é universal. Sua influência não se limita a um povo ou nação. Ele tem um reino (Cl 1:13; At 26:18) e possui súditos em toda a terra (Lc 11:19-20).

Em terceiro lugar, *o dragão é um inimigo destruidor* (12:3). Chamá-lo de um dragão grande, evidencia que ele é um inimigo terrível, perigosíssimo, destruidor. Chamá-lo de vermelho, denota a sua capacidade de provocar destruição e morte. Essa descrição revela que o dragão é assassino, sanguinário, cruel.

Em quarto lugar, *o dragão é um inimigo sedutor* (12:4,9). Ele foi sedutor no mundo angelical (12:4). Era perfeito até que se achou iniquidade em seu coração (Ez 28:15). Ele conseguiu enredar uma terça parte dos anjos que foram expulsos do céu (12:4). Esses anjos, em vez de espíritos ministradores de Deus (Hb 1:14), tornaram-se vassalos do Diabo. Ele foi também sedutor de todo o mundo (12:9). Foi o protagonista da queda de Adão e Eva no Éden. Para tentar nossos primeiros pais, ele usou o disfarce, a dúvida, a inversão e a negação da Palavra de Deus, a exaltação do homem e a acusação contra Deus. Ele ainda usa essas mesmas artimanhas para seduzir as pessoas hoje. A serpente de Gênesis 3 é o dragão de Apocalipse 12 que ao longo dos séculos tentou destruir "a semente da mulher", a fim de que o Messias não nascesse na plenitude dos tempos. Agora, cheio de cólera, persegue a Igreja, o corpo de Cristo. Portanto, seu esforço para destruir a mulher é na realidade outro aspecto da sua ira contra o Filho dela, diz William Hendriksen.[17]

Em quinto lugar, *o dragão é um inimigo acusador* (12:9,10). O dragão é mentiroso e acusador. Ele acusou Jó (Jó 1:9,10). Ele acusa os nossos irmãos (12: 10). Sua acusação é ininterrupta (12:10b). Ele não descansa, não dorme, nem tira férias. É perseverante. Ele tentou destruir o Filho da mulher (12:5), agora, quer destruir a mulher (12:13). Ele pesquisa a nossa vida, e não perde oportunidade para nos acusar (Rm 8:34).

Em sexto lugar, *o dragão é um inimigo opositor* (12:9). Satanás significa opositor, adversário. Foi ele quem se opôs a Moisés através dos magos no Egito (Êx 7:20-22; 8:6-7,16-18). Foi ele quem se opôs ao sumo sacerdote Josué (Zc 3:1). Foi ele quem se opôs a Paulo e barrou-lhe o caminho (1Ts 2:18).

Em sétimo lugar, *o dragão é um inimigo cheio de cólera* (12:12). Ele está cheio de cólera porque foi expulso do céu e sabe que lhe resta pouco tempo. Ele está cheio de cólera porque não pôde destruir o Filho da mulher (12:5). Ele está cheio de cólera porque sabe que a igreja é protegida por Deus (12:6). O dragão já se irou contra o Messias (12:4), contra Miguel (12:7), contra os moradores da terra (12:12), e agora e reiteradamente contra a mulher (12:17).

Em oitavo lugar, *o dragão é um inimigo limitado* (12:7-9,12-13,16). Ele tem *limitação de espaço* (12:8,9,13). O dragão não encontrou mais lugar no céu. Ele não pode tentar mais ninguém que está no céu. Foi atirado para a terra e com ele os seus anjos. Charles Erdman diz que esse destronamento de Satanás já foi executado pelo nascimento, ministério, morte, ressurreição e ascensão de Cristo. É este o sentido da "peleja no céu", quando "foi expulso o grande dragão, a antiga serpente, que se chama Diabo e Satanás, o sedutor de todo o mundo, sim, foi atirado para a terra e, com ele, os seus anjos.[18] Ele tem *limitação de tempo* (12:12). O Diabo é uma serpente golpeada na cabeça que está furiosa, no estertor da morte, sabendo que pouco tempo lhe resta e que sua sentença já foi lavrada. Em breve será lançado no lago do fogo (20:10). O Diabo *sabe* que está derrotado, mas luta para que os homens não o saibam. Ele tem *limitação também de poder* (12:7,8,16). Hoje muitos superenfatizam o poder do Diabo. A demonologia está em alta. Mas o Diabo foi vencido por Jesus (12:5), é vencido pelos anjos (12:7-8) e pela igreja (12:11).

## A intervenção de Deus em favor da Igreja nesta batalha contra o dragão

Três coisas são destacadas aqui.

Em primeiro lugar, *a ação protetora de Deus* (12:6,14,16). A Igreja está no mundo, mas não é do mundo. Ela é protegida no mundo. Deus preparou para ela um lugar no deserto (12:6). O deserto não aponta um lugar geográfico. Não é um ponto específico do mapa.[19] As duas asas são como o selo de Deus que protegem a Igreja contra a fúria do dragão (Ap 12:14). Adolf Pohl diz que João vê a terceira metáfora da preservação da igreja. De acordo com Apocalipse 7:3 ela recebeu um selo, e com Apocalipse 11:1 uma medida. Agora recebe asas.[20] Havendo fracassado em seu esforço para derrotar Cristo, o dragão vai perseguir a Igreja e lançar contra ela um rio de mentiras e perseguição (12:16). O dragão cheio de cólera vai pelejar contra os fiéis (12:17). Muitas vezes Deus os livrará na morte e não da morte (12:11).

Em segundo lugar, *a ação interventora dos anjos* (12:7-8). A Bíblia diz que os anjos são valorosos em poder e executam as ordens de Deus (Sl 103:20). O arcanjo Miguel e seus anjos lutaram contra o dragão e seus anjos (12:7). Nessa peleja no reino espiritual, o dragão e seus anjos foram derrotados (12:8). O dragão e seus anjos não foram apenas derrotados, mas também expulsos do céu, ou seja, ele perdeu o posto de acusador dos nossos irmãos. Por causa da obra de Cristo na cruz, as acusações do dragão não têm nenhuma base legal (Rm 8:33). Essa luta no céu requer ser justaposta com uma segunda luta aqui na terra, em Apocalipse 19:19. Ambas as lutas terminam com a precipitação de Satanás. No presente texto é Satanás que cai do céu para a terra (12:9), lá ele cai da terra para o abismo (20:3). Em ambos os casos o juízo é executado por meio de um anjo. Ainda hoje os anjos são ministros de Deus que trabalham em nosso favor (Hb 1:14).

Em terceiro lugar, *a ação intercessória de Cristo* (12:5). Cristo ascendeu ao céu e assentou-se no trono. Somos informados que Ele está no céu intercedendo por nós (Hb 7:25). Sua intercessão é plenamente eficaz (Rm 8:34). Nenhuma acusação pode prosperar contra os eleitos de Deus, por quem Cristo morreu.

## As armas da vitória da Igreja sobre o dragão

A Igreja vence o dragão *por causa do sangue do Cordeiro* (12:11). A morte de Cristo é a nossa vitória. O sangue de Cristo é a nossa arma mais poderosa. Seu sacrifício na cruz desfez toda a possibilidade de Satanás triunfar sobre o povo de Deus (2Co 5:21). Por meio do que eles venceram? Através de Miguel? De suas próprias realizações? Não. Por meio do sangue do Cordeiro. O motivo da vitória sobre o dragão acusador é o sangue do Cordeiro. Não é o conhecimento do Cordeiro, nem a crença intelectual no Cordeiro, mas o sangue do Cordeiro.

A Igreja vence o dragão também *por causa da palavra do testemunho* (12:11). A Igreja vence o dragão quando testemunha de Cristo mesmo em face da perseguição e da morte. Ela prefere ser uma Igreja mártir a ser uma igreja apóstata. Prefere morrer a negar o nome de Jesus. Ela, assim, mesmo morrendo, vence a Satanás. Quem traz Cristo no coração, também traz uma cruz nas costas. Não é a crença intelectual no Cordeiro, nem o louvor interno do Cordeiro que significa vitória, mas somente a palavra do testemunho diante de ouvidos estranhos. A Igreja que vence é a comunidade de testemunhas.[21] Em tempos difíceis a Igreja passa por uma grande tentação: hibernar, suspender seu testemunho, esconder-se numa toca e viver de seus estoques até que voltem a raiar tempos melhores. Mas não é a igreja que hiberna que será vencedora, mas a Igreja testemunha. Ninguém jamais subirá dos alojamentos cristãos de inverno. A Igreja vitoriosa é aquela que não ama a própria vida. Mas o que é que esta Igreja ama, então? A morte? Não! Ela ama o Cordeiro até à morte.[22]

Acaso é necessário, pergunta Adolf Pohl, que ao sangue do Cordeiro também seja acrescentado o sangue do martírio? De modo algum o dragão teme sangue de mártires, mas lambe-o avidamente (17:6). Enxurradas de sangue humano não o atormentam. Somente o sangue do Cordeiro o derrota.[23] O Diabo e seus agentes, em sua fúria, vão perseguir e matar os santos, mas estes vencerão o Diabo e seus anjos, no próprio ato de morrer por amor a Cristo.

Embora o dragão seja grande, vermelho, sedutor, temido, ele está derrotado. A vitória está assegurada. Caminhamos não para um final trágico ou incerto. Caminhamos para a consumação gloriosa de Cristo e de sua noiva.

## Capítulo 20

## O anticristo, o agente de Satanás
(Ap 13:1-18)

O CAPÍTULO 13 DE APOCALIPSE nos mostra os agentes ou instrumentos usados pelo dragão em seu ataque contra a igreja. São descritas duas bestas. A primeira é um monstro horrível, a segunda está disfarçada. A primeira é a mão de Satanás, a segunda, a mente do Diabo. A primeira representa o poder perseguidor de Satanás operando em e por meio das nações deste mundo e seus governos, a segunda simboliza as religiões e filosofias falsas deste mundo.[1]

Satanás, embora derrotado, conforme vimos no capítulo anterior, ainda recebe permissão para perseguir a igreja com sua fúria mais terrível. O anticristo será uma espécie de encarnação de Satanás. Embora o mistério da iniquidade já esteja operando no mundo (2Ts 2:7), o anticristo, que encarnará o poder dos reinos ímpios e também todo o poder de Satanás, emergirá no breve tempo do fim. A Bíblia descreve esse tempo de várias formas: a) A apostasia (2Ts 2:3); b) A grande tribulação (Mt 24:21-22); c) A revelação do homem da iniquidade (2Ts 2:3); d) O pouco tempo de Satanás (20:3).

## As várias facetas do anticristo

A palavra *anticristo* significa um cristo substituto ou um cristo rival.[2] Ele será um adversário jurado de Cristo. No livro de Daniel o anticristo é representado inicialmente não como uma pessoa, mas como quatro reinos (leão, urso, leopardo e outro animal terrível), numa descrição clara dos impérios da Babilônia, Medo-Persa, Grego e Romano (Dn 7:1-6,17-18). Outro símbolo do anticristo no livro de Daniel é Antíoco Epifânio, que profanou o templo, quando o consagrou ao deus grego Zeus e mais tarde sacrificou porcos em seu altar (Dn 11:21,25).

No ensino de Jesus, o anticristo é visto como o imperador romano Tito que no ano 70 d.C., destruiu a cidade de Jerusalém e o templo (Mt 24:15-20), bem como um personagem escatológico (Mt 24:21-22). A profecia bíblica vai se cumprindo historicamente e avança para a sua consumação final (Mt 24:15-28).

Nas cartas de João o termo *anticristo* é usado em um sentido impessoal (1Jo 4:2-3). Ele referiu-se também ao anticristo de forma pessoal. Mas João vê o anticristo como uma pessoa que já está presente, ou seja, como alguém que representa a um grupo de pessoas. Assim, o anticristo é um termo utilizado para descobrir uma quantidade de gente que sustenta uma heresia fatal (1Jo 2:22; 2Jo 7). João fala ainda tanto do anticristo que virá como do anticristo que já está presente. Assim, João esperava um anticristo que viria no tempo do fim. Os anticristos são precursores do anticristo (1Jo 2:18). Para João, o anticristo sempre esteve presente nos seus precursores, mas ele se levantará no tempo do fim como expressão máxima da oposição a Cristo e sua igreja.

Na teologia do apóstolo Paulo, o anticristo é visto como o homem do pecado (2Ts 2:1-12). Ele surgirá da grande apostasia (2Ts 2:3); será uma pessoa (2Ts 2:3); será objeto de adoração (2Ts 2:4); usará falsos milagres (2Ts 2:9); só pode ser revelado depois que aquilo e aquele que o detém for removido (2Ts 2:6,7) e será totalmente derrotado por Cristo (2Ts 2:8).

## A descrição do anticristo (Ap 13:1-18)

O apóstolo João fala sobre seis aspectos do anticristo.

Em primeiro lugar, *sua ascensão se dará num tempo de muita turbulência* (13:1). "Vi emergir do mar uma besta" (13:1). O que isso significa? As águas do mar são multidões, ou seja, as nações e os povos na sua turbulência político-social (17:15). Fritz Rienecker, citando o conceituado comentarista Swete diz que o mar é um ótimo símbolo da superfície agitada da humanidade não regenerada e, especialmente, do turbilhão da vida social nacional do qual surgem os grandes movimentos históricos do mundo.[3] As águas são símbolo das nações não regeneradas em sua agitação (Is 57:20). Antes do levantamento do anticristo, o mundo estará em desespero, num beco sem saída. Ele emerge desse caos. Charles Erdman diz que o mar deve ser símbolo da situação social e política conturbada e tormentosa, de onde comumente irrompem tiranias.[4] O pequeno chifre de Daniel, o homem de desolação citado por Jesus, o homem da iniquidade citado por Paulo, o anticristo citado por João e a besta que emerge do mar são a mesma pessoa. William Hendriksen diz que a besta que sobe do mar simboliza o poder perseguidor de Satanás incorporado em todas as nações e governos do mundo através de toda a história.[5] Esse personagem encarnou-se na figura dos imperadores (Dominus et Deus) e também em outros reis e reinos despóticos, mas se apresentará no fim como o anticristo escatológico. Ele, com seu grande poder, vai seduzir as pessoas e conquistar as nações.

Ele se levantará num contexto de grandes convulsões naturais: terremotos, epidemias e fomes. Ele aparecerá num tempo de grande convulsão social. Será um tempo de guerras e rumores de guerras, onde reinos se levantarão contra reinos. O mundo será um campo de guerra. Ele surgirá num tempo de profunda inquietação religiosa. Brotará do ventre da grande apostasia. Os homens obedecerão a ensinos de demônios. Os falsos mestres e os falsos cristos estarão sendo recebidos com entusiasmo. Nesse tempo haverá duas igrejas: a apóstata e a fiel. Ele surgirá oferecendo solução aos problemas mundiais. O mundo estará seduzido pelo seu poder. Os homens estarão dizendo: "Paz, paz", quando lhes sobrevirá repentina destruição. O historiador Arnold Toynbee disse: "O mundo está pronto para endeusar qualquer novo César que consiga dar à sociedade caótica unidade e paz". Ele surgirá num tempo de profunda desatenção à voz do juízo de Deus (Mt 24:37-39). Esse tempo será como nos dias de Noé.

Em segundo lugar, *ele incorpora todo o poder, força e crueldade dos grandes impérios do passado* (13:2). Daniel viu quatro animais ferozes, representando quatro reinos. A força anticristã foi vista por Daniel como quatro reinos que dominaram o mundo (Babilônia, Medo-Persa, Grécia e Roma). O anticristo incorpora todo o poder dos impérios anticristãos. O anticristo é o braço de Satanás, enquanto o falso profeta é a mente de Satanás. Ele será um ser totalmente mau, prodigiosamente conquistador. Ele terá a ferocidade do leão, a força do urso e a velocidade do leopardo. A besta que sobe do mar simboliza o poder perseguidor de Satanás incorporado em todas as nações e governos do mundo através de toda a história. Essa besta toma diferentes formas. No fim se manifestará na pessoa do homem da iniquidade.

Em terceiro lugar, *ele agirá no poder de Satanás* (13:2-4; 2Ts 2:9,10). O anticristo vai manifestar-se com um grande milagre (13:3). Ele vai distinguir-se como uma pessoa sobrenatural, por um ato que será um simulacro da ressurreição. Esse fato é tão importante que João o registra três vezes (Ap 13:3,12,14). Certamente não será uma genuína ressurreição dentre os mortos, mas será o simulacro da ressurreição, produzido por Satanás. O propósito dessa misteriosa transação será conceder a Satanás um corpo. Satanás governará em pessoa. O anticristo será uma espécie de encarnação de Satanás. A maioria dos estudiosos vê nessa figura a lenda do Nero redivivo.[6] Nero se suicidou em 68 d.C. Em apenas um ano, no meio de vários golpes, surgiram quatro imperadores: Galba, Oto, Vitélio e, finalmente, Vespasiano. Depois, surgiu a lenda de que Nero não havia morrido, mas escapado para o

Oriente, e que voltaria em triunfo. No tempo de João, Domiciano foi chamado o segundo Nero. Adolf Pohl fazendo referência a essa lenda, escreve:

> Em 9 de junho do ano 68 este famigerado imperador, estando politicamente acabado, ordenou que um escravo o matasse. No entanto, a morte deste homem terrível não obteve crédito em toda parte. Primeiramente dizia-se que na verdade ele teria apenas fugido à terra dos partos e de lá retornaria à frente de hordas de partos para vingar-se, trazendo horrores ainda maiores. Depois que transcorrem décadas sem que Nero voltasse, sua morte forçosamente tinha de obter crédito. Mas, por volta da virada do século, a lenda havia adquirido um novo formato: Nero torna a viver e vem vindo![7]

O anticristo vai realizar grandes milagres. Diz o apóstolo Paulo: "Ora, o aparecimento do iníquo é segundo a eficácia de Satanás, com todo poder, e sinais e prodígios da mentira" (2Ts 2:9,10) . Hoje vivemos numa sociedade ávida por milagres. As pessoas andam atrás de sinais e serão facilmente enganadas pelo anticristo. Ele vai ditar e disseminar falsos ensinos (2Ts 2:11). Nesse tempo, os homens não suportarão a sã doutrina (2Tm 4:3), mas obedecerão a ensinos de demônios (1Tm 4:1). As seitas heréticas, o misticismo e o sincretismo de muitas igrejas pavimentam o caminho para a chegada do anticristo.

O anticristo vai governar na força de Satanás . "Deu-lhe o dragão o seu poder, o seu trono e grande autoridade" (13:2). Na verdade quem vai mandar é Satanás. Os governos subjugados por ele vão estar sujeitos a Satanás. Esse vai ser o período da história denominado por João, "o pouco tempo de Satanás". Esse será o tempo da grande tribulação. O governo do anticristo vai ser universal, pois Satanás é o príncipe deste mundo. O mundo inteiro jaz no maligno (1Jo 5:19). Aquele reino que Satanás ofereceu a Cristo, o anticristo o aceitará. Ele vai dominar sobre as nações. "Deu-se-lhe ainda autoridade sobre cada tribo, povo, língua e nação" (13:7). O governo universal do anticristo será extremamente cruel e controlador (13:16,17). O seu poder será irresistível (13:4). A grande pergunta será: "Quem é semelhante à besta? Quem pode pelejar contra ela?"

O anticristo vai se tornar irresistível (13:4). Ele será singular e irresistível. Terá a aparência de um inimigo invencível. Vai blasfemar contra Deus e os santos que estão no céu (13:6). Contra a igreja que estará na terra, vai perseguir e matar (13:7,15b).

Em quarto lugar, *o anticristo será objeto de adoração em toda a terra* (13:3,4,8,12; 2Ts 2:4). A adoração ao anticristo é o mesmo que adoração a Satanás (13:4). Adoração é um tema central no livro de Apocalipse: a noiva está adorando o Cordeiro, e a igreja apóstata está adorando o dragão e o anticristo. O mundo está ensaiando essa adoração aberta ao anticristo e Satanás. O Satanismo e o ocultismo estão em alta: As seitas esotéricas crescem. A Nova Era proclama a chegada de um novo tempo, em que o homem vai curvar-se diante do "Maitrea", o grande líder mundial. A adoração de ídolos é uma espécie de adoração de demônios (1Co 10:19,20). A necromancia é uma adoração de demônios. O grande e último plano do anticristo é levar seus súditos a adorarem a Satanás (13:3,4). Esse será o período da grande apostasia. Nesse tempo os homens não suportarão a verdade de Deus e obedecerão a ensinos de demônios. O Humanismo idolátrico, o endeusamento do homem e sua consequente veneração é uma prática satânica. Adoração ao homem e adoração a Satanás são a mesma cousa.[8]

O anticristo fará forte oposição a toda adoração que não seja a ele mesmo (2Ts 2:4). Ele vai se opor e se levantar contra tudo que se chama Deus, ou objeto de culto. Assim agiram os imperadores romanos que viam no culto ao imperador o elo de união e fidelidade dos súditos do império. Deixar de adorar o imperador era infidelidade ao Estado. O anticristo também se assentará no templo de Deus, como Deus, fazendo-se passar por Deus. Ele vai usurpar a honra e a glória só devidas a Deus.

A adoração do anticristo será universal (13:8,16). Diz o apóstolo João que "adorá-lo-ão todos os que habitam sobre a terra, aqueles cujos nomes não foram escritos no livro da vida do Cordeiro". Satanás vai tentar imitar Deus também nesse aspecto. Ao saber que Deus tem os seus selados, ele também selará os seus com a marca da besta (13:8, 16-18). Todas as classes sociais se acotovelarão para entrar nessa igreja apóstata e receber a marca da besta (13:16).

O anticristo perseguirá de forma cruel aqueles que se recusarem a adorá-lo (Ap 13:7,15). Esse será um tempo de grande angústia (Jr 30:7; Dn 12:1; Mt 24:21-22). A igreja de Cristo nesse tempo será uma igreja mártir (13:7,10). Mas os crentes fiéis vão vencer o Diabo e o anticristo, preferindo morrer a apostatar (12:11).

Em quinto lugar, *o anticristo fará oposição aberta a Deus e à igreja de Cristo* (13:6,7; 2Ts 2:4). Ele será um opositor consumado de Deus (Dn 7:25; 11:36; 2Ts

2:4; 1Jo 2:22; Ap 13:6). "Proferirá palavras contra o Altíssimo"⁹; "contra o Deus dos deuses, falará cousas incríveis".¹⁰ O apóstolo Paulo diz que ele "se opõe e se levanta contra tudo que se chama Deus, ostentando-se como se fosse o próprio Deus".¹¹ João declara: "e abriu a sua boca em blasfêmias contra Deus, para lhe difamar o nome".¹² Diz ainda: "Este é o anticristo, o que nega o Pai e o Filho".¹³ O anticristo vai usar todas as suas armas para ridicularizar o nome de Deus. Ele vai fazer chacota com o nome do Altíssimo. O anticristo fará violenta e esmagadora oposição contra a igreja (Dn 7:25; 7:21; Ap 12:11; 13:7). "Ele magoará os santos do Altíssimo e cuidará em mudar os tempos e a lei; e os santos lhe serão entregues nas mãos".¹⁴ "Ele fará guerra contra os santos e prevalecerá contra eles".¹⁵ Mas, mediante a morte os santos o vencerão (12:11). João diz: "Foi-lhe dado também que pelejasse contra os santos e os vencesse" (13:7). O anticristo se levantará contra a igreja, contra o culto e contra toda expressão de fidelidade a Deus. Esse será o ponto mais intenso da grande tribulação (Mt 24:15-22).

Em sexto lugar, *o anticristo será apoiado pela segunda besta, o falso profeta* (13:11-18; 16:13; 19:20).¹⁶ A segunda besta é serva da primeira e seduzirá o mundo inteiro a adorar a primeira besta (13:11-15). Se a primeira besta é o braço de Satanás, a segunda é a mente de Satanás. Ela é o falso profeta. A primeira besta age no campo político, a segunda no campo religioso.¹⁷ Os pré-reformadores John Wycliff, John Huss e os reformadores Lutero e Calvino consideravam o papa como o anticristo.¹⁸ De igual forma, assim se posicionaram os teólogos que escreveram A

Confissão de Fé de Westminster.[19] O ex-sacerdote católico romano, padre Anibal Pereira Reis, também aponta o papa como o anticristo.[20] O falso profeta vai preparar o terreno para o anticristo e vai preparar o mundo para adorá-lo. A primeira besta será conhecida pelo seu poder conquistador, pela sua força (13:4). A segunda besta será conhecida pelo seu poder sobrenatural de fazer grandes milagres (13:13-16). Adolf Pohl comentando sobre a segunda besta, diz:

> Este personagem é uma criação direta de Satanás, assim como foi a primeira besta. Dessa forma, essas três figuras se reúnem numa trindade satânica, para um simulacro da Trindade divina. O dragão é o antideus, a besta vinda do mar é o anticristo e a besta vinda da terra é o antiespírito [...]. Assim como o Espírito Santo conduz à adoração de Cristo, assim essa besta conduz adoradores ao anticristo.[21]

A segunda besta usará também a arma do controle para garantir a adoração da primeira besta (13:16-18). Esse será um tempo de cerco, de perseguição, de controle, de vigilância, de monitoramento das pessoas, no aspecto político, religioso e econômico. Todo regime totalitário busca controlar as pessoas e tirar delas a liberdade. A recusa na adoração à primeira besta implica a morte (13:15b).

A segunda besta usará um selo distintivo para os adoradores da primeira besta (13:18; 14:9-11). Assim como a noiva do Cordeiro recebe um selo (7:3; 9:4), também os adoradores da besta recebem uma marca (13:16). Então só haverá duas igrejas na terra, aquela que adora a Cristo e aquela que adora o anticristo. Assim como os que recebem o selo de Deus terão a vida eterna, os que recebem a marca da besta vão perecer eternamente (14:11; 20:4).

## A manifestação do anticristo

Há quatro coisas importantes sobre a manifestação do anticristo:

Em primeiro lugar, *sua presente dissimulação e futura revelação* (2Ts 2:6-8). Diz o apóstolo Paulo que o anticristo está sendo detido por ALGO (2Ts 2:6) e por ALGUÉM (2Ts 2:7). "E, agora, sabeis *o que* o detém, para que ele seja revelado somente em ocasião própria. Com efeito, o mistério da iniquidade já opera e aguarda somente que seja afastado *aquele* que agora o detém" (2Ts 2:6-7). O que é esse ALGO? Quem é esse ALGUÉM? A maioria dos estudiosos entende que o ALGO é a lei e que o ALGUÉM é aquele que faz a lei se cumprir. É por isso que o anticristo vai surgir no período da grande apostasia, quando os homens não suportarão leis, normas nem absolutos. Então, eles facilmente se entregarão ao homem da ilegalidade, o filho da perdição.[22]

Em segundo lugar, *vejamos o número de sua identificação* (13:18; 2Ts 2:3). O anticristo, no seu cumprimento profético, foi representado por vários governos anticristãos e totalitários que perseguiram a igreja ao longo dos séculos. De igual forma, o falso profeta simboliza as religiões e as filosofias falsas deste mundo que desviaram os homens de Deus para adorarem o anticristo e o dragão. Ambas as bestas se opõem à igreja durante toda a dispensação. Mas, o anticristo aponta para um personagem escatológico que reunirá toda a maldade dos impérios e governos totalitários.

O anticristo será uma pessoa, ele é o homem da iniquidade, o filho da perdição, o abominável da desolação, a besta que emerge do mar, a encarnação de Satanás: Os cristãos primitivos entenderam que ele era Nero. Os reformadores entenderam que ele era o Papa romano. Estudiosos modernos disseram que foi representado por Napoleão, Hitler e Mussolini.

Seu número é 666. William Barclay diz que as interpretações com respeito ao número 666 são infinitas.[23] Wim Malgo, um dos expoentes do dispensacionalismo, editor da Revista *Chamada da Meia Noite*, faz referência a diversos significados do número 666, mencionando desde o computador até os grupos mais famosos da música rock como Beatles, KISS, Black Sabbath, ACDC.[24] Michael Wilcock acredita que todas as especulações para marcar algum personagem da história ou instituição com esse número estão erradas. Diz ele: "O sem número de comentários dedicados a explicar o significado do número da besta, cheiram a lamparina e poeira de biblioteca".[25] Arthur Blomfield, por sua vez, entende que o número 666 representa uma trindade maligna: o Diabo, o anticristo e o falso profeta.[26] Charles Erdman sugere que esse número seja simbólico.[27] Sete é o número perfeito, enquanto, seis é o número imperfeito. Seis é o número do homem, o número incompleto, imperfeito, o número do pecado. Simon Kistemaker diz que o número seis aponta para o juízo: no final do sexto selo, a sexta trombeta e a sexta taça.[28] William Hendriksen, nessa mesma linha de pensamento, diz que 666, o número do anticristo, é fracasso, sobre fracasso, sobre fracasso.[29] Ele incorporará a plenitude da imperfeição, a consumação da maldade. Assim, 666 é o número representativo da maior encarnação concebível da depravação e do mal.[30]

Vejamos em terceiro lugar, *a limitação do anticristo* (13:5). O anticristo tem um poder limitado, visto que pode matar os santos, mas não vencê-los (12:11; Ap 20:4). Os verdadeiros crentes preferirão a morte à apostasia (13:8), vencendo assim a besta (15:2). Eles não temem aquele que só pode matar o corpo e não a alma. O anticristo também não pode fazer nada contra Deus e contra os remidos na glória, a não ser falar mal (13:6). O anticristo tem um tempo limitado (13:5). Quando o seu tempo acabar, ele mesmo será lançado no lago do fogo (19:20).

Em quarto lugar, *vejamos sua total destruição*. Jesus o matará com o sopro da sua boca e o destruirá pela manifestação da sua vinda (2Ts 2:8). Ele será quebrado sem esforço de mãos humanas (Dn 8:25). Jesus vai tirar o domínio do anticristo para o destruir e o consumir até o fim (Dn 7:26). O anticristo será lançado no lago do fogo que arde com enxofre (19:20). Cristo colocará todos os seus inimigos debaixo dos seus pés (1Co 15:24-25).

A igreja selada por Deus (9:4), preferirá a morte à apostasia e assim vencerá o dragão e o anticristo (12:11). Aqueles cujos nomes estão no livro da vida não adorarão o anticristo (13:8). Esses reinarão com Cristo para sempre.

**Capítulo 21**

# A glorificação dos salvos e a condenação dos ímpios

(Ap 14:1-20)

O CAPÍTULO 14 ENCERRA A QUARTA seção paralela do livro de Apocalipse. Já vimos sobre os sete candeeiros, os sete selos, as sete trombetas e agora estamos vendo sobre o quarteto do mal que se levanta contra Cristo e sua igreja.

Cada seção cobre todo o período que vai da primeira à segunda vinda de Cristo. Assim, vemos repetidamente a cena da segunda vinda de Cristo e do juízo final.

Neste capítulo, veremos mais uma vez a cena dos remidos na glória e a condenação dos ímpios no juízo final. Há aqui várias cenas que descrevem o tempo do fim:

## A igreja está com Cristo no céu (Ap 14:1-5)

Três fatos são dignos de nota:

Em primeiro lugar, *a igreja selada está em pé com o Cordeiro no Monte Sião* (14:1). Sião é a zona da soberania de Deus, tornando-se uma expressão de salvação desvinculada da geografia (Hb 12:22).[1] Os 144 mil são o mesmo grupo que foi selado em (7:9-17). Eles representam a totalidade dos redimidos. Eles são os remidos, e sabem a canção dos remidos. Eles fazem o contraste com os adoradores da besta que foram marcados para a condenação. Os remidos recebem também uma marca, o nome de Deus e do Cordeiro. Aquela marca descrita em Apocalipse 7:3 continua válida. Agora, recebem a marca do Pai e do Filho.

Embora esses 144 mil são os mesmos do capítulo 7, representando a totalidade dos redimidos,[2] há mais detalhes sobre eles aqui: 1) João não está apenas ouvindo os selados, mas também pode vê-los; 2) Aqui há uma definição de lugar "Monte Sião"; 3) Agora, revela-se a marca deixada pelo selo. As duas igrejas, a verdadeira e a falsa, agora, estão nitidamente contrapostas; 4) Aqui os selados estão ligados não apenas a Deus, mas também ao Cordeiro.

O Monte Sião aqui não é na terra, mas no céu. Trata-se da Cidade Santa, a Nova Jerusalém, a Sião Celeste (Hb 12:22). Os 144 mil foram remidos da terra (14:3), foram selados por Deus (14:1), para glorificarem a Deus no céu (14:2-3).

Em segundo lugar, *a igreja está cantando no céu enquanto os adoradores da besta blasfemam* (14:2-3). A besta e os seus adoradores blasfemam contra Deus (13:6 e 16:10-11), mas os remidos do Senhor estão no céu cantando um novo cântico. Aqui na terra, os crentes sofrem e choram. Mas Deus lhes enxugará dos olhos toda lágrima e então a alegria da igreja será completa e ela cantará um novo cântico que ninguém poderá aprender, senão os remidos.

Em terceiro lugar, *a igreja é o povo redimido por Deus, totalmente separado do mundo* (14:4-5). Os remidos não se prostituíram com a grande meretriz (14:4). A expressão *não se contaminaram com mulheres e castos* não se trata de celibato. Devemos ter aqui uma compreensão figurada da virgindade.[3] A palavra grega (*parthenoi*) traduzida "castos" é a mesma que significa "virgens".[4] A Bíblia não considera o sexo no casamento uma contaminação; ao contrário, ela exalta o casamento como imagem da mais elevada dignidade (Apocalipse 19-22). A palavra "castos" neste contexto é uma expressão que denota pureza espiritual. João fala diversas vezes da idolatria da besta como prostituição (*porneia*) (14:8; 17:2; 18:3,9; 19:2). A igreja é uma virgem pura apresentada ao seu noivo, Cristo (2Co 11:2). Assim, os 144 mil são virgens e castos no sentido de terem se recusado a se manchar, participando da prostituição que é adorar a besta, mantendo-se puros em relação a Deus.[5]

Os remidos são os seguidores do Cordeiro (14:4). Eles não seguiram a besta como todos os demais (13:8), mas seguiram o Cordeiro (14:4). Seguiram o Cordeiro, ainda que para a morte (12:11). Os remidos são discípulos de Cristo. Eles ouvem a voz do Pastor e o seguem (Jo 10:3-4). Eles negaram-se a si mesmos, tomaram a cruz de Cristo e seguiram ao Senhor.

Os remidos são os eleitos de Deus (14:4). Eles seguem o Cordeiro, porque não pertencem a si mesmos. Eles foram redimidos pelo sangue do Cordeiro (5:9). Eles foram escolhidos dentre os homens. Foram escolhidos pela graça.

Os remidos são primícias para Deus (14:4). Primícias aqui não são um grupo seleto da igreja, mas toda a igreja: Toda a igreja é a igreja dos primogênitos (Hb 12:23). Os cristãos são chamados de "primícias das suas criaturas" (Tg 1:18). Israel era chamado de "primícias da sua colheita" (Jr 2:3).

Os remidos são puros de lábios e de vida (14:5). Enquanto os ímpios blasfemam e se contaminam com a meretriz, seguindo uma mentira, a besta e seus falsos milagres, os redimidos não têm mentira na sua boca nem mácula em sua vida. Adolf Pohl interpreta corretamente quando diz:

> Estes lábios santos apontam mais uma vez, como figura oposta, para o capítulo 13. Ali ressaltou-se nos versículos 2,5,6 a boca blasfema da besta, que levou todas as bocas do mundo a blasfemarem (v. 4). Do mesmo modo a palavra mentira aponta para o capítulo 13, a saber, para a atuação da segunda besta, do "profeta da mentira". No atual contexto, mentira é consentir na adoração diante da besta: "Quem é igual à besta?" Deste modo a besta se transformava, pela mentira, em deus, em senhor sobre todas as coisas. Era em relação a isso que os comprados se conservavam imaculados. Sua boca não negou. Num mundo que ressoava cheio de apostasia e idolatria, eles sustentaram um testemunho límpido de Deus e do Cordeiro.[6]

## O juízo é anunciado aos moradores da terra (Ap 14:6-7)

Os moradores da terra são exortados a temerem a Deus e darem glória a Ele (14:6-7). O capítulo 13 se encerra com uma nota triste. A pergunta que ecoa em todo mundo é: "Quem é como a besta, quem pode pelejar contra ela?" (13:4). Somos informados que a besta tinha autoridade sobre cada tribo, povo, língua e nação (13:7). Mas, agora, o anjo proclama as boas novas de alguém mais forte, o todo-poderoso Deus. Ele sim, deve ser temido. A Ele sim, deve ser dada toda a glória. Enquanto durar o tempo, os homens têm a oportunidade de se arrependerem e se voltarem para Deus. Somente Deus é digno de ser adorado (14:7), porque Ele é o Deus criador. Ele é a origem de todas as coisas.

Os moradores da terra são alertados sobre a chegada do juízo (14:7). Antes do juízo, Deus alerta, avisa, e conclama ao arrependimento. As trombetas do juízo sempre visaram levar o homem ao arrependimento (9:20-21; 16:8). Os ímpios vivem como se o juízo jamais fosse chegar (2Pe 3:4). Eles vivem desapercebidamente (Mt 24:37-39). Mas, agora, o juízo é chegado: é a hora da queda da Babilônia (14:8), da ira de Deus (14:10), do lago do fogo (14:11), a hora da foice, da lagaragem (14:16,19,20), portanto, nenhuma hora de misericórdia.

## A queda da Babilônia é proclamada (Ap 14:8)

A grande Babilônia é a grande meretriz. A verdadeira igreja está no céu e a falsa igreja está arruinada. Ela é grande, mas está perdida. Ela seduziu, enganou, mas agora está caída. A grande Babilônia é o sistema mundano, a religião prostituída que vai estar a serviço da besta e de Satanás no mundo. George Ladd, escrevendo sobre a Babilônia, diz:

> Babilônia era o grande inimigo de Israel nos tempos do Antigo Testamento (Is 21:9; Jr 50:2; 51:8), e aqui representa a capital da civilização apóstata dos últimos dias, o símbolo da sociedade humana organizada política, econômica e religiosamente em oposição e desafio a Deus. [7]

A grande Babilônia age na terra com sedução e perseguição. A grande Babilônia é uma meretriz que seduz e engana (17:5; 18:3), mas também ela é uma mulher embriagada com o sangue dos santos (17:6; 18:24). Sua sedução é universal (14:8). Martyn Lloyd-Jones comentando sobre essa grande meretriz, escreve:

> Quando o Diabo não consegue desanimar o povo de Deus por meio de perseguição ativa e militante, ele tem conseguido afastá-lo por meio das seduções do mundo. Na história da Igreja houve homens e mulheres que estavam prontos a encarar a morte numa estaca, e puderam enfrentar oposição aberta, mas que se tornaram vítimas do amor pela riqueza, ou o amor pela ociosidade, ou pelo prazer, ou pelo conforto, por alguma coisa que pertence a este mundo, e sem discernir que estavam sendo feitos cativos.[8]

A ruína da grande Babilônia é completa e definitiva. Ela caiu, ela está derrotada. A igreja que foi perseguida e martirizada é vencedora, mas a igreja que perseguiu e matou os santos de Deus é agora destruída.

## A condenação dos adoradores da besta
## (Ap 14:9-12)

Os adoradores da besta beberão o cálice da ira de Deus sem mistura (14:9-10). Até então, a ira de Deus veio misturada com misericórdia, mas quando o juízo chegar, os ímpios terão que beber o cálice da ira de Deus sem mistura, ou seja, sem oportunidade de arrependimento (Jo 3:36). Todos aqueles que estão unidos a este mundo perecerão com o mundo. Quem escolher servir a Satanás vai ter que sofrer as consequências. Eles serão atormentados com fogo e enxofre. Isso fala da intensidade do tormento. George Ladd comentando sobre a ira de Deus, escreve:

> Duas palavras são usadas para descrever o julgamento de Deus: cólera (*thumos*) e (*orge*). *Orge* é o tipo de ira que parte de uma disposição já tomada, enquanto que *thumos* representa uma ira mais passional. Na maior parte do Novo Testamento é usada a palavra *orge* para a ira divina; fora do Apocalipse *thumos* aparece só uma vez em Romanos 2:8 [...]. Em qualquer caso, a ira de Deus não é uma emoção humana; é a reação preestabelecida da sua santidade à pecaminosidade e rebelião humanas [...]. João enfatiza no Apocalipse a ira de Deus mais que qualquer outro livro do Novo Testamento (14:8,10,19; 15:1; 16:19; 19:15) [...]. Qualquer interpretação da mensagem do Novo Testamento que não inclua a ira de Deus está atenuada e mutilada.[9]

Os adoradores da besta serão atormentados eternamente (14:11). Os adoradores da besta jamais terão descanso (Mt 25:46; Mc 9:48). Os remidos que foram perseguidos e torturados até à morte estão no céu, mas os adoradores da besta estão no tormento eterno. O tormento sem cessar dos ímpios está em contraste com a felicidade eterna dos salvos (Ap 4:8; 14:13). Isso fala não apenas da intensidade do tormento, mas também da perenidade. Os adoradores da besta estão condenados, mas os que guardaram os mandamentos de Deus e a fé em Jesus e não cederam à pressão da besta estão seguros (14:12). É melhor suportar perseguição pacientemente do que escapar dela agora e ser atormentado por toda a eternidade.

## A bem-aventurança dos que morrem em Cristo (Ap 14:13)

O verso supra citado, revela-nos um grande paradoxo: os mortos em Cristo são felizes. Isso não é voz da terra, mas do céu. Essa revelação não é passageira, deve ser escrita. Aqueles que morrem ou mesmo os que são martirizados pela besta ou pela grande meretriz são muito felizes. Não são todos os mortos que são felizes, mas os que morrem no Senhor.

Os mortos em Cristo descansam. Há grande contraste entre os ímpios atormentados (14:11) e os remidos descansando (14:13). Aqueles que morrem em Cristo, não morrem, dormem. Eles não vivem vagando, não vão para o purgatório nem para o túmulo. Eles vão para o paraíso, para o Lar, para o céu, para o Seio de Abraão. Vão habitar com Cristo, o que é incomparavelmente melhor. Harold B. Allison diz que é errada a opinião que diz que as almas, tanto dos justos como dos ímpios, dormem entre a morte física e a ressurreição. As Escrituras tão somente dizem que os mortos "dormem" (Dn 12:2; Mt 9:24; Jo

11:11; 1Co 11:30; 15:51; 1Ts 4:14; 5:10). Essa linguagem aplica-se somente ao corpo.[10]

Os mortos em Cristo não são levados para o céu pelas obras, mas levam as suas obras para o céu. Não somos salvos pelas obras, mas para as boas obras.[11] Elas não abrem nosso caminho para o céu, mas nos acompanham no céu. Não ficaremos sem recompensa.

## A segunda vinda de Cristo para a colheita dos justos (Ap 14:14-16)

Cristo vem gloriosamente e vencedoramente nas nuvens (14:14). Ele virá fisicamente, pessoalmente, visivelmente, gloriosamente, vitoriosamente. Ele virá como subiu, em uma nuvem (At 1:9-11). Ele virá com as nuvens (1:7).

Cristo vem para a colheita das primícias, ou seja, reunir os seus eleitos (14:15-16). Virá para julgar. A coroa da vitória estará em sua cabeça e a foice em sua mão. Ele virá para reunir os seus escolhidos dos quatro cantos da terra (Mt 24:29-31) e então se assentará no trono para julgar (Mt 25:31-46). A colheita é o fim do mundo (Mt 13:39). "A seara está madura". Isso significa que a história desenrola-se sob a soberania de Deus. Tanto Cristo como os anjos são os ceifeiros. A colheita das primícias é para o Senhor. Os remidos serão reunidos como o trigo no celeiro, mas os ímpios como joio na fornalha (Mt 13:40-43).

## A segunda vinda de Cristo para o castigo final dos ímpios (Ap 14:17-20)

O juízo para os ímpios será como uma vindima (14:18). A ideia aqui não é de uma colheita dos frutos, mas de um lagar, onde as uvas são pisadas e esmagadas. Nos tempos bíblicos as uvas eram pisadas com os pés, num lagar que tinha um duto ligando-o a um receptáculo inferior no qual era juntado o suco. O pisar das uvas era uma figura familiar para a execução da ira divina sobre os seus inimigos.[12] Essas uvas que são pisadas são os incrédulos. Assim como as uvas são pisadas e esmagadas, assim também os iníquos vão ser destruídos e castigados eternamente.[13] Essa é uma ideia clara do furor da ira de Deus contra os ímpios que blasfemaram do seu nome e perseguiram a sua igreja (Is 63:1-6). O apóstolo João descreve o próprio Cristo pisando o lagar: "... e pessoalmente pisa o lagar do vinho do furor da ira do Deus todo-poderoso" (19:15).

O lagar é fora da cidade, ou seja, os salvos não participarão desse juízo (14:19-20). Esse é o lagar da cólera de Deus. Os remidos não sofrerão esse juízo (Jo 5:24). Os remidos serão a delícia de Deus, a noiva do Cordeiro, enquanto os ímpios serão o alvo da ira pura e consumada de Deus.

O juízo de Deus será completo sobre todos os ímpios em todos os lugares (14:20). A extensão de 1.600 estádios é igual a 360 Km, ou seja, a distância do Norte ao Sul da Palestina, de Dã a Berseba. O sangue vai até aos freios dos cavalos, ou seja, 1,5 metro de altura. Esse mar de sangue é sem dúvida um símbolo do completo e total juízo de Deus que alcança os ímpios plenamente e em todos os lugares. George Ladd diz que a ideia é clara: o julgamento é radical, destruindo qualquer vestígio de maldade e hostilidade contra o reinado de Deus.[14]

Na humanidade só há dois grupos: os salvos e os perdidos. Os adoradores da besta e os adoradores do

*A glorificação dos salvos e a condenação dos ímpios*

Cordeiro, os que estarão com Cristo no Monte Sião e os que serão atormentados de dia e de noite. Aqueles que estarão cantando e descansando no céu e aqueles que estarão atormentados para sempre. Na humanidade só há duas igrejas: a igreja verdadeira, os 144 mil selados, redimidos, primícias para Deus e a igreja apóstata que seguirá a besta e receberá sua marca.

De que lado você está? Você tem o selo de Deus na sua vida? Sua vida é pura? Seus lábios são puros? Você está preparado para o dia do juízo? Hoje ainda é dia de oportunidade. Logo o juízo chegará e então, será tarde demais!

# Capítulo 22

## A preparação para as taças da ira de Deus

(Ap 15:1-8)

Nos capítulos 1 a 3, vimos que por meio da pregação da Palavra, aplicada ao coração pelo Espírito Santo, igrejas são estabelecidas. Estas são candeeiros, portadoras de luz no mundo que está em trevas. Elas são abençoadas pela contínua presença espiritual de Cristo.

Nos capítulos 4 a 7 vimos que o povo de Deus é perseguido repetidas vezes pelo mundo, e exposto a muitas provas e aflições. São a abertura dos sete selos.

Nos capítulos 8 a 11 os juízos de Deus visitam repetidas vezes o mundo perseguidor, mas este não se arrepende de seus pecados. São as sete trombetas da ira de Deus.

Nos capítulos 12 a 14 vimos que este conflito entre a igreja e o mundo torna-se mais intenso, mostrando um combate entre Cristo e Satanás, entre a semente da mulher e o dragão.

Agora, nos capítulos 15 e 16 surge uma pergunta: quando na história, as trombetas do juízo, as pragas iniciais, não conduzem os homens ao arrependimento e conversão, o que lhes sucede? Permitirá Deus que esses homens ímpios continuem impunes? O cálice da ira de Deus tem um limite? Ele se encherá? A resposta é: quando os ímpios não se arrependem com as trombetas do aviso de Deus, segue a efusão final da ira, ainda que não completa até o dia do juízo.[1] Essas taças da ira de Deus são as últimas. Não há mais tempo para arrependimento (Pv 29:1). Aos ímpios endurecidos, a morte os precipitará inevitavelmente nas mãos do Deus irado. Mesmo antes de morrer, eles poderão ter cruzado a última linha da esperança entre a paciência de Deus e sua ira[2] (Mt 12:32; 1Jo 5:16).

## A conexão entre as sete taças da ira de Deus e as sete trombetas de Deus (Ap 15:1)

As trombetas advertem, as taças consumam a cólera de Deus (15:1). Através de toda a história do mundo se manifesta repetidas vezes a ira final de Deus; ora toca a essa pessoa, depois aquela. A ira de Deus se derrama sobre os impenitentes (9:21; 16:9). As trombetas advertem, as taças são derramadas. Esses impenitentes são aqueles que receberam a marca da besta (13:16; 16:2). Esses são aqueles que adoram o dragão e são dominados pelas duas bestas e pela Babilônia, a grande meretriz. Nas trombetas apenas um terço da terra, do mar, dos rios, do sol, dos homens são atingidos, mas nas taças a ira de Deus se consuma (15:1).

Tanto as trombetas como as taças referem-se ao mesmo período. Já temos visto que todas as sete seções paralelas referem-se ao mesmo período, ou seja, o tempo que vai da primeira à segunda vinda de Cristo. À medida que avançamos para o fim, as cenas vão se tornando mais fortes e o juízo de Deus mais claro.

Tanto as trombetas como as taças terminam com uma cena do juízo final. No capítulo 14:14-20, vimos a cena da colheita do trigo e a vindima dos ímpios esmagados no lagar da ira de Deus. No capítulo 16:15-21 temos uma clara cena do juízo final. As seis primeiras taças se referem a uma série de acontecimentos que precedem o juízo final.

Tanto a quarta seção, quanto a quinta começam de forma muito semelhante (12:1; 15:1). Se a quarta seção começa com o nascimento de Cristo e avança até a cena do juízo final, então, somos levados a crer que a quinta seção (15-16), também cobre todo o período da primeira à segunda vinda de Cristo.

Tanto a quarta seção, quanto a quinta, tratam dos mesmos inimigos da igreja. As mesmas forças de maldade que encontramos nos capítulos 12 a 14: o dragão, a besta que sobe do mar e a besta que sobe da terra, o falso profeta, são os inimigos que a igreja está enfrentando aqui nesta quinta seção (16:13). Portanto, somos levados a crer que essa seção das sete taças, atravessa o mesmo período da história abrangido pelas outras seções.

Não obstante, as sete taças compreendam todo o período da igreja, elas apontam e aplicam-se especialmente ao dia do juízo e às condições que o precedem imediatamente. As trombetas são juízos parciais, alertas de Deus. São avisos solenes de Deus que, na sua ira, lembra-se da misericórdia. Mas as taças falam da ira sem mistura, da consumação da cólera de Deus.

## Uma visão da igreja na glória antes da descrição terrível dos ímpios debaixo da ira de Deus (Ap 15:2-4)

O apóstolo João vê os sete anjos preparados para derramar sobre o mundo as sete taças da sua ira consumada (15:1). Sete é o número da perfeição de Deus. São sete anjos, com sete taças. Esses são anjos do juízo. Eles trazem os últimos flagelos para os ímpios. Agora não é mais tempo de oportunidade. A medida dos ímpios transbordou. Chegou o juízo. É a consumação da ira de Deus.

Antes dos anjos derramarem os flagelos finais sobre os ímpios, João vê a igreja na glória (Ap 15:2). João vê um mar. Na praia, ele vê uma multidão vitoriosa. Essa multidão é composta dos vencedores da besta e eles estão cantando, enquanto os seguidores da besta estão atormentados (15:2; 16:10,11).

Onde está esse mar de vidro? Diante do trono, no céu (4:6). A igreja está no céu, na glória. Esse mar de vidro simboliza a retidão transparente de Deus revelada por meio de seus juízos sobre os ímpios.

Quem é essa multidão? Os vencedores da besta. Eles venceram a besta sendo mortos por ela. Se tivessem conservado a vida e sido infiéis na fé teriam sido derrotados. Assim, os vencedores da besta são aqueles que amaram mais o Senhor do que suas próprias vidas. "Viva te vencerei, morta vencer-te-ei ainda mais", respondeu Blandina ao seu carrasco. Quem é essa multidão? São todos os remidos ao longo dos séculos. São os 144 mil (Ap 7:4) ou a multidão inumerável (7:9). Jesus disse que quem quiser salvar a sua vida, perdê-la-á.[3]

O que essa multidão está fazendo? Ela está com harpas de Deus, entoando um hino de glória ao Senhor, o Deus todo-poderoso (5:8). Essa música é o mesmo novo cântico que ninguém podia aprender, senão os 144 mil (14:3). No céu há muita música. A música do céu glorifica tão somente o Senhor. Vamos nos unir aos coros angelicais e cantar ao Senhor para sempre.

Que música essa multidão está cantando? O cântico de Moisés e do Cordeiro. O êxodo é um símbolo e tipo da redenção que temos em Cristo. Assim como Moisés triunfou sobre Faraó e suas hostes, a igreja triunfa sobre o Diabo e suas hostes. Esse é um cântico de vitória! Assim como Moisés tributou a vitória a Deus (Êx 15:1-3), os remidos também o fazem (15:3-4).

Antes de João escutar as blasfêmias dos ímpios, ele ouve o cântico dos remidos (15:3-4; 16:10-11). Quais são as características do cântico vitorioso dos remidos? Os mártires não cantam sobre si mesmos e como venceram a besta. Antes, eles estão totalmente concentrados em glorificar a Deus. O céu é o lugar onde os homens são capazes de esquecerem de si mesmos, de seus títulos, conquistas e vitórias e recordar somente a Deus.[4] Quando você contempla a Deus na sua glória, nada mais importa. Diante da glória de Deus, os mártires esquecem-se de si mesmos e exaltam somente o Senhor. No céu entenderemos que nada mais importa, exceto Deus.

Como é esse cântico dos remidos?

Em primeiro lugar, *ele exalta a Pessoa de Deus. Deus é o Senhor todo-poderoso* (15:3). Isto está em contraste ao trono do Dragão, seu poder e autoridade (13:2) e o grande e universal poder da besta (13:4,7,8). O Diabo é poderoso, mas só Deus é o Senhor todo-poderoso. Só Ele recebe exaltação para sempre. Deus é o Rei das Nações (15:3). O rei das nações não é a besta (13:7), mas o Senhor todo-poderoso (15:3). Deus é temível e digno de glória (15:4). A grande pergunta era "quem é como a besta?" Agora, a questão é: "quem não temerá e não glorificará o Teu nome?" Esse é o temor irrestrito, acima de qualquer respeito a governantes terrenos (At 4:19; 5:29). Deus é Santo (15:4). A santidade de Deus é única, singular e é ela que atrai todas as nações.

Em segundo lugar, *esse cântico exalta as obras de Deus. Elas são grandes e admiráveis* (Ap 15:3). O universo está nas mãos do Senhor. Ele é quem redime o seu povo e quem castiga os ímpios. Deus é inescapável. Quando Ele age ninguém pode impedir a sua mão. Os atos de justiça de Deus se fizeram manifestos (15:4). Deus vindicou a sua justiça quando remiu os seus eleitos por meio do sacrifício do seu Filho e vindicou sua justiça condenando os impenitentes à condenação eterna.

Em terceiro lugar, *esse cântico exalta os caminhos de Deus. Eles são justos e verdadeiros* (15:3). Os caminhos de Deus são a forma de Ele agir. Ele nunca pode ser acusado de injustiça nem de meios ilegítimos. Seus caminhos são justos e verdadeiros tanto na salvação dos eleitos, como na punição dos impenitentes. Os ímpios foram avisados pelas trombetas, mas não se arrependeram. Assim, os flagelos finais sobre os ímpios serão absolutamente justos.

Em quarto lugar, *esse cântico exalta o triunfo final de Deus. Todas as nações virão e adorarão diante dele* (15:4). Isto está em contraste com a adoração universal da besta (13:7-8). As nações vão se prostrar diante do Deus todo-poderoso. Todo joelho vai se curvar diante de Jesus (Fp 2:8-11). Só Ele é exaltado eternamente.

## Os anjos dos últimos flagelos se preparam para agir (Ap 15:5-8)

Os sete anjos do flagelo saem do Santuário de Deus (15:5-6). O santuário era o lugar da habitação de Deus com o povo (Êx 25:8). No lugar santíssimo ficava a arca com as Tábuas da Lei. Isso significa que os anjos saem do lugar onde ficava a Lei de Deus. Saem para demonstrar como funciona a Lei de Deus. Saem para demonstrar mediante a vingança Divina que nenhum homem ou nação pode desafiar impunemente a vontade de Deus. Ninguém pode desobedecer a Lei de Deus sem sofrer o castigo da Lei. Aqui *santuário* designa a morada de Deus, o céu. Esses anjos vêm da presença de Deus e servem a Deus quando derramam os juízos. A igreja jamais deve duvidar disso.

Os sete anjos são ministros agentes de Deus (15:6b). As vestimentas dos anjos simbolizam três coisas: Primeiro, essas vestes eram peculiares dos sacerdotes. O sacerdote era uma espécie de intermediário entre Deus e os homens. Ele representava Deus diante dos homens. Esses anjos vêm ao mundo como representantes da ira vingadora de Deus. Segundo, essas vestes eram peculiares dos reis. Esses anjos vêm à terra para derramar os flagelos finais da ira de Deus com o poder do Rei dos reis. Terceiro, essas vestes eram peculiares dos habitantes do céu. Os anjos são habitantes do céu que vêm à terra para executar os decretos de Deus.

Os cálices de ouro que os anjos trazem estão cheios da ira de Deus (15:7). Essas sete taças da ira de Deus estão cheias e atingem o mundo inteiro: a terra, o mar, os rios, os astros, os homens, o ar. Ninguém pode esconder-se do Deus irado. Esse dia será dia de trevas e não de luz. Os homens desmaiarão de terror. A justiça de Deus é vingar as injustiças dos homens e ninguém pode deter esse juízo nem desviá-lo. Aqui não são catástrofes naturais nem os anjos maus que afligem os ímpios, mas o próprio Deus irado.

Os anjos do juízo saem do santuário cheio da fumaça inacessível da glória de Deus (15:8). Quando o tabernáculo ficou pronto no deserto, a glória de Deus o encheu (Êx 40:34-35), e Moisés não pôde entrar. Quando o templo de Salomão foi consagrado, a glória de Deus o encheu (1Rs 8:10-11) e os sacerdotes não puderam entrar. Quando Isaías viu a Deus no santuário, a glória de Deus o encheu (Is 6:4), e as bases do limiar se moveram. Quando Ezequiel viu a glória de Deus encher o templo, ele caiu com o rosto em terra (Ez 44:4). O santuário cheio de fumaça, sugere duas ideias: Primeiro, os propósitos de Deus serão obscuros para os homens. Eles não podem entender nem penetrar nos inescrutáveis planos de Deus. Segundo, a glória de Deus torna-se inacessível. Agora Deus está inacessível para tudo o mais. O mesmo templo que era lugar de encontro com Deus, agora está fechado, inacessível. Agora não tem mais tempo. Não há mais intercessão. Chegou a hora final. É a consumação da cólera de Deus. É o dia do juízo, quando a ira sem mistura será derramada sobre os ímpios (14:10). Qualquer oposição à sua glória será destroçada.

Estes flagelos são a resposta de Deus ao último e maior esforço de Satanás para derrubar o governo divino. Aqueles que parecem escapar agora do juízo dos homens e de Deus, jamais escaparão do juízo final de Deus. Devemos nos voltar para Deus agora, enquanto é tempo, enquanto ele está perto.[5] Chegará o dia em que será tarde demais. Enquanto os ímpios estão maduros para o juízo, o mundo de Deus, a Palavra de Deus, e o povo de Deus estão cheios de canções de adoração ao Senhor. A criação foi celebrada com música. O nascimento de Jesus foi celebrado com música. A volta de Jesus também será celebrada com música.

# Capítulo 23

## Os sete flagelos da ira de Deus
### (Ap 16:1-21)

AS SETE TAÇAS DA IRA DE DEUS têm uma grande semelhança com as dez pragas sobre o Egito, bem como uma profunda conexão com as sete trombetas.[1] Enquanto as trombetas eram alertas de Deus ao mundo ímpio, as taças falam da cólera consumada de Deus. As trombetas são uma advertência, enquanto as taças falam da consumação da ira de Deus sobre os ímpios. Nas trombetas a ira de Deus estava misturada com a misericórdia, mas nas taças vemos a ira de Deus sem mistura. Quem se recusa a ser admoestado pelas trombetas do juízo (Apocalipse 8-11), é destruído pelas taças da ira (Apocalipse 15-16). William Hendriksen diz que para um indivíduo, uma certa calamidade pode ser uma trombeta de juízo, enquanto que para outro, aquele mesmo evento, pode ser uma taça da ira. Assim, a enfermidade que arrojou o rei Herodes Agripa ao inferno serviu de advertência para os outros.[2]

É um princípio constantemente repetido e enfatizado nas Escrituras, que Deus sempre adverte antes de finalmente punir (dilúvio, Sodoma, Egito, Jerusalém, juízo final). Enquanto as trombetas atingem primeiramente o ambiente onde vive o homem, as taças atingem desde o início os homens. Enquanto as trombetas causam tribulações parciais, objetivando trazer ao arrependimento os impenitentes, as taças mostram que a oportunidade de arrependimento está esgotada. As trombetas atingem apenas um terço da natureza e dos homens, as taças trazem uma destruição completa. Enquanto nos selos e nas trombetas há um interlúdio antes da cena do juízo, agora não há mais interlúdio, as taças são derramadas sem interrupção.

Os flagelos não devem ser analisados literalmente, mas descrevem o total desamparo dos ímpios no juízo, quando a igreja já está no céu, junto ao trono. A ceifa precede a vindima.

A humanidade está dividida entre os selados de Deus e os selados da besta, entre os seguidores do Cordeiro e os seguidores do dragão, entre os que estão diante do trono e aqueles que serão atormentados eternamente.

Esta quinta seção paralela, assim como todas as outras, compreende também toda a dispensação da igreja, e termina com a cena da igreja na glória e os ímpios sob o juízo divino, na segunda vinda de Cristo.

## O primeiro flagelo: A terra é atacada (Ap 16:1-2)

Esse primeiro flagelo não é mais advertência, mas punição. Todos aqueles que não têm selo de Deus, são marcados pela besta. Não há meio termo. Quem não é por Cristo, é contra Ele. Não há neutralidade em relação a Deus. No tempo do fim a religião não será mais algo nominal: todo mundo terá de declarar lealdade a Cristo ou ao anticristo.[3] Os adoradores da besta recusaram ouvir as advertências, agora, eles estão sofrendo inevitavelmente as consequências: são atormentados.

Com respeito aos crentes em Cristo, as aflições da carne não são taças da ira de Deus (Rm 8:28). Essas aflições só atingem os adoradores da besta.

## O segundo flagelo: O mar é atacado (Ap 16:3)

Se no primeiro flagelo temos o tormento dos homens, agora temos a destruição completa. O mar se torna em sangue. A destruição não é apenas parcial, mas total. A destruição não é apenas ambiental, mas a vida acaba-se no mar. Para esse flagelo não há limites, todas as criaturas do mar morrem.

Este flagelo não fala de um acontecimento literal, mas de um símbolo patético, dramático, que representa o colapso da natureza, no dia do juízo.

## O terceiro flagelo: Os rios são atacados (Ap 16:4-7)

As fontes das águas e os rios transformam-se em fontes de sangue. A última aparição do altar foi no quinto selo, quando as almas dos santos clamavam debaixo do altar pela vindicação da justiça divina. A primeira parte da resposta de Deus àquela oração foi enviar, no lugar de punição, uma advertência com as trombetas. Mas, agora, a sua resposta se completa literalmente com uma vingança. Novamente nesse flagelo não há limites. Deus é apresentado como o juiz onipotente, justo, eterno, santo e vingador (16:5-7). O julgamento dos que martirizaram os santos corresponde ao mal que fizeram. Recebem somente o que merecem.

O julgamento de Deus atingiu um mundo rebelde, para justiça dos que foram martirizados (Ap 6:9), em resposta às orações dos santos perseguidos (13:7).

## O quarto flagelo: O céu é atacado (Ap 16:8-9)

Os pecadores que não se arrependeram quando o sol escureceu são agora punidos mediante a intensificação do calor do sol. O escurecimento do sol eles podiam perceber e ignorar; quanto ao calor, nada podem fazer a não ser senti-lo. Nessas circunstâncias, a presença de Deus é reconhecida, mas somente para ser blasfemada e não para ser reverenciada.

Deus adverte que quando suas advertências não são ouvidas, sua punição será sentida. As pessoas atingidas reconheceram tratar-se de uma ação divina; mas seus corações são tão endurecidos que aos invés de caírem de joelhos diante de Deus, eles blasfemam o seu nome e teimosos se recusam a se arrependerem e lhe darem glória.

Os homens não são santificados por meio do sofrimento, ao contrário, se fazem ainda mais iníquos e blasfemam contra Deus.

O quinto flagelo: O tormento (Ap 16:10-11)

Deus punirá os homens que não se arrependerem através da terra e do mar, através da água e do fogo, mas Ele fará mais do que isso. Quando o quinto flagelo é derramado, todo o sistema humano é lançado em completa desordem.

O trono da besta é o maior golpe de Satanás. Ele invadiu toda a estrutura da sociedade humana, fazendo uma sociedade sem Deus. O reino da besta está em oposição ao reino de Cristo. É sobre essa imponente estrutura que o quinto flagelo é derramado e daí a confusão.

Os seguidores da besta sofrerão, mas não calados; eles blasfemarão. Os ímpios não são transformados por meio do sofrimento, ao contrário, se fazem ainda mais iníquos.[4] Novamente não há qualquer traço de arrependimento. Eles preferem morder a língua a gritar: nós pecamos![5] Quanto mais severos os juízos, tanto mais duros os corações.

Existe somente um único caminho de volta para Deus: "ninguém vem ao Pai senão por mim", disse Jesus (Jo 14:6). Quem não vem pela graça, não vem de modo nenhum.

## O sexto flagelo: A destruição (Ap 16:12-16)

Apocalipse 16:12 fala que as águas do rio Eufrates secaram, abrindo o caminho para a invasão do inimigo. Os versos 13-14 nos informam sobre a tríade do mal: o dragão, a besta e o falso profeta no seu esforço de seduzir e ajuntar os reis da terra contra o Senhor. Quando Satanás e o mundo se armarem na sua luta mais terrível contra a igreja, Cristo aparecerá para livrar o seu povo e triunfar sobre os seus inimigos. Esses espíritos imundos representam ideias, planos, projetos, métodos satânicos introduzidos dentro da esfera do pensamento e ação. Essa batalha das nações contra Cristo e sua igreja é de inspiração satânica.

Apocalipse 16:15 nos fala que a derrota final do inimigo será manifestada na volta inesperada e gloriosa de Cristo. A segunda vinda será repentina e inesperada. Quando João diz que Jesus vem como ladrão, a ideia não é de astúcia nem de surpresa. O ponto de destaque, diz George Ladd, é que a segunda vinda de Jesus não é esperada.[6] Isso para os ímpios, visto que os filhos da luz estarão esperando (1Ts 5:4-6). A igreja precisa estar vigiando, esperando a volta do Senhor (Mt 24:42). Jesus ilustra o caráter imprevisto da sua volta (Mt 24:43-44; 1Ts 5:2-3).

Apocalipse 16:16 nos fala do Armagedom: lugar de muitas batalhas decisivas em Israel. Armagedom é um símbolo, mais do que um lugar. Fala da batalha final, da vitória final, quando Cristo virá em glória e triunfará sobre todos os seus inimigos.

O sexto flagelo é o último estágio da punição divina. Quando Satanás percebe que a sua derrota é inevitável, ele incita as nações contra Deus. Nessa batalha final Jesus esmaga todos os inimigos debaixo dos seus pés. É o fim. É o Armagedom. Armagedom é quando os homens que rejeitaram a Cristo terão que vê-lo na sua majestade. Eles lamentarão sobre Ele. William Hendriksen faz a seguinte exposição acerca do Armagedom:

> Armagedom é o símbolo de todas as batalhas nas quais, quando a necessidade é maior e os crentes são oprimidos, o Senhor manifesta de repente seu poder a favor de seu povo angustiado e vence o inimigo [...]. Mas a verdadeira, grande e final batalha do Armagedom coincide com aquele período quando Satanás será solto [...], quando o mundo, sob a direção de Satanás, do governo anticristão e da religião anticristã, o dragão, a besta, o falso profeta se congregam contra a igreja para a batalha final, e a necessidade é maior; quando os filhos de Deus, oprimidos por todos os lados, clamam por socorro, então Cristo aparecerá de repente e dramaticamente para livrar o seu povo. Aquela tribulação final, aquela aparição de Cristo em nuvens de glória para livrar o seu povo é o Armagedom. É por esta razão que o Armagedom é a sexta taça. A sétima é o dia do juízo.[7]

Assim, o sexto flagelo fala do ARMAGEDOM, a segunda vinda de Cristo. O sétimo flagelo fala do dia do juízo.

## O sétimo flagelo: O mundo não mais existe (Ap 16:17-21)

O derramamento do sétimo flagelo remove o tempo e a história e os substitui pela eternidade. Quando aquele dia vier, não são somente as ilhas e as montanhas da terra criadas por Deus que desaparecerão, mas as cidades, a civilização, que são a conquista do orgulho humano, inspirado por Satanás, também entrarão em colapso. Com isso, a punição Divina estará feita (16:17). O sexto flagelo traz a destruição total; o sétimo traz a extinção total. Quanto mais severos os juízos, tanto mais duros os corações. O sofrimento por si mesmo não pode levar o homem a Deus. Existe somente um caminho de volta para Deus: "ninguém vem ao Pai senão por mim" (Jo 14:6). Assim, encerra-se a série das taças com o bombardeio de cima e a gritaria de baixo.[8]

A vitória de Cristo é completa, final e esmagadora. O trono do dragão e o reinado da besta parecem invencíveis. Mas os reinos deste mundo cairão, os inimigos serão vencidos. A igreja triunfará. Cristo virá em glória e a história fechará suas cortinas. O fim terá chegado!

# Capítulo 24

## Ascensão e queda da grande meretriz
(Ap 17:1-18)

Estamos iniciando a sexta seção paralela (17-19). Mais uma vez veremos que ela culmina, e agora, de forma mais clara, na segunda vinda de Cristo, com sua vitória triunfal sobre seus inimigos: o dragão, a besta que sobe do mar, a besta que se levanta da terra, a grande meretriz e os homens que têm a marca da besta. O capítulo 17 de Apocalipse fala da natureza da grande meretriz. O capítulo 18 mostra o caráter inevitável, completo e irrevogável da queda da Babilônia e o capítulo 19 introduz o regozijo no céu por causa da completa derrota da grande meretriz, bem como o lançamento das duas bestas no lago de fogo.[1]

Nessa seção uma forte ênfase é dada à grande Babilônia. Isso, porque esse foi e é um tema fundamental para a igreja de Cristo. Adolf Pohl diz que o fato dessa ser a mais longa de todas as visões do Apocalipse revela a importância que o tema "Babilônia" tinha e tem para as igrejas.[2] O livro de Apocalipse nos mostra cinco inimigos de Cristo: O dragão, o anticristo, o falso profeta, a grande meretriz e os homens que têm a marca da besta. Esse quadro é apresentado nos capítulos 12 a 14.

Agora vamos ver a queda desses inimigos em ordem decrescente: No capítulo 17 vemos a história da grande meretriz. No capítulo 18 a sua queda completa. No capítulo 19 vemos Cristo triunfando sobre todos os seus inimigos em sua segunda vinda.

O capítulo 17 nos aponta três quadros: O primeiro faz uma descrição da grande meretriz. O segundo, descreve a besta. O terceiro, fala da vitória de Cristo e da sua igreja.

## A descrição da grande meretriz (Ap 17:1-6,18)

Seis fatos são dignos de destaque nessa descrição da grande meretriz.

Em primeiro lugar, *vejamos o contraste entre a noiva e a meretriz; entre a nova Jerusalém e a grande Babilônia.* (Ap 17:1). João recebe uma visão e ele pode contrastar essa visão com outra (21:9). Ele é chamado para ver a queda da falsa igreja e o triunfo da igreja verdadeira.

O Diabo sempre tentou imitar a Deus. Assim é que temos o contraste entre a noiva e a meretriz, a cidade santa e a grande Babilônia. A noiva fala da igreja verdadeira, a meretriz da igreja apóstata. A Babilônia fala da cidade do mundo, a nova Jerusalém da cidade de Deus.

As duas figuras representam a mesma coisa: a mulher e a cidade. Ambas as figuras representam a falsa igreja. A mulher aqui descrita é o sistema eclesiástico de Satanás. Todos os sistemas idólatras são meretrizes, suas filhas. A grande Babilônia não é apenas uma cidade, mas também é a grande meretriz. A Babilônia já havia sido mencionada (14:8; 16:19). Em ambas sua queda já havia sido prevista.

Em segundo lugar, *a grande meretriz é conhecida pela sua influência mundial* (17:1,15). A religião prostituída está presente em todos os povos. Onde Deus tem uma igreja verdadeira, Satanás levanta a sua sinagoga. A Babilônia não é apenas cultura sem Deus, mas também cultura contra Cristo. Ela sempre entra em conflito com os seguidores do Cordeiro. Ela sempre tomará um rumo anticristão se a igreja for verdadeiramente igreja.

Em terceiro lugar, *a grande meretriz é conhecida pela sua riqueza* (17:4). Suas vestes são de escarlate. Está adornada de ouro, pedras preciosas e pérolas. Ela segura em sua mão um cálice de ouro. A religião prostituída, o mundo, faz ostentação da sua riqueza e do seu luxo. Este quadro é uma descrição perfeita do mundo à parte de Cristo, blasonando sobre sua riqueza, alimentação, banquetes, carros, equipamentos, vestuário e toda a sua beleza e glória. A meretriz é atraente e repulsiva ao mesmo tempo. Martyn Lloyd-Jones comenta:

> Pensem no mundo, pensem no mundanismo, vejam-no nas ruas de qualquer cidade grande. Vejam-no e ponderem-no nos noticiários. Vejam-no nos asssim chamados informes da sociedade e, e então, uma vez feito isso, venham e leiam estes capítulos reveladores.

> Vejam o adorno, a riqueza, a luxúria, a própria devassidão do mundo; vejam a ostentação de si mesmo e de seus grandes homens e mulheres. Eis toda a sedução do mundo, o resultado da ação da grande meretriz que chama e atrai reis, príncipes, ricos mercadores e igualmente pessoas comuns. É-nos fornecido um quadro perfeito do mundo à parte de Cristo, blasonando de sua riqueza, blasonando de sua alimentação, de seus banquetes, de seus carros, de seu equipamento, de seu vestuário e de toda a sua beleza e sua glória. Mas logo em seguida leiam o que lhe acontecerá. Leiam como será destruído total e absolutamente. Oh, se ao menos compreendêssemos esse ensino, jamais nos sentiríamos tentados outra vez pelo mundanismo![3]

Em quarto lugar, *a grande meretriz é conhecida pela sua sedução* (17:2,4,5). A igreja falsa sempre se uniu aos reis e governos mundanos numa relação promíscua e devassa. O estado sempre procurou se unir à religião para conseguir os seus propósitos. Essa meretriz não se prostitui apenas com os reis, mas dá a beber do vinho da sua devassidão a todos os habitantes da terra. Ela é uma religião popular. Ela atrai as multidões. Ela não impõe limites. As heresias, o liberalismo e o sincretismo são expressões dessa grande meretriz que seduz os homens a viverem na impiedade e na devassidão. William Hendriksen diz que a Babilônia simboliza a concentração do luxo, do vício, e do encanto deste mundo. É o mundo visto como a personificação da "concupiscência da carne, a concupiscência dos olhos e a soberba da vida" (1Jo 2:16).[4]

O copo é de ouro, mas no interior do copo tem devassidão (17:4b). O que isso significa? As revistas pornográficas, o luxo, a fama, o poder mundano, as concupiscências da carne. Os governos anticristãos não destroem todos os edifícios da igreja, ao contrário, mudam alguns deles em lugares de diversão mundana. O mundo ao mesmo tempo que seduz os ímpios, persegue os cristãos. A ordem de Deus para os fiéis é sair do meio dela (18:4).

Em quinto lugar, *a grande meretriz é conhecida pela sua violência* (17:6). A meretriz que vive no luxo tem duas armas: sedução e perseguição. Ela seduz, mas também mata. Ela atrai, mas também destrói. Ela está embriagada não de vinho, mas do sangue dos santos e dos mártires. Não podemos fazer distinção entre o sangue dos santos e o sangue dos mártires. Eles são santos porque pertencem a Deus; são mártires porque morreram por Ele.[5] A Babilônia não é apenas cultura sem Deus, mas também cultura contra Cristo.[6] A Babilônia foi Roma, é a Roma papal, o mundo em todo tempo, em todo lugar, que seduz e destrói aqueles que amam a Deus. A meretriz é aquela que sempre se opõe à Noiva.

A meretriz sempre quis destruir a Noiva do Cordeiro. Ela tem perseguido e matado muitos crentes ao longo da história. Essa meretriz era Roma nos dias de João (17:18). Os santos eram despedaçados em seus circos para a diversão e passatempo do público.

Depois vieram as fogueiras inquisitoriais do catolicismo romano e os massacres dos governos totalitários. Desde o princípio da Ordem dos Jesuítas em 1540, supõe-se que 900 mil pessoas tenham perecido sob a crueldade papal. O papado ao longo da história foi quem orquestrou muitas perseguições sanguinárias: Em

1208 por ordem do papa foram exterminados os cristãos Albigenses na França. Na Espanha foram mais de 300 mil martirizados e banidos. Carlos I (1500-1550) eliminou por ordem do papa 50 mil cristãos alemães. O papa Pio V nos anos 1566 a 1572 exterminou 100 mil anabatistas. O papa Gregório XIII em 1572 organizou com os jesuítas o extermínio dos protestantes da França. No dia 24 de agosto de 1572, a famigerada Noite de São Bartolomeu, por ordem da rainha Catarina de Médici e o apoio do papa foram mortos 70 mil huguenotes na França.

Paul Johnson, tratando sobre a perseguição dos comunistas ateus no século 20, escreve:

> Muito mais pessoas foram assassinadas pelos comunistas ateus só neste século do que em todos os séculos anteriores somados! O mundo esperou até este século para que o termo "genocídio" fosse cunhado. Os estados totalitários do século XX (todos os quais foram ateus e anticristãos) mostraram ser os maiores assassinos de todos os tempos.[7]

James Kennedy, ilustre pastor da igreja Presbiteriana de Coral Ridge, em Fort Lauderdale, Flórida, a maior igreja presbiteriana dos Estados Unidos da América, citando Dr. Barret, diz que desde o início da Igreja até os dias de hoje, houve cerca de quarenta milhões de mártires cristãos. A maioria dessas mortes ocorreu neste século. Mais mártires foram mortos nas últimas nove décadas do que em todos os dezenove séculos anteriores somados.[8]

Em sexto lugar, *a grande meretriz está associada com a besta* (17:3). A igreja apóstata vai se aliar à besta. Ela está sentada sobre os povos (Ap 17:1) e sobre a besta (17:3), sobre os quais a besta governa (13:7-8). A besta é o movimento perseguidor anticristão durante toda a história, personificado em sucessivos impérios mundiais. A besta é passada, presente e futura. A meretriz representa o mundo como o centro de sedução anticristã em qualquer momento da história. Adolf Pohl diferenciando a Babilônia da besta escreve:

> É preciso diferenciar a Babilônia da besta, caracterizada por violência, guerra e subjugação. Cultura e violência podem convergir, mas também separar-se novamente (17:3,16). A besta sozinha, sem a bela cavaleira, seria uma afronta. É por isso que ela gosta de se servir da cultura e de seus recursos inebriantes. Esta é, portanto, a solução perfeita: em primeiro plano a mulher fascinante, no fundo os dentes arreganhados da besta, caso os seres humanos se tornem atrevidos demais. Os ideais ressoam nas grandes praças, porém nas ruas laterais a tropa de choque está de prontidão. Isso é o máximo que se pode oferecer sem Deus.[9]

Essa meretriz é personificada como a cidade de Roma na época de João (17:18). A cidade imperial atraía com seus prazeres os reis das nações. Roma era uma cidade louca pelos prazeres. No fim, a besta vai se voltar contra essa própria igreja apóstata para destruí-la, visto que desejará ser adorada como se fosse Deus (17:16).

## A descrição da besta (Ap 17:7-17)

A besta que João vê é a mesma que emergiu do mar (17:7-8). Essa besta recebe o trono do dragão, seu poder e autoridade. Essa besta é temida e ninguém é considerado capaz de enfrentá-la. Essa besta recebe adoração de pessoas de todos os povos e nações. Essa besta é um sistema de governo anticristão e uma pessoa. A besta é uma expressão de todo o governo anticristão que persegue a igreja ao longo dos séculos e será um homem escatológico que receberá o poder do dragão para governar por um breve tempo.

A besta tem algumas características distintivas. Ela era, não é, está para emergir do abismo e caminha para a destruição (17:8). A besta foi a personificação dos grandes impérios do passado. Já não é, porque esses impérios caíram. Está para emergir porque antes da segunda vinda, o anticristo se levantará para caminhar para a destruição. As sete cabeças da besta são sete montes e também sete reis (17:9). Ao mesmo tempo, João descreve tanto o anticristo como a meretriz como Roma (17:9,18). A Roma imperial era a expressão do governo anticristão, que agia com sedução e violência. Mas, João olha para o anticristo e vê nele também sete reis, ou sete reinos mundiais anticristãos: Egito, Assíria, Babilônia, Pérsia, Grécia, Império Romano, Reino do anticristo. Cinco reinos caíram, um existe, e outro ainda não chegou e quando chegar terá que durar pouco (17:10). Os cinco primeiros impérios já caíram. Agora João vê o Império Romano. Mas o reino do anticristo escatológico ainda não chegou e quando chegar vai durar pouco. Os Reformadores entenderam que essa sétima cabeça é o Papado Romano. Os dez chifres são dez reis (17:12-13). Esses reis são um símbolo de todos os reinos do mundo que darão suporte para o levantamento do anticristo, para se levantar contra Cristo e sua igreja.

## Ascensão e queda da grande meretriz

A besta se voltará contra a meretriz para destruí-la (17:16). Aqui o quadro muda. Por uma razão não explicada se forma uma espécie de guerra civil na sede da besta. A besta e os dez reis se voltam contra a meretriz para devastá-la. É uma espécie de caos entre os inimigos de Deus, quando eles se levantam para se destruírem (Ez 38:21). O mundo vai destruir a si mesmo. O reino de Satanás vai estar dividido contra si mesmo e não vai prevalecer. Os homens estarão desiludidos com os seus próprios prazeres.

Babilônia será despida, ridicularizada e exibida em toda a sua imundícia como bruxa que ela realmente é. A maquiagem e o adorno serão tirados, e ela será exibida em sua terrível nudez e imundícia. A Babilônia vai cair! (18:2). Os homens vão estar enfatuados com seus prazeres, mas também não se voltarão para Deus e por isso serão destruídos. Os prazeres do mundo passam. Eles não satisfazem a alma.

O sistema do mundo entrará em colapso. Os dez reis marcharão primeiro com a besta para a batalha final contra o Cordeiro. Batidos pelo Cordeiro (17:14), eles se voltam com fúria cega contra a mulher, a fim de dilacerar aquela que até aqui carregaram com admiração (17:2). A derrota diante de Cristo, portanto, é seguida da autodestruição do mundo anticristão.[10] Assim, o mundo em discórdia contra o Cordeiro, cai em discórdia contra si mesmo.

A soberania de Deus domina até mesmo sobre os seus inimigos (17:17). A soberania de Deus é absoluta no universo. Os reis da terra e até mesmo a besta estão debaixo da soberania absoluta de Deus. Ele traz esses inimigos com anzóis em seus queixos para que eles bebam do cálice da sua ira e sofram a sentença do seu juízo eterno.

## A descrição da vitória de Cristo e da igreja (Ap 17:8,14)

A vitória de Cristo é devida ao seu sacrifício (17:14). Cristo é o Cordeiro. O Cordeiro foi morto e comprou com o seu sangue aqueles que procedem de toda tribo, povo, língua e nação (5:9). A igreja vence o dragão pelo sangue do Cordeiro (12:11). O Cordeiro de Deus é vencedor em todas as batalhas. Cristo saiu vencendo e para vencer.

A vitória de Cristo é devida à sua suprema posição (17:14). Ele é o Rei dos reis e o Senhor dos senhores. Seu nome é acima de todo nome. Diante dele todo joelho precisa se dobrar. Quando Ele vier na sua glória vai matar o anticristo com o sopro da sua boca (11:11-19; 16:14-21; 19:11-21; 2Ts 2:8). Pode parecer que durante algum tempo as forças anticristãs pareçam estar ganhando o domínio (11:7; 13:7), mas quando o anticristo estiver parecendo vitorioso, sua derrota será repentina, fragorosa e final.

A vitória de Cristo será completa sobre todos os seus inimigos (17:8-11, 12-14, 15-16). A felicidade dos ímpios revela-se como uma felicidade falsa. João vê o fim da besta (17:8-11), o fim dos dez reis (17:12-14) e o fim da mulher meretriz (Ap 17:15-16). Apocalipse 19:20 mostra que tanto o anticristo como o falso profeta serão lançados no lago de fogo.

A igreja vencerá junto com Cristo (17:8,14). A igreja é a Noiva do Cordeiro. Ela é a cidade santa. A igreja vence o dragão, a meretriz e a besta. A igreja é mais do que vencedora. Embora, algumas vezes, é uma igreja mártir; mas, sempre, também, é uma igreja vencedora!

A besta tem os seus selados, mas esses perecerão com ela. Cristo também tem os seus selados, cujos nomes estão escritos no Livro da Vida e estes vão reinar para sempre com Ele. A igreja não é apenas um grupo de chamados e eleitos, mas também de fiéis. A prova da eleição é a fidelidade a Cristo. Quem não é fiel não dá provas de que é eleito.

Os prazeres do mundo terminam em desilusão, fracasso, ruína, derrota e perdição eterna. Aqueles que se deixam seduzir pela riqueza, prazeres do mundo, ao fim, estarão fascinados pela besta em vez de serem seguidores do Cordeiro. Aqueles cujos nomes estão escritos no Livro da Vida enfrentarão vitoriosamente tanto a sedução do mundo como a sua violência. Eles vencerão com o Cordeiro, pois a vitória de Cristo é completa e final!

## Capítulo 25

# As vozes da queda da Babilônia
(Ap 18:1-24)

CHARLES ERDMAN DIZ QUE a literatura do mundo possui poucas páginas que se comparem, em força dramática, à cena da queda da Babilônia apresentada pelo apóstolo João.[1]

A Babilônia é mais um símbolo do que um lugar. Babilônia refere-se à Babilônia dos tempos de Babel, à Babilônia de Nabucodonosor, a senhora do mundo; a Roma dos Césares, a Roma dos papas e a todos os impérios do mundo que se levantaram contra Deus e sua igreja. A Babilônia aqui não é apenas a Babilônia escatológica, mas a Babilônia atemporal, o mundo como centro de sedução em qualquer época.

Babilônia aqui é um símbolo da rebelião humana contra Deus. É o sistema do mundo que se opõe contra Deus. No capítulo 17, Babilônia era a grande meretriz, a religião apóstata, em contraste com a Noiva do Cordeiro, a igreja verdadeira.

No capítulo 18, a Babilônia é o mundo, a cidade da luxúria, a morada dos demônios, em contraste com a Nova Jerusalém, a cidade santa, a morada de Deus.

Warren Wiersbe, em seu comentário sobre Apocalipse, diz que João ouviu quatro vozes que sintetizam a queda da Babilônia: a voz da condenação, a voz da separação, a voz da lamentação e a voz da celebração.[2]

## A voz da condenação (Ap 18:1-3)

A queda da Babilônia é um fato consumado nos decretos de Deus (18:2). A queda registrada aqui não é a da Babilônia histórica, prevista por Isaías e Jeremias (Is 13:19-22; Jr 51:24-26). De igual forma, a queda aqui não é apenas a previsão da queda de Roma, a Babilônia simbólica (17:18), mas é a queda da Babilônia escatológica, o sistema religioso, econômico e político sem Deus e contrário a Deus (18:2). Essa queda já havia sido declarada (14:8; 17:16). A queda da Babilônia é um fato consumado na mente e nos decretos de Deus, como o é a nossa glorificação.

A Babilônia, torna-se morada de demônios enquanto a igreja é a morada de Deus (18:2). A igreja, a Noiva do Cordeiro, é a habitação de Deus (21:3), enquanto a Babilônia, a grande meretriz, torna-se habitação de aves imundas, símbolo dos demônios (Mt 13:31-32). Enquanto prostituta, ela contracenou com a mulher celestial no capítulo 12, ou com a noiva celestial do capítulo

19. Enquanto cidade ela é imagem oposta à Jerusalém celestial do capítulo 21.³ Isso significa um lugar totalmente destituído de Deus, da sua Palavra e do seu povo.

A queda da Babilônia é em razão da sua devassidão moral, espiritual e econômica (18:2-3). O sistema religioso e econômico da Babilônia poluiu o mundo todo. Esse sistema intoxicou as pessoas do mundo inteiro, levando as pessoas a adorarem o dinheiro e se prostrarem diante de outros deuses. Os homens tornaram-se mais amantes dos prazeres do que de Deus (2Tm 3:4). O dinheiro é o maior senhor de escravos do mundo. Ele é mais do que uma moeda ou um instrumento de transação comercial, ele é um deus. Os homens embriagados pelo espírito da Babilônia amaram o mundo e as coisas que há no mundo. Foram dominados pela concupiscência dos olhos, da carne e pela soberba da vida (1Jo 2:15-17). Mas esses prazeres jamais puderam satisfazer o coração dos homens. No dia em que esse sistema cair, eles ficarão totalmente desolados.

## A voz da separação (Ap 18:4-8)

A ordem de Deus é para sua igreja sair desse sistema do mundo (18:4). Em todo o tempo, a igreja de Deus deve apartar-se do mal, do sistema do mundo, da falsa religiosidade.⁴ No pecado nunca existe verdadeira comunhão. Não ganhamos o mundo sendo igual a ele.

Esse êxodo ou sair não é geográfico, assim como essa Babilônia não é geográfica. Essa Babilônia não é nenhuma cidade específica da terra, visto que o povo de Deus está espalhado por todo o mundo. Esta Babilônia tem dimensões mundiais, diz Adolf Pohl.⁵ Estamos no mundo, mas não somos do mundo. Sair da Babilônia significa não participar dos seus pecados, não ser enganado por suas tentações e seduções. Deus mandou Abraão sair da sua terra e do meio da sua parentela para conhecer e servir o Deus vivo (Gn 12:1). Deus mandou Ló deixar Sodoma antes dela ser destruída pelo fogo (Gn 19:14). Deus mandou Israel sair do Egito e não se misturar com as nações pagãs nem adorar os seus deuses. Deus ordenou à sua igreja a afastar-se desse sistema religioso e mundano (2Co 6:14-7:1).

Deus não apenas ordena a igreja a sair da Babilônia, mas dá razões para isso (18:4-8):

Em primeiro lugar, *para que a igreja não se torne cúmplice de seus pecados* (Ap 18:4). Participar da Babilônia significa ser igual a ela e afundar-se com ela.⁶ O crente não pode tornar-se participante dos pecados do mundo.⁷ Ele é santo, separado, diferente. Ele é sal e luz. Ele foi resgatado do mundo. Está no mundo, mas não é do mundo. Agora é luz no meio das trevas.

Em segundo lugar, *para que a igreja não participe dos flagelos que sobrevirão à Babilônia* (Ap 18:4). Deus pacientemente suportou os pecados da Babilônia. Mas o dia do juízo virá e então, ela sofrerá os flagelos da ira de Deus. Deus a julgará quando o cálice de seus pecados transbordar (18:5). Os que põem seu coração no mundo sofrerão terríveis consequências. Vão ser condenados com o mundo.⁸ A Babilônia semeou, ela vai colher!

Em terceiro lugar, *para que a igreja entenda quais são os critérios do julgamento divino* (18:6-8). Quais são os pecados específicos que Deus julgará? 1) Orgulho (18:7).

A soberba é a porta de entrada da tragédia. O culto a si mesmo é abominável para Deus. Ela não deu a Deus a glória e agora está sendo destruída. O mundo está sempre ostentando sua riqueza, seus banquetes, suas festas, seu brilho. Mas Deus resiste ao soberbo; 2) O culto ao prazer e à luxúria (18:7). O sistema do mundo enxerga os bens materiais e os prazeres do mundo como as coisas mais importantes da vida. Os homens trocam Deus pelo prazer. Amam mais os prazeres do que a Deus.[9] Mas no dia final esses prazeres não poderão satisfazer nem darão segurança.

Em quarto lugar, *para que a igreja entenda que o juízo de Deus virá repentinamente* (18:8). O povo de Deus não pode demorar-se em sair desse sistema do mundo, porque o juízo de Deus cairá sobre ele repentinamente e o desmantelará num só dia (Is 47:9; Jr 50:31). Quando chegar o dia do juízo não haverá escape da ira de Deus. Como diz a Escritura: "Horrenda coisa é cair nas mãos do Deus vivo" (Hb 10:31).

## A voz de lamentação (Ap 18:9-19)

Esse parágrafo mostra o lamento dos reis, dos mercadores e dos marinheiros ao verem a derrocada da Babilônia e a futilidade de seus investimentos. Ao mesmo tempo, mostra o grito de vitória da igreja de Deus no céu (18:20).

Em primeiro lugar, *vejamos o lamento dos reis e dos homens poderosos, homens de influência na terra* (18:9-10). Esses reis são os políticos e aqueles que se renderam às tentações da Babilônia e desfrutaram de seus deleites.

Babilônia ou Roma aqui é vista como o sistema político que se associou com o mundo. Os políticos, governados pela luxúria, ganância e soberba vão ficar amedrontados quando esse sistema entrar em colapso e vão chorar e lamentar em alta voz (18:9,10). Roma era o centro do comércio e da política nos dias de João. Era conhecida pela sua extravagância e luxúria. Política e economicamente as pessoas eram dependentes de Roma.

Em segundo lugar, *vejamos o lamento dos mercadores* (18:11-16). Os mercadores aqui são os empresários, negociantes e todos aqueles que têm colocado o coração nas mercadorias e deleites do mundo. Eles choram porque de repente suas mercadorias vão ficar sem valor (Lc 12:16-21). De repente tudo aquilo que lhes proporciona prazer vai desaparecer. Aquilo em que confiavam e em que tinham prazer não vai poder salvá-los.

A Babilônia, o mundo louco pelo prazer, vai ficar completamente desamparada. João cita aqui 30 artigos de luxo. Na contagem o número 4 desempenha um papel importante:[10] 1) Quatro artigos de joias (18:11-12) – mercadoria de ouro, de prata, de pedras preciosas, de pérolas; 2) Quatro tecidos de luxo (18:12) – linho finíssimo, púrpura, seda, escarlata. Foi assim que a meretriz se vestiu (Ap 17:4), mas essas coisas não têm valor permanente; 3) Quatro artigos para ornamentação (18:12) – toda espécie de madeira odorífera, todo gênero de objeto de marfim, toda qualidade móvel de madeira preciosíssima, de bronze, de ferro e de mármore; 4) Quatro artigos cosméticos (18:13) – canela de cheiro, incenso, unguento e bálsamo; 5) Quatro artigos de cozinha (18:13) – vinho, azeite, flor de farinha e o trigo; 6) Quatro artigos de mercadoria viva (18:13) – gado e ovelhas, escravos e almas humanas. Os mercadores negociam até mesmo os homens escravos como se fossem mercadoria. No Império Romano havia 60 milhões de escravos. Faziam tudo e qualquer coisa com o fim de se enriquecerem. Adolf Pohl, citando Foerster, escreve:

> Não ter escravo era considerado tão ruim como não possuir roupa ou abrigo. Cidadãos pobres tinham somente de três a quatro escravos. Dez perfazia um número apenas suficiente. Somente 200 escravos era considerado um número grande para uma casa. Algumas famílias possuíam em suas propriedades rurais e em instalações semelhantes a fábricas até dez mil escravos. Segundo uma estimativa, no primeiro século havia 23 escravos para cada homem livre.[11]

Essa lista de carregamentos que pertencem à Babilônia e perecem inclui: 1) *Reino mineral*: ouro, prata, pedras e pérolas; 2) *Reino vegetal*: linho, seda, púrpura e escarlata; 3) *Reino animal*: gado, ovelhas e cavalos; 4) *Reino humano*: os corpos e as almas dos homens. Por isso quando a Babilônia perece, o caos econômico é completo. Aqui está a queda de todas as Babilônias. É a queda final do reino do anticristo. É o fim de todas as coisas.

Em terceiro lugar, *vejamos o lamento dos homens de navegação* (18:17-19). Mencionam-se quatro classes: os pilotos, os passageiros dispostos a negociar, os marinheiros e os que ganham a vida no mar, a saber, os exportadores, os importadores, os pescadores e os mergulhadores em busca de pérolas. Vemos aqui, o desespero dos ímpios que colocaram sua confiança na riqueza e nos prazeres do mundo. Posto que os homens ímpios colocam toda a sua esperança nas riquezas e prazeres desta vida, quando o mundo e as coisas que há nele passarem, eles perecerão juntos. A única coisa que vai lhes restar é um doloroso lamento (18:18-19).

## A voz da celebração (Ap 18:20-24)

Em contraste com o lamento dos ímpios, a igreja no céu está celebrando a vindicação da justiça divina (18:20). A Babilônia que se embriagou com o sangue dos santos e perseguiu a igreja, agora está completamente desamparada. A justiça de Deus foi vindicada. O mundo passa. A Babilônia cai, mas a igreja de Cristo canta. Esta celebração não é o grito da vingança pessoal, mas o regozijo pelo justo julgamento de Deus.

A ruína total da Babilônia é demonstrada (18:21). Assim como uma pedra arrojada no fundo do mar, Babilônia cairá para não mais se levantar. Depois da morte vem o juízo[12] e depois do juízo vem a condenação eterna.[13]

A Babilônia torna-se o lugar onde todas as coisas boas estarão ausentes (18:22-23). Primeiro, não tem música: Lá só se ouve voz de lamento, e não voz de harpistas. Segundo, não tem arte criadora: Lá não tem artífice. Terceiro, não tem suprimento: Os moinhos já não moem mais. No passado, Babilônia era o mercado do mundo. Agora está como deserto. Quarto, não tem luz: As trevas são um símbolo da efusão final da ira de Deus. Deus é luz. Condenação eterna é ir para as trevas eternas, trevas exteriores. Essas trevas espessas durarão eternamente. Quinto: não tem relação de amor: Não tem casamento, nem poesia, nem sonhos.

## As vozes da queda da Babilônia

Babilônia, o sistema destruído do mundo, é um símbolo da oposição a Deus e à sua igreja (18:23b-24). Babilônia é a sede da feitiçaria, o espírito que substitui Deus por magias e também o centro de perseguição à igreja, onde os profetas e santos foram mortos. Charles Erdman, escrevendo sobre a queda da Babilônia, afirma:

> A Babilônia não é a antiga capital às margens do Eufrates, nem é a cidade do Tigre, materialmente falando, mas é Roma como símbolo espiritual, Roma que reproduz a crueldade, o poder e a luxúria de Nabucodonosor, Roma como encarnação de tudo quanto é pagão, apóstata e oposto a Cristo. Deste modo compreendida, a vemos, em parte, concretizada na Roma imperial, na Roma papal, em outras cidades ímpias e em movimentos e sistemas anticristãos.[14]

O ponto principal que devemos observar é que este mundo arrogante e sedento de prazer, a Babilônia, perecerá com todas suas riquezas e prazeres sedutores, com toda a sua cultura e filosofia anticristãs, com suas multidões que têm abandonado a Deus e vivido conforme os desejos da carne. Os ímpios sofrerão penalidade eterna. Assim Deus disse, assim Deus fará.

A grande pergunta é: Você é um cidadão da grande Babilônia, a cidade condenada ou cidadão da Nova Jerusalém, a cidade celestial?

## Capítulo 26

# Os céus celebram o casamento e a vitória do Cordeiro de Deus

(Ap 19:1-21)

ESTAMOS CHEGANDO AO momento culminante da história da humanidade. Em Apocalipse 1-11 vimos a perseguição do mundo sobre a igreja e como Deus enviou seus juízos sobre ele. Em Apocalipse 12-16, vemos como esta batalha se torna mais renhida e agora o dragão, o anticristo, o falso profeta e a grande meretriz se juntam para perseguir o Cordeiro e a sua igreja.

Nos capítulos 17 e 18 de Apocalipse vimos como o sistema do mundo, representado pela religião falsa e os sistemas político e econômico entram em colapso.

Agora João tem a visão da alegria do céu pela queda da Babilônia, a alegria do céu pelas bodas do Cordeiro e a visão da gloriosa vinda de Cristo e sua vitória retumbante sobre seus inimigos.

## Os céus celebram o triunfo final de Deus sobre a grande meretriz (Ap 19:1-6)

A meretriz que corrompia a terra e matava os servos de Deus está sendo julgada (19:2). A condenação eterna do mal e dos malfeitores é um julgamento justo e verdadeiro. Deus não pode premiar o mal. Ele é ético. Quando a Babilônia caiu, a ordem foi dada no céu: "Exultai sobre ela ó céus, e vós, santos, apóstolos e profetas, porque Deus contra ela julgou a vossa causa" (18:20). Jesus está julgando a meretriz, a falsa igreja, e casando-se com sua noiva, a verdadeira igreja. Ao mesmo tempo que a religião prostituída diz: Ai, Ai; a noiva do Cordeiro, a igreja, diz: Aleluia!

O poder do mundo, que é transitório, está caindo (19:1). A grande meretriz, o sistema religioso, político e econômico que dominou o mundo e ostentou sua riqueza, poder e luxúria entra em colapso. O mundo passa. Na segunda vinda de Cristo esse sistema estará completamente destruído.

Os céus se regozijam porque Deus está julgando os seus inimigos. Deus está no trono. Dele são a salvação, a glória e o poder. O poder da falsa religião caiu. As máscaras da falsa religião caíram. A grande meretriz, o falso sistema religioso, é condenada por dois motivos: Primeiro, ela corrompeu a terra com a sua prostituição (19:2). Ela levou as nações a se curvarem diante de ídolos. Ela desviou as pessoas do Deus verdadeiro. Ela ensinou falsas doutrinas. Ela se esforçou para produzir apóstatas em vez de discípulos de Cristo. Segundo, ela matou os servos de Deus (19:2). A falsa religião sempre se opôs à verdade e perseguiu os arautos da verdade. Ela matou os santos, os profetas, os apóstolos e muitos mártires ao longo da história.

A condenação desse sistema do mundo é eterna (19:3). Não apenas o mal será vencido, mas os malfeitores serão atormentados eternamente. A Bíblia fala sobre penalidades eternas. Não existe nada de aniquilação, mas de tormento sem fim.

A igreja e os anjos adoram a Deus porque Ele está reinando (19:4-6). Deus sempre esteve no trono. O inimigo sempre esteve no cabresto de Deus. Mas agora chegou a hora de colocar todos os inimigos debaixo dos seus pés. Agora chegou o dia do Deus todo-poderoso julgar. Todos os inimigos serão lançados no lago de fogo.

O livro do Apocalipse é o livro dos tronos. Deus agora conquista os tronos da terra. O trono do Diabo, do anticristo, do falso profeta, da Babilônia, dos poderosos do mundo estarão debaixo dos pés de Jesus. Os impérios poderosos cairão. As superpotências econômicas cairão. Os déspotas cairão. Todo joelho vai se dobrar diante do Senhor. Aleluia porque só o Senhor reina! O coro celestial é unânime: "Aleluia! Pois reina o Senhor, nosso Deus, o todo-poderoso" (19:6).

## Os céus celebram o casamento da noiva com o seu noivo, o Cordeiro de Deus (Ap 19:6-10)

A meretriz é julgada, enquanto a esposa é honrada (19:7-8). Enquanto a meretriz, a falsa igreja, é julgada, a verdadeira igreja, a esposa do Cordeiro, é honrada. Enquanto a meretriz tem suas vestes manchadas de prostituição e violência, as vestes da esposa do Cordeiro são o mais limpo, o mais puro e o mais fino dos linhos.

A esposa se atavia, mas as vestes lhe são dadas. A igreja se santifica, mas essa santificação vem do Senhor. A igreja desenvolve a sua salvação, mas é Deus quem opera nela tanto o querer como o realizar.

Os bem-aventurados convidados para as bodas e a esposa são a mesma pessoa (19:9). Essa é uma sobreposição de imagens. A noiva é a igreja e os convidados para as bodas são todos aqueles que fazem parte dela. Os convidados e a noiva são uma e a mesma coisa. A igreja é o povo mais feliz do universo. A eternidade será uma festa que nunca acaba.

O noivo é descrito como Cordeiro (19:7). Ele quer ser lembrado pelo seu sacrifício pelo pecado. Como noivo da igreja, Jesus quer ser amado e lembrado como aquele que deu a vida por sua amada, a igreja.

As bodas falam da consumação gloriosa do relacionamento de Cristo com sua igreja (19:7). O casamento de Cristo com sua igreja será um casamento perfeito, sem crise, sem divórcio. A palavra "esposa" é a tradução correta (*gene*), e não "noiva" (*numphe*).[1]

As bodas do Cordeiro podem ser melhor compreendidas quando examinamos a cultura dos hebreus. O costume matrimonial dos hebreus tinha quatro fases distintas:[2] Em primeiro lugar, *o noivado*. Era algo mais profundo do que o significado de um compromisso de noivado para nós. A obrigação do matrimônio era aceita na presença de testemunhas e a bênção de Deus era pronunciada sobre a união. Desde esse dia o noivo e a noiva estavam legalmente casados (2Co 11:2).

Em segundo lugar *o intervalo*. Durante o intervalo, o esposo pagava ao pai da noiva um dote. Nesse tempo, também, a noiva se preparava e se ataviava para receber o seu noivo. Ela devia apresentar-se a ele como noiva santa, pura, sem mácula.

Em terceiro lugar, *a procissão para a casa da noiva*. Ao final do intervalo, o noivo, saía em procissão para a casa da noiva. O noivo em seu melhor traje, era acompanhado de seus amigos que cantavam levando tochas e seguiam em direção à casa da noiva. O noivo recebia a noiva e a levava em procissão ao seu próprio lar.

Em quarto lugar, *as bodas propriamente ditas*. As bodas incluem a festa que durava sete ou quatorze dias. Agora a igreja está desposada com Cristo. Ele já pagou o dote por ela. Ele comprou a sua esposa com seu sangue. O intervalo é o período que a noiva tem para se preparar. Ao final desse tempo, o noivo vem acompanhado dos anjos para receber a sua Noiva, a igreja. Agora começam as bodas. O texto registra esse glorioso encontro: "Alegremo-nos e exultemos e demos-lhe glória, porque são chegadas as bodas do Cordeiro, cuja esposa a si mesma já se ataviou" (19:7). As bodas continuam não por uma semana, mas por toda a eternidade. Oh dia glorioso será aquele!

## Os céus se abrem para a vinda triunfal do noivo, o Rei dos reis (Ap 19:11-21)

Há vários aspectos nesse texto, dignos de nota e destaque.

Em primeiro lugar, *a aparição do Noivo, o Rei dos reis* (19:11). João vê Jesus vindo vitoriosamente do céu. O céu se abre. Desta vez o céu está aberto não para João entrar (4:1), mas para Jesus e seus exércitos saírem (19:11). A última cena da história está para acontecer. Jesus virá para a última batalha. É o tempo da grande tribulação. Satanás estará dando suas últimas cartadas. O anticristo e o falso profeta estarão seduzindo o mundo e perseguindo a igreja. Mas Jesus aparece como o supremo conquistador. Ele aparece repentinamente em majestade e glória!

Em segundo lugar, *a descrição do Noivo, o Rei dos reis* (19:11-13,15-16). Ele é fiel e verdadeiro (19:11), em contraste com o anticristo que é falso e enganador. Ele é aquele que a tudo perscruta (19:12). Seus olhos são como chama de fogo. Nada ficará oculto de seu profundo julgamento. Ele vai julgar suas palavras, obras e os segredos do seu coração. Aqueles que escaparam do juízo dos homens não escaparão do juízo de Deus. Ele é o vencedor supremo (19:12b). "Na sua cabeça há muitos diademas". Ele tem na sua cabeça a coroa do vencedor e do conquistador. Quando entrou em Jerusalém, Ele montou um jumentinho. Ele entrou como servo. Mas agora Ele cavalga um cavalo branco. Ele tem na sua cabeça muitas coroas, símbolo da sua suprema vitória. Ele é insondável em seu ser (19:12c). Isso revela que nós jamais vamos esgotar completamente o seu conhecimento. Ele é a Palavra de Deus em ação (19:13). Deus criou o universo através da sua Palavra. Agora Deus vai julgar o mundo através da sua Palavra. Jesus é o grande Juiz de toda a terra. Ele é o amado da igreja e o vingador de seus inimigos (19:13,15). Seu manto está manchado de sangue, não o sangue da cruz, mas o sangue dos seus inimigos (Is 63:2-3). Ele vem para o julgamento. Ele vem para colocar os seus inimigos debaixo dos seus pés. Ele vem para recolher os eleitos na ceifa e pisar os ímpios como numa lagaragem (14:17-20). Ele vem para julgar as nações (Mt 25:31-46). Ele é o Rei dos reis e o Senhor dos senhores (19:16). Deus o exaltou sobremaneira, deu-lhe o nome que está acima de todo nome. Diante dele todos os seus inimigos devem se dobrar: o Diabo, o anticristo, o falso profeta, os reis da terra, os ímpios.

Em terceiro lugar, *os exércitos ou acompanhantes do Noivo, o Rei dos reis* (19:14). O rei virá em glória, ao som retumbante da trombeta de Deus. Cristo descerá do céu, todo o olho o verá. Ele virá pessoalmente, fisicamente, visivelmente, audivelmente, poderosamente, triunfantemente. O Rei virá com o seu séquito: os anjos e os remidos (Mt 24:31; Mc 13:27; Lc 9:26; 1Ts 4:13-18; 2Ts 1:7-10). Um exército de anjos descerá com Cristo. Os salvos que estiverem na glória virão com Ele entre nuvens, como vencedores, montados em cavalos brancos. Todos estarão trajando vestiduras brancas. Outrora, a nossa justiça era como trapos de imundícia, mas agora, vamos vestir vestiduras brancas. Somos justos e vencedores.

Em quarto lugar, *a derrota dos inimigos pelo Rei dos reis é descrita em toda a sua hediondez* (19:17-18). Enquanto os remidos são convidados para entrar no banquete das bodas do Cordeiro, as aves são convidadas a se banquetearem com as carnes dos reis, poderosos, comandantes, cavalos e cavaleiros. Há um contraste entre esses dois banquetes: O primeiro é o banquete da ceia nupcial do Cordeiro, ao qual todos os santos são convidados (19:7-9). O segundo, o banquete dos vencidos, ao qual todas as aves de rapina são convocadas. Isso indica que todo o poder terreno chegou ao fim. A vitória de Cristo é completa!

Em quinto lugar, *o Rei dos reis triunfa sobre seus inimigos na batalha final, o Armagedom* (19:19-21). Essa será a peleja do Grande Dia do Deus todo-poderoso (16:14). Os exércitos que acompanham a Cristo não lutam. Mas, Jesus Cristo destruirá o anticristo com o sopro da sua boca pela manifestação da sua vinda (2Ts 2:8). Todas as nações da terra o verão e lamentarão sobre Ele (1:7). Quando os inimigos do Cordeiro se reunirem, então, sua derrota será total e final (19:19-21). Esta batalha Jesus a vence não com armas, mas com a Palavra, a espada afiada que sai da sua boca (19:15).

Aquele dia será dia de trevas e não de luz para os inimigos de Deus. Ninguém poderá escapar. Aquele será o grande dia da ira do Cordeiro e do juízo de Deus. O anticristo e o falso profeta serão lançados no lago de fogo, onde a meretriz também estará queimando (19:3,20). Eles jamais sairão desse lago. Serão atormentados pelos séculos dos séculos (20:10). As duas bestas são derrotadas e lançadas no lago de fogo. Os poderes seculares e todas as falsas religiões serão lançados no lago de fogo e destruídos para sempre.[3] Enquanto os inimigos de Deus estarão sendo atormentados por toda a eternidade, a igreja desfrutará da intimidade de Cristo nas bodas do Cordeiro para todo o sempre.

Em breve Cristo voltará como o Rei dos reis e Senhor dos senhores. É Cristo o senhor da sua vida hoje? Você está preparado para se encontrar com Cristo? Vigie para que aquele grande dia não apanhe você de surpresa.

**Capítulo 27**

# O milênio e o juízo final
(Ap 20:1-15)

ESTE É O CAPÍTULO MAIS polêmico do livro de Apocalipse. Não há consenso entre os estudiosos sobre sua interpretação. Os pré-milenistas creem que o milênio relatado no capítulo 20 de Apocalipse sucede cronologicamente à segunda vinda de Cristo, descrita no capítulo 19. Os amilenistas creem que o capítulo 20 é o início de outra seção paralela e não sucessão cronológica do capítulo 19. William Hendriksen coloca isso da seguinte maneira:

> Apocalipse 19:19-21 nos tem levado ao final da história, ao dia do juízo final. Em Apocalipse 20 regressamos ao princípio da dispensação atual. Assim, a conexão entre os capítulos 19 e 20

> é semelhante à que existe entre os capítulos 11 e 12. Apocalipse 11:18 anuncia "o tempo dos mortos, para que sejam julgados". O fim havia chegado. Todavia, em Apocalipse 12 volvemos ao princípio do período neotestamentário, porque Apocalipse 12:5 descreve o nascimento, a ascensão e a coroação de nosso Senhor [...]. Uma vez vista esta "ordem de eventos" ou "programa da história", não é difícil de entender Apocalipse 20. Somente é necessário recordar a ordem de sucessão: a primeira vinda de Cristo é seguida por um longo período no qual Satanás permanece atado; por sua vez isso é seguido pelo "pouco tempo" de Satanás; e o pouco tempo de Satanás é seguido pela segunda vinda de Cristo, ou seja, vinda para o juízo. Deve ficar claro para qualquer um que leia com cuidado Apocalipse 20, que os "mil anos" antecedem à segunda vinda de nosso Senhor para o juízo.[1]

A ideia de um milênio literal na terra foi fortemente combatida por Agostinho de Hipona. Os Reformadores seguiram a mesma interpretação de Agostinho. A Confissão Luterana de Augsburgo condena o quiliasmo (milênio) como "opiniões judaicas" e a Confissão Helvética, da igreja reformada, como "devaneios judaicos". A interpretação de Agostinho mantém-se até hoje.[2]

Apocalipse 19:19-21 nos leva ao final da história, ao dia do juízo. Apocalipse 20 retorna ao começo da dispensação atual. Assim, a conexão entre os capítulos 19 e 20 é semelhante à conexão dos capítulos 11 e 12. Apocalipse 11:18 anuncia o dia do juízo e Apocalipse 12:5 descreve o nascimento, ascensão e coroação de Cristo.

Assim, o milênio antecede a segunda vinda de Cristo, e não sucede a ela. O capítulo 12 introduz os cinco inimigos da igreja: o dragão, a besta, o falso profeta, a meretriz e os selados da besta. Todos caem juntos. Apenas as cenas são descritas em telas diferentes.

A interpretação de um milênio literal enfrenta várias dificuldades:

Primeiro, não encontramos essa ideia de um milênio terrenal após a segunda vinda de Cristo nos evangelhos e nas epístolas paulinas e gerais.

Segundo, o Novo Testamento ensina uma única volta de Cristo, e não duas.

Terceiro, uma interpretação literal desse número, em um livro de simbolismos, especialmente neste capítulo saturado de símbolos, é um obstáculo considerável.

Quarto, o milênio fala de Cristo reinando fisicamente aqui neste mundo, enquanto o seu ensino mostra que o seu reino é espiritual.

Quinto, a ideia de um milênio na terra e a posição de preeminência dos judeus, reintroduz aquela distinção entre judeus e gentios já abolida (Cl 3:11; Ef 2:14,19). Só existe uma igreja e uma noiva, formada de judeus e gentios.

Sexto, a ideia do milênio terrenal ensina que haverá pelo menos duas ressurreições, uma de crentes antes do milênio e outra de ímpios depois do milênio e isto está em oposição ao que o restante da Bíblia ensina (Jo 5:28-29; Jo 6:39,40,44,54; 11:24).

Sétimo, a ideia do milênio cria a grande dificuldade da convivência do Cristo glorificado com os santos glorificados vivendo com homens ainda na carne (Fp 3:21).

Oitavo, como conceber a ideia de que as nações estarão sob o reinado de Cristo mil anos e depois elas se rebelam totalmente contra Ele (20:7-9)?

Nono, a cena descrita por João em Apocalipse 20 de forma alguma ocorre na terra; é uma cena celestial.

Décimo, todo o ensino do Novo Testamento é que o juízo é universal e segue imediatamente à segunda vinda, mas a crença no milênio terrenal, o juízo acontece mil anos depois da segunda vinda e só para os incrédulos.

Arthur Lewis diz que constitui-se um obstáculo intransponível a ideia pré-milenista que ensina a permanência de pecadores convivendo com os santos glorificados durante o reino milenar de Cristo na terra.[3] Nesta mesma linha W. J. Grier fala dos paradoxos de um reinado terreno de mil anos: 1) Os santos glorificados estarão em uma terra ainda não "glorificada" ou renovada, isto é, ainda não purificada pelo fogo; 2) Santos, com corpos glorificados, se misturarão com santos e com pecadores que não terão corpos glorificados; 3) Satanás será acorrentado para que não mais engane as nações; apesar disso, elas continuarão, realmente, inimigas de Cristo, prontas para obedecer a Satanás e a guerrear contra os santos, tão logo termine o milênio. Os rebeldes parecem até mais numerosos que os justos, ao se findar esse período, pois são "como a areia do mar", enquanto que os santos se reúnem em um "arraial" e em uma "cidade" e só fogo vindo do céu salva o frágil agrupamento.[4] O próprio Dr. Russell Shedd, um dos mais respeitados estudiosos do Novo Testamento dos nossos dias, diz: "Nós não temos suficiente informação na Bíblia para responder a todas as perguntas levantadas. O que fica bem assentado é a esperança que João coloca no fim de seu livro. Haverá um período (se 'mil anos' é literal ou não, não nos preocupa) de paz e segurança total".[5]

O que, pois, são os mil anos? Martyn Lloyd-Jones responde:

> Sugiro-lhes que é uma figura simbólica com o intuito de indicar a perfeita extensão de tempo, conhecida de Deus, e unicamente de Deus, entre a primeira e a segunda vindas. Não são mil anos literais, mas a totalidade do período enquanto Cristo está reinando até que seus inimigos sejam feitos estrado de seus pés e Ele regresse para o juízo final.[6]

O capítulo 20 de Apocalipse pode ser dividido em quatro quadros distintos:

### A prisão de Satanás (Ap 20:1-3)

Quatro perguntas nos chamam a atenção:

Em primeiro lugar, *o que significa a prisão de Satanás?* Segundo Apocalipse 9:1,11; 11:7; 20:1-3, podemos concluir que o poço do abismo tem uma tampa (Ap 9:1) que pode ser aberta (Ap 9:2), fechada (20:3) e selada (20:3). João vê que o anjo tem a chave do abismo e uma grande corrente (20:1). Diz que ele prendeu a Satanás por mil anos (20:3). E que o fechou no abismo até completarem os mil anos. Isso tudo é um simbolismo. Um espírito não pode ser amarrado com corrente. Prendeu, fechou e selou são termos que denotam a limitação do seu poder. Satanás está limitado em sua ação de três formas: algemas, chave e selo. Nem no próprio abismo, nem sobre a terra, nem no céu ele tem poder para agir livremente.

Satanás só pode ir até onde Deus permite (Jó 1:12; 2:6). Ele está mantido sob freio.[7]

Isso significa que a sua autoridade e seu poder foram restringidos. Satanás não pode mais enganar as nações. A evangelização dos povos foi ordenada e Deus vai chamar os seus eleitos![8] A prisão de Satanás não significa que ele está inativo, fora de cena. Ele está na corrente de Deus. Essa corrente é grande. Mas ele é um inimigo limitado.

Em segundo lugar, *o que significa que Satanás não pode mais enganar as nações?* A prisão de Satanás tem a ver com a primeira vinda e não com a segunda vinda: Vários textos bíblicos comprovam isso. Em Mateus 12:29 lemos: "Ou como pode alguém entrar na casa do valente e roubar-lhe os bens sem primeiro amarrá-lo? E, então, lhe saqueará a casa." Em Lucas 10:17-18 está escrito: "Então, regressaram os setenta, possuídos de alegria, dizendo: Senhor, os próprios demônios se nos submetem pelo Teu nome! Mas Ele lhes disse: Eu via Satanás caindo do céu como um relâmpago". De igual forma em João 12:31-32 está registrado: "Chegou o momento de ser julgado este mundo, e agora o seu príncipe será expulso. E eu, quando for levantado da terra, atrairei todos a mim mesmo". Colossenses 2:15 diz: "E, despojando os principados e as potestades, publicamente os expôs ao desprezo, triunfando deles na cruz". Hebreus 2:14 afirma: "[...] para que, por sua morte, destruísse aquele que tem o poder da morte, a saber, o Diabo". 1Jo 3:8 ainda afirma: "Para isto se manifestou o Filho de Deus: para destruir as obras do Diabo". Finalmente, lemos em Apocalipse 12:5-17 que a expulsão de Satanás foi o resultado da coroação de Cristo. Assim, a amarração de Satanás começou na primeira vinda de Cristo e isso é o que provavelmente Apocalipse 20:2 significa.

Simon Kistemaker, elucidando a questão da razão da prisão de Satanás, escreve:

> Por toda a era veterotestamentária, somente a nação de Israel recebeu revelação de Deus (Rm 3:2). Embora nomes de indivíduos não judeus fossem inscritos nos registros divinos e adotados em sua família (Sl 87:4-6), as nações gentílicas estavam destituídas de sua Palavra. Mas tudo isso mudou depois que Cristo ressurgiu, quando instruiu seus seguidores a fazer discípulos de todas as nações (Mt 28:19-20). Desde a ascensão de Jesus, a Satanás se tornou impossível deter o avanço do evangelho da salvação. Ele tem estado preso e destituído de autoridade, enquanto as nações do mundo ao redor do globo têm recebido as alegres boas-novas. O Filho de Deus tomou posse dessas nações (Sl 2:7-8) e privou Satanás de desencaminhá-las durante esta era evangélica. Cristo está atraindo para si pessoas de todas as nações, e dentre elas os eleitos de Deus serão salvos e atraídos ao seu reino.[9]

A prisão ou restrição do poder de Satanás tem a ver com a obra de Cristo na cruz e com a evangelização das nações, de onde Deus chama eficazmente todos os seus eleitos. Satanás está restrito em seu poder no sentido de que não pode destruir a igreja (Mt 16:18) nem pode impedir que os eleitos de todas as nações recebam o evangelho e creiam (Rm 8:30). Satanás é impotente para evitar a expansão da igreja entre as nações por meio de um trabalho missionário ativo. A igreja é internacional. O particularismo da antiga dispensação (judeus) deu lugar ao universalismo da nova (igreja).[10]

Precisamos voltar a esse ponto e deixar bem claro que a prisão de Satanás não significa sua inatividade. Satanás está vivo e ativo no planeta terra. Mais uma vez William Hendriksen é oportuno em seu comentário:

> O Diabo não está atado em todo o sentido. Sua influência não está destruída completamente. Pelo contrário, dentro da esfera em que se lhe permite exercer sua influência para o mal, ele brama furiosamente. Um cão atado firmemente com uma longa coleira pode fazer muito dano dentro do círculo da sua prisão. Porém, fora daquele círculo o cão não pode causar nenhum dano. Apocalipse 20:1-3 nos ensina que o poder de Satanás está refreado e sua influência restringida a respeito de uma esfera definida de atividade: "para que não mais engane as nações". Claro está que o Diabo pode fazer muito durante este período de mil anos. Mas há uma coisa que ele não pode fazer durante este período! A respeito dessa coisa ele está amarrado definida e firmemente. Não pode destruir a igreja como uma poderosa organização missionária, publicadora do evangelho a todas as nações, e não pode fazê-lo até que se cumpram os mil anos.[11]

Em terceiro lugar, *o que significa o pouco tempo em que Satanás será solto depois do milênio?* William Hendriksen diz que esse pouco tempo retrata o mesmo período da grande tribulação, a apostasia e o reinado do anticristo. Esse é o tempo que antecede à segunda vinda de Cristo.[12]

Em quarto lugar, *o que significam os mil anos durante os quais Satanás é preso?* Este capítulo usa várias figuras simbólicas. O abismo, a corrente, a prisão, e também o milênio. O número mil sugere um período de completude, um período inteiro. Sugere um longo período, um período completo, o número dez cubicado. Mil anos é o tempo que vai da primeira vinda de Cristo até o tempo da grande tribulação, da apostasia, do aparecimento do homem da iniquidade, do período chamado "pouco tempo" de Satanás, que precede à segunda vinda de Cristo. É o período que Cristo está reinando até colocar todos os inimigos debaixo dos seus pés (1Co 15:23-25). Esse período do milênio precede o juízo e o juízo no ensino geral das Escrituras segue imediatamente à segunda vinda (Mt 25:31; Rm 8:20-22).

Nessa mesma linha de pensamento, o conhecido estudioso dessa matéria Antony Hoekema, afirma acerca dos mil anos:

> Sabemos que o número dez significa plenitude, e visto que mil é dez elevado à terceira potência, podemos pensar que a expressão "mil anos" é uma representação de um período completo, um período muito longo, de duração indeterminada. Coerentemente com o que foi dito anteriormente a respeito da estrutura do livro, e à luz dos versos 7-15 deste capítulo 20 (que descrevem o "pouco tempo" de Satanás, a batalha final e o juízo final), podemos chegar à conclusão que este período de mil anos se estende desde a primeira vinda de Cristo até muito pouco tempo antes da segunda.[13]

## O reinado dos salvos com Cristo no céu (Ap 20:4-6)

Esse reinado não é na terra, mas no céu (20:4). João diz que viu tronos. A palavra *tronos* aparece 67 vezes no

Novo Testamento e 47 vezes no Apocalipse. Apenas três vezes o trono está na terra e sempre se fala do trono de Satanás e do anticristo (2:13; 13:2; 16:10). Sempre que a palavra aparece em Apocalipse, esse trono está no céu. O trono de Cristo e da igreja em Apocalipse está sempre no céu.[14] Não existe neste capítulo nenhuma referência à terra nem muito menos a Palestina ou Jerusalém. A cena ocorre no céu e não terra.

Também são as almas que estão reinando. Portanto, esse reinado não pode ser na terra. João vê almas e não corpos. Simon Kistemaker diz que João é descritivo e preciso em seu vocabulário, pois não está escrevendo a expressão *almas* como sinônimo de pessoas; ele se refere às almas sem os corpos.[15] Essas almas são as mesmas descritas em Apocalipse 6:9. As almas reinam durante todo o tempo entre a morte e a ressurreição que se dará na segunda vinda de Cristo no céu. Esse tempo é chamado de período intermediário.[16] Depois da ressurreição, os salvos reinarão com corpo e alma (22:5).

Jesus está no céu e não na terra e as almas estão reinando com Ele. Os pré-milenistas creem que Cristo desceu do céu (19:11-16) e que esse reinado sucede à segunda vinda. Contudo, o ensino geral das Escrituras e o contexto do livro de Apocalipse provam o contrário. O crente quando morre vai morar com Jesus no céu (Fp 1:23; 2Co 5:8).

Qual é a missão daqueles que estão reinando com Cristo? Eles estão assentados em tronos para julgar. Os santos vão julgar as doze tribos de Israel (Mt 19:28), o mundo (1Co 6:2) e os anjos (1Co 6:3). Jesus prometeu aos vencedores que se assentariam com Ele no trono

(3:21). Os salvos estão com Ele no Monte Sião (14:1), cantam diante do trono (Ap 14:3; 15:3) e verão sua face (22:3-4). Eles participarão da glória de Cristo, pois reinarão com Ele. Os salvos estarão no céu com Cristo em glória (7:9-17). Estas almas celebram a vitória de Cristo sem cessar. Quem são esses que estão reinando com Cristo? Todos os salvos, os mártires e todos aqueles que morreram em sua fé. Os outros mortos, ou seja, os incrédulos, não tornarão a viver até que os mil anos sejam cumpridos. Nesse período entram na segunda morte.[17]

Qual é o significado da primeira ressurreição e da segunda morte? Simon Kistemaker diz que a primeira ressurreição é uma ressurreição espiritual em linha com a segunda morte, que é espiritual.[18] Aqueles que nascem somente uma vez, pelo nascimento físico, morrem duas vezes, uma física e outra eternamente. Os que nascem duas vezes morrem somente uma vez, pela morte física. Estes últimos são os remidos.[19] A regeneração é uma espécie de ressurreição espiritual (Jo 5:24; Jo 11:25-26; Rm 6:11; Ef 2:6; Cl 3:1-3). Essa é a primeira ressurreição. Ela é espiritual. Quem não passa por essa ressurreição espiritual, morre duas vezes, física e eternamente. Todos quantos são regenerados ressuscitaram com Cristo, e essa é a primeira ressurreição. A ressurreição do corpo é posterior, essa é a segunda ressurreição. A frase "primeira ressurreição", refere-se à ressurreição espiritual, uma forma de escrever "o novo homem" em Cristo que foi regenerado. Assim, quando um crente morre, sua alma imediatamente entra na glória e começa a reinar com Cristo (Fp 1:21,23; 2Tm 2:12; Ap 3:21).

## A derrota final de Satanás (Ap 20:7-10)

Essa batalha final é a mesma já descrita no capítulo anterior (20:7-9). É um equívoco pensar que a batalha final seja distinta de outras batalhas já descritas no livro de Apocalipse (16:14-21; 19:19-21; 20:7-9). O Armagedom, a batalha final aqui descrita, é a mesma descrita noutros textos. Essas não são três diferentes batalhas. Temos aqui a mesma batalha. Nos três casos é a batalha do Armagedom. É o ataque final das forças anticristãs à igreja. Armagedom (16:16) e Gogue e Magogue são a mesma batalha. É a derrota final dos inimigos de Deus.

Embora os inimigos de Deus são derrotados em descrições diferentes, eles caem todos no mesmo momento. A queda da Babilônia, do anticristo, do falso profeta, de Satanás, dos ímpios e da morte acontecem ao mesmo tempo, ou seja, na segunda vinda de Cristo, embora os relatos sejam em cenas diferentes.

As figuras usadas por João ensinam lições claras: Gogue e Magogue descrevem a batalha final contra o povo de Deus (Ez 38-39; Ap 20:7-8). Essa é uma descrição da última batalha contra o Cordeiro e sua noiva. É o Armagedom. Os exércitos inimigos são numerosos (Ap 20:8). Todo o mundo iníquo vai perseguir a igreja. A perseguição será mundial. É o último ataque do dragão contra a igreja. Essa realidade corrige dois erros: Primeiro, otimismo irreal. O mundo no tempo do fim não será de paraíso, mas de tensão profunda; segundo, pessimismo doentio. Não importa a fúria ou a força numérica do inimigo, a vitória é do Cordeiro e de sua igreja.

A derrota dos inimigos será repentina e completa (20:9-10). Essa derrota imposta ao inimigo é uma ação direta de Deus. O apóstolo Paulo diz que Cristo matará o homem da iniquidade com o sopro da sua boca na manifestação da segunda vinda (2Ts 2:8). O apóstolo João diz que o anticristo e o falso profeta são lançados no lago de fogo (19:20). Ainda diz que Satanás foi lançado no lago de fogo (20:10). Eles três são lançados juntos! São atormentados juntos para sempre!

A derrota de Satanás será o ápice da vitória de Cristo (20:10). Como Satanás é o agente principal do mal, sua derrota é descrita em último lugar. Sua condenação será eterna. Satanás não é rei nem no lago de fogo. O fogo eterno foi preparado para ele e para os seus anjos (Mt 25:41). Satanás será atormentado pelos séculos dos séculos. William Hendriksen, comentando sobre esse episódio, escreve:

> O lago de fogo é um lugar de sofrimento tanto para o corpo como para a alma depois do dia do juízo, onde estão a besta e o falso profeta. O significado não é que a besta e o falso profeta foram realmente lançados no inferno antes de Satanás, senão que já se havia descrito o castigo da besta e do falso profeta (19:20). Todos caem juntamente: Satanás, a besta, o falso profeta. Isso tem que ser verdade, porque a besta é o poder perseguidor de Satanás, e o falso profeta é a religião anticristã de Satanás. Onde quer que se encontre Satanás, ali estão os outros dois também. Nesse lago de fogo e enxofre os três são atormentados para sempre e sempre (Mt 25:46).[20]

## O juízo final (Ap 20:11-15)

Há vários pontos dignos de destaque aqui:

Em primeiro lugar, *Cristo assenta-se no trono como juiz* (20:11). O trono branco fala da santidade e da justiça do juiz e do julgamento. Diante dele o próprio universo se encolhe. A terra será redimida do seu cativeiro. A terra não será destruída, mas transformada (2Pe 3:10; At 3:21; Rm 8:21). Jesus é o juiz diante de quem todos vão comparecer (Ap 20:11; At 17:31; Jo 5:22-30). Aqueles que rejeitaram Jesus como advogado vão ter que comparecer diante dele como juiz.

Em segundo lugar, *os mortos ressuscitam para o julgamento* (20:12-14). Aqui não se trata apenas dos mortos ímpios, mas de todos os mortos, de todos os tempos, de todos os lugares. A ideia de duas ressurreições físicas não tem base bíblica consistente (Dn 12:2; Jo 5:28-29; Jo 6:39,40,44,54; Jo 11:24; At 24:15). Aqui é a única ressurreição geral de todos os mortos, de todos os tempos, que acontece no último dia.[21] Crentes e ímpios ressuscitam no mesmo dia.[22] William Hendriksen diz que em nenhuma parte da Bíblia lemos de uma ressurreição dos corpos dos crentes, seguida, depois de mil anos, por uma ressurreição dos corpos dos incrédulos.[23] Ainda diz Hendriksen que a morte, ou seja, a separação da alma do corpo, e o Hades, o estado de separação, deixam de existir. Depois da segunda vinda de Cristo para o juízo, não haverá mais nenhuma separação entre o corpo e a alma nem no novo céu e na nova terra nem mesmo no inferno. Portanto, falando simbolicamente, a morte e o Hades, agora personificados, são lançados no lago de fogo.[24] O julgamento será universal e também individual

(20:13). Um por um será julgado segundo as suas obras. Ninguém escapará.

Em terceiro lugar, *os mortos serão julgados segundo as suas obras* (20:12). Esse julgamento será justo e universal.[25] Os livros serão abertos e todos serão julgados segundo o que está escrito nos livros: seremos julgados pelas palavras, obras, omissão e pensamentos. A graça de Deus e a responsabilidade humana caminham juntas. Pelas obras ninguém poderá ser justificado diante de Deus. Pelas obras todos serão indesculpáveis. O juízo final será diferente dos tribunais da terra: Lá terá um juiz, mas não jurados; acusação, mas não defesa; sentença, mas não apelo. A única maneira de escapar desse julgamento é confiar agora no Senhor Jesus Cristo (Jo 5:24).

Em quarto lugar, *o critério para a salvação não são as obras, mas a graça* (20:15). Ninguém pode ser salvo pelas obras, por isso o Livro da Vida é aberto. Quem tem o nome escrito nele não é lançado no lago de fogo. Isso já nos mostra que os salvos estão participando desse julgamento (2Co 5:10; Rm 14:10). Os que não têm o nome escrito no Livro da Vida são lançados dentro do lago do fogo, a segunda morte. Somente os salvos terão seus nomes no Livro da Vida (Fp 4:3; Ap 13:8; 17:8; 20:15; 21:27; Lc 10:20).

Em quinto lugar, *a própria morte e o inferno serão lançados no lago de fogo* (20:14). A morte é o estado e o Hades é o lugar. Esses dois andam conectados (6:8). Quando a morte e o inferno são lançados no lago de fogo,[26] finda também a autoridade que exerciam no tempo cósmico. O lago de fogo é o lugar onde os ímpios viverão para sempre separados do Deus vivo e sofrerão eternamente os tormentos do inferno.²⁷ É o lugar onde os ímpios passarão a eternidade. A morte é o último inimigo a ser vencido; o inferno é lugar onde os ímpios são atormentados. Assim, como já dissemos, depois da segunda vinda e do juízo não haverá mais separação entre o corpo e a alma nem no céu nem no inferno. A vitória de Cristo sobre os seus inimigos será completa afinal.

Em sexto lugar, *os tormentos dos inimigos de Deus e dos ímpios serão eternos* (20:10,15). A Bíblia não ensina universalismo nem aniquilacionismo; antes, fala de penalidades eternas. Loraine Boetner diz corretamente que a morte eterna não é a supressão do ser, mas sim, do ser feliz.²⁸ O sofrimento dos ímpios no lago de fogo é indescritível (Lc 16:19-31). Ali será um lugar de choro e ranger de dentes (Mt 13:50; 22:13). Jesus diz que o tormento será eterno (Mt 25:46). O apóstolo Paulo diz: "Estes sofrerão penalidade de eterna destruição, banidos da face do Senhor e da glória do seu poder" (2Ts 1:9). Rene Pache diz que são várias as imagens que a Bíblia usa para descrever esse lugar de tormento: fogo, verme que morde sem cessar, vergonha eterna, choro e ranger de dentes, trevas, perdição e exclusão.²⁹

O lago de fogo é estado e lugar. Enquanto os salvos têm seus nomes no Livro da Vida e deleitar-se-ão em Deus e reinarão com Cristo pelos séculos dos séculos, os ímpios serão banidos da presença de Deus e lançados no lago de fogo para serem atormentados por toda a eternidade. Rene Pache, em suma, diz que a vida eterna consiste em obter o conhecimento de Deus e em morar em sua presença; a morte eterna, ou a segunda morte, significa, ver-se definitivamente privado da presença de Deus.³⁰

Você está preparado para o dia do juízo? De que lado você estará naquele tremendo dia? Você está seguro, debaixo do sangue do Cordeiro ou ainda está sob o peso e condenação dos seus pecados? Hoje, é o tempo oportuno; hoje é o dia da salvação!

# Capítulo 28

## As bênçãos do novo céu e da nova terra
### (Ap 21:1-8)

A HISTÓRIA JÁ FECHOU AS SUAS cortinas. O juízo final já aconteceu. Os inimigos do Cordeiro e da igreja já foram lançados no lago de fogo. Os remidos já estão na festa das Bodas do Cordeiro.

Este texto é a apoteose da revelação. O paraíso perdido é agora o paraíso reconquistado. O homem caído é agora o homem glorificado. O projeto de Deus triunfou. O tempo cósmico se converteu em eternidade.

Winston Churchill disse que a decadência moral da Inglaterra era devido ao fato que os pregadores tinham deixado de pregar sobre o céu e o inferno.

A pregação sobre o céu traz profundas lições morais para a igreja hoje: 1) Jesus alerta para ajuntarmos tesouros no céu;[1]

2) Paulo diz que devemos pensar no céu;[2] 3) Jesus ensinou que devemos orar: "Seja feita Tua vontade na terra como no céu";[3] 4) O céu nos estimula à santidade;[4] 5) O céu nos ajuda a enfrentar o sofrimento;[5] 6) O céu nos ensina a renunciar agora em favor da herança futura;[6] 7) O céu nos livra do medo da morte.[7] W. A. Criswell, um dos maiores pregadores batistas do século 20, disse: "O céu é um lugar preparado para aqueles que foram preparados para ele".[8] Disse ainda: "Não há dor na terra que o céu não possa curar".[9]

Vejamos as principais lições deste glorioso texto:

### O que são o novo céu e a nova terra?

A redenção alcançou não só a igreja, mas todo o cosmos (21:1). A natureza está escravizada pelo pecado (Rm 8:20-21). Ela está gemendo aguardando a redenção do seu cativeiro. Quando Cristo voltar, a natureza será também redimida e teremos um universo completamente restaurado.

Deus não vai criar novo céu e nova terra, mas vai fazer do velho um novo (21:1). O novo céu e a nova terra não são um novo que não existia, mas um novo a partir do que existia (Is 65:17 e 66:22). Assim como nosso corpo glorificado é a partir do nosso corpo, assim será o universo. O céu e a terra serão purificados pelo fogo (2Pe 3:12-13). Não é aniquilamento, mas renovação. Não é novo de edição, porque há continuidade entre o antigo e o novo.

Não vai mais existir separação entre o céu e a terra (21:1,3). O céu e a terra serão a habitação de Deus e de sua igreja glorificada. Então, se cumprirão as profecias de que a terra se encherá do conhecimento do Senhor, como as águas cobrem o mar (Hc 2:14). Esse tempo não vai durar apenas mil anos, mas toda a eternidade. De acordo com Apocalipse 21:3, a totalidade da igreja glorificada, descerá do céu à terra. Ela vem como a noiva do Cordeiro para as bodas (19:7). Assim, aprendemos que a igreja glorificada não permanecerá apenas no céu, mas passará a eternidade também na nova terra. À luz de Apocalipse 21:3 aprendemos que a morada de Deus já não está longe da terra, mas na terra. Onde Deus está, ali é céu. Assim, a igreja glorificada estará vivendo no novo céu e a nova terra.

Alguns estudiosos aceitam o conceito da aniquilação do atual cosmos e de uma descontinuidade absoluta entre a antiga terra e a nova. A despeito dos eventos cataclísmicos que acompanharão o juízo sobre esta terra, rejeitamos o conceito de aniquilação total a favor da renovação com base nos seguintes argumentos:

Em primeiro lugar, *tanto 2Pedro 3:13 como Apocalipse 21:1 usam o vocábulo kainós e não neós*. O primeiro é novo em natureza ou em qualidade. Assim, a expressão "novos céus e nova terra" significa não a aparição de um cosmos totalmente diferente do atual, mas a criação de um universo que, apesar de haver sido gloriosamente renovado, mantém continuidade com o presente.

Em segundo lugar, *o argumento do apóstolo Paulo em Romanos 8:20-21*. Paulo afirma que a criação espera com anelo ardente a revelação dos filhos de Deus para ser libertada da escravidão da corrupção. Obviamente Paulo está dizendo que é a presente criação a que será liberta da corrupção e não alguma criação totalmente diferente.

Em terceiro lugar, *a analogia existente entre a nova terra e os corpos que receberemos na ressurreição* (1Co 15:35-49). Em relação à ressurreição haverá tanto continuidade como descontinuidade entre o corpo presente e o corpo da ressurreição. As diferenças entre nossos corpos atuais e nossos corpos da ressurreição, não tiram a continuidade. Serão nossos corpos que serão ressuscitados e somos nós que estaremos para sempre com o Senhor. Por analogia é lógico esperar que a nova terra não será totalmente diferente da presente, mas será a presente terra maravilhosamente renovada.

Em quarto lugar, *se Deus precisasse aniquilar o cosmos atual, Satanás teria tido uma grande vitória.* Deus revelará a dimensão total dessa terra sobre a qual Satanás enganou a raça humana, e então, tirará todos os resultados e vestígios do pecado.

O apóstolo João diz que não haverá mais nenhuma contaminação (21:1): "E o mar não mais existirá". Isso é um símbolo. Aqui o mar é o que separa. João foi banido para a ilha de Patmos. Quando João diz que o mar já não mais existirá, está afirmando que nossa comunhão no céu será perfeita, plena e eterna. O mar aqui, ainda, é símbolo daquilo que contamina (Is 57:20). Também, o mar é símbolo daquilo que ameaça a harmonia do universo. Por isso, do mar emerge a besta que perseguirá a igreja (13:1). Ausência do mar, é ausência de qualquer coisa que interfira com dita harmonia. No novo céu e nova terra não haverá mais rebelião, contaminação e pecado. Adolf Pohl diz: "O mar significa aqui o local de gestação do satânico, da rebelião contra Deus e sua boa criação. Do 'mar' ergueu-se a besta com sua blasfêmia, sedução, perseguição e assassinato. Essa fonte maligna nunca mais jorrará da nova criação".[10]

## Quem não vai estar no novo céu e na nova terra? (Ap 21:8)

Em primeiro lugar, *vão ficar de fora os que são indiferentes ao evangelho* (21:8a). Os covardes falam dos indecisos, daqueles que temem o perigo e fogem das consequências de confessar o nome de Cristo.[11] Os covardes, embora convencidos da verdade preferem não se comprometer. Eles têm medo de perder os prazeres deste mundo. Têm medo de ser perseguidos. Não têm coragem de assumir que são de Jesus. Os incrédulos são aqueles que buscam outro caminho para a salvação e rejeitam a oferta gratuita do evangelho. Os incrédulos são aqueles que buscam a religião e não a Cristo e entram pelo atalho das obras, pensando receber através delas a vida eterna. No mundo multiplicam-se as religiões e escasseia a fé salvadora, pois largo é o caminho que leva à perdição.

Em segundo lugar, *vão ficar de fora os que são moralmente corrompidos* (21:8b). Os abomináveis são aqueles que perderam a vergonha, o pudor e se entregaram abertamente ao pecado e aos vícios do mundo. São aqueles que escarnecem da santidade, festejam a desonra, aplaudem o vício, zombam da virtude, vituperam o sagrado e escarnecem de Deus. Os assassinos são aqueles que desrespeitam a sacralidade da vida e atentam contra o próximo para tirar-lhe a vida. Os impuros são aqueles que se entregam a toda sorte de luxúria, lascívia e perversão moral. A depravação moral está chegando a limites quase insuportáveis nesses dias. A indústria pornográfica prolifera assustadoramente. A infidelidade conjugal cresce vertiginosamente. O sexo pré-marital é recomendado como prova de amor. A sociedade contemporânea faz Sodoma e Gomorra sentirem-se por demais puritanas.

Em terceiro lugar, *vão ficar de fora os que são religiosamente desobedientes* (21:8c). Os feiticeiros são aqueles que vivem na prática da feitiçaria, ocultismo e espiritualismo. São aqueles que invocam os mortos, os demônios, e desprezam o Senhor. São aqueles que creem que são dirigidos pelos astros. São aqueles que são viciados em drogas (*farmakeia*). Os idólatras são aqueles que adoram, veneram e se prostram diante de ídolos e são devotos de santos.

Em quarto lugar, *vão ficar de fora os que não são confiáveis na palavra* (21:8d). Os mentirosos são aqueles que falam e não cumprem o que falam. Falam uma coisa e fazem outra. São aqueles em quem não se pode confiar. A nossa sociedade é a sociedade da mentira, do engano, do engodo, da farsa, da propaganda falsa, da balança enganosa, do comércio pirata, da sonegação fiscal, dos conchavos políticos vergonhosos, dos acordos escusos, dos embustes sórdidos, dos subornos criminosos, da impunidade imoral. A mentira procede do maligno. Os mentirosos são aqueles que encobrem seus erros. Deus coloca fora dos portões da Nova Jerusalém aqueles que amam mais o pecado do que a Deus.

## O que não vai entrar no novo céu e na nova terra? (Ap 21:4)

No novo céu e na nova terra não haverá dor (21:4). A dor é consequência do pecado. A dor física, moral, emocional, espiritual não vão entrar no céu. Não haverá mais sofrimento. Não haverá mais enfermidade, defeito físico, cansaço, fadiga, depressão, traição, decepção. O céu é céu por aquilo que não vai ter lá. As primeiras coisas já passaram. O que fez parte deste mundo de pecado não vai ter acesso lá. Aquilo que nos feriu e nos machucou não vai chegar lá.

No novo céu e na nova terra não haverá mais lágrimas (21:4). Não haverá choro nas ruas da nova Jerusalém. Este mundo é um vale de lágrimas. Muitas vezes encharcamos o nosso leito com nossas lágrimas. Choramos por nós, por nossos filhos, nossa família, nossa igreja, nossa nação. Entramos no mundo chorando e saímos dele com lágrimas, mas no céu não haverá lágrimas. Deus é quem vai enxugar nossas lágrimas. Não é autopurificação. Deus é quem toma a iniciativa.

No novo céu e na nova terra não haverá luto nem morte (21:4). A morte vai morrer e nunca vai ressuscitar. Ela será lançada no lago de fogo. Ela não pode mais nos atingir. Fomos revestidos da imortalidade. No céu não há vestes mortuárias, velórios, enterro, cemitério. No céu não há despedida. No céu não há separação, acidente, morte, hospitais. Na Babilônia se calam as vozes da vida (18:22-23), mas na Nova Jerusalém se calam as vozes da morte (21:4)!

## Quem vai estar no novo céu e na nova terra? (Ap 21:2)

A cidade santa, a nova Jerusalém, a noiva adornada para o seu esposo é quem vai habitar o novo céu e a nova terra (21:2). A igreja glorificada, composta de todos os remidos, de todos os lugares, de todos os tempos, comprada pelo sangue do Cordeiro, amada pelo Pai, selada pelo Espírito Santo é a cidade santa, a nova Jerusalém em contraste com a grande Babilônia, a cidade do pecado. Ela é noiva adornada para o seu esposo em contraste com a grande meretriz. O Senhor só tem um povo, uma igreja, uma família, uma noiva, uma cidade santa.

Essa cidade desce do céu, é do céu, vem de Deus (21:2). Não se constrói de baixo para cima. Toda construção que partia da terra para cima levou à Babilônia, nunca à cidade de Deus.[12] A Babilônia tentou chegar ao céu por seus esforços e foi dispersa em Babel. Mas a cidade santa, vem do céu, tem sua origem no céu, foi escolhida, chamada, amada, separada, santificada e adornada por Deus para o seu Filho. Deus é o seu arquiteto e construtor (Hb 11:10).

Essa noiva foi adornada para o seu esposo (21:2). O próprio Noivo a purificou, a lavou, a adornou para que a noiva fosse apresentada a Ele pura, santa, imaculada, sem ruga e sem defeito. A noiva foi amada, comprada, amparada, consolada, restaurada, glorificada.

## Por que a noiva vai morar no novo céu e na nova terra? (Ap 21:6-7)

Três são as razões elencadas pelo apóstolo João:

Em primeiro lugar, *a igreja, a noiva do Cordeiro, vai estar no novo céu e na nova terra porque Deus já completou toda a obra da redenção* (21:6). Escreve o apóstolo: "Feito está". Esta é a terceira vez que Cristo usa esta expressão: 1) João 19:30: o preço da redenção foi pago; 2) Apocalipse 16:17: o flagelo final na segunda vinda de Cristo; 3) Apocalipse 21:6: quando Cristo houver de entregar a Deus Pai o Reino. Tudo está feito. Tudo provém de Deus. Não há aqui sinergismo. Não cooperamos com Deus para a nossa salvação. Ele fez tudo. Ele planejou, executou e aplicou a salvação. Deus é o começo e o fim. De eternidade a eternidade Ele está comprometido com a nossa salvação.

Em segundo lugar, *a igreja, a noiva do Cordeiro, vai estar no novo céu e na nova terra por causa da graça de Deus* (21:6b). Os sedentos bebem de graça da água da vida. Todos os que têm sede podem saciá-la. Todos os que buscam encontram. Todos os que vêm a Cristo, Ele os acolhe, não por seus méritos, não por suas obras, mas pela graça. É de graça!

Em terceiro lugar, *a igreja, a noiva do Cordeiro, vai estar no novo céu e na nova terra, porque permaneceu fiel* (21:7). Todo crente deve lutar diariamente contra o pecado, o Diabo e o mundo. O vencedor é o que crê, o que persevera, o que põe a mão no arado e não olha para trás.

## Por que o novo céu e a nova terra serão lugares de bem-aventurança eterna? (Ap 21:2,3,7)

O apóstolo João nos oferece quatro razões:

Em primeiro lugar, *porque a vida no novo céu e na nova terra será como uma festa de casamento que nunca termina* (21:2). As bodas passavam por quatro fases: 1) Compromisso; 2) Preparação; 3) A vinda do noivo; 4) A festa. O céu é uma festa com alegria, celebração e devoção. Exaltaremos para sempre o noivo. Deleitar-nos-emos em seu amor. Ele se alegrará em nós como o Noivo se alegra da sua noiva.[13] Esta festa nunca vai acabar!

Em segundo lugar, *porque o novo céu e a nova terra serão profundamente envolvidos pela presença de Deus* (21:3). O céu é céu porque Deus está presente. Depois que o véu do templo foi rasgado de alto a baixo Deus não habita mais no templo, mas na igreja. O Espírito Santo enche não o templo, mas os crentes. Agora somos o santuário onde Deus habita.[14] Agora somos um reino de sacerdotes. Veremos Cristo face a face. Vê-lo-emos como Ele é. Ele vai morar conosco. Não vai haver mais separação entre nós e Deus. A glória do Senhor vai brilhar sobre nós. O Cordeiro será a lâmpada da cidade santa.

Em terceiro lugar, *porque no novo céu e na nova terra teremos profunda comunhão com Deus* (21:3b). Deus habitará com eles. Eles serão povos de Deus. Aqui caem as divisas não só do Israel étnico, como das denominações religiosas. Lá não seremos um povo separado, segregado, departamentalizado. Lá não seremos presbiterianos, batistas, assembleianos ou qualquer outro segmento religioso. Seremos a igreja, a noiva, a cidade santa, a família de Deus, o povo de Deus. Jesus disse que o céu é a casa do Pai, o nosso lar (Jo 14:2), um lar com muitas moradas, um lugar de segurança, um lugar de descanso, um lugar de perfeito entendimento e amor, um lugar de permanência.[15]

Em quarto lugar, *porque no novo céu e na nova terra desfrutaremos plenamente da nossa filiação* (21:7). A igreja é noiva do Cordeiro e filha do Pai. Tomaremos posse da nossa herança incorruptível. Desfrutaremos das riquezas insondáveis de Cristo. Seremos co-herdeiros com Ele. Seremos filhos glorificados do Deus todo-poderoso e reinaremos com o Rei dos reis!

*As bênçãos do novo céu e da nova terra*

Segundo Warren Wiersbe, podemos ver neste parágrafo uma síntese de gloriosas verdades: A primeira revelação – A cidade de Deus (v. 2); a segunda revelação – A habitação de Deus (v. 3); a terceira revelação – O mundo de Deus renovado (v. 4,5a); a quarta revelação – O trabalho de Deus validado (v. 5b); a quinta revelação – O trabalho de Deus terminado (v. 6a); a sexta revelação – A última bênção (v. 6b) e a sétima revelação – A última maldição de Deus (v. 8).

## Capítulo 29

# O esplendor da Nova Jerusalém, a noiva do Cordeiro
(Ap 21:9-22; 22:1-5)

Em Apocalipse 17:1-3, João é convidado para ver a queda da grande meretriz, Babilônia, a cidade do pecado. A falsa igreja, foi consumida pelo fogo. Agora, João é chamado pelo mesmo anjo para ver o esplendor da Nova Jerusalém, a cidade santa, a noiva do Cordeiro (21:9,10). No Apocalipse, o nome *Jerusalém* ocorre somente aqui e em 3:12. É uma alusão não à capital de Israel, mas à cidade espiritual de Deus.[1] A cidade eterna não é somente o lar da noiva, ela é a noiva.[2] A cidade não são os edifícios, mas pessoas. A cidade é santa e celestial. Ela desce do céu. Sua origem está no céu. Ela foi escolhida por Deus.

João vai, agora, contemplar o esplendor da Nova Jerusalém, a noiva do Cordeiro. Diz Russell Shedd que tanto a noiva (21:9) como a "cidade santa" (21:2) são figuras para representar a Igreja.[3] Ele fala de seu fundamento, de suas muralhas, de suas portas, de suas praças, de seus habitantes:

## A Nova Jerusalém é bonita por fora – ela reflete a glória de Deus (Ap 21:11)

Quando João tentou descrever a glória da cidade, a única coisa que pôde fazer foi falar em termos de pedras preciosas, como quando tentou descrever a presença de Deus no trono (4:3).

A glória de Deus habitava no santo dos santos no tabernáculo e no templo. Agora, a glória de Deus habita nos crentes. Mas a igreja glorificada, a noiva do Cordeiro, terá sobre si a plenitude do esplendor de Deus. A *shekiná* de Deus vai brilhar sobre ela eternamente.

Assim como a lua reflete a luz do sol, a igreja vai refletir a glória do Senhor. Essa glória é indescritível (21:11), como indescritível é Deus (4:3). A igreja é bela por fora. Ela é como a noiva adornada para o seu esposo. Não tem rugas. Suas vestes estão alvas.

## A Nova Jerusalém é bonita por dentro (Ap 21:19-20)

A Nova Jerusalém não é bonita só do lado de fora, mas também do lado de dentro. Ninguém coloca pedras preciosas no fundamento. Mas no alicerce dessa cidade estão doze espécies de pedras preciosas. Há beleza, riqueza e esplendor no seu interior. Não há coisa feia dentro dessa igreja. Não há nada escondido, nada debaixo do tapete. Essa igreja pode passar por uma profunda investigação. Ela é bonita por dentro!

### A Nova Jerusalém é aberta a todos (Ap 21:13,25)

A cidade tem doze portas: ela tem portas para todos os lados. Isso fala da oportunidade abundante de entrar nesse glorioso e maravilhoso companheirismo com Deus.[4] Venham de onde vierem, as pessoas podem entrar. Os habitantes dessa cidade são aqueles que procedem de toda tribo, povo, língua e nação. São todos aqueles que foram comprados com o sangue do Cordeiro. Não há preconceito nem acepção de pessoas. Todos podem vir: pobres e ricos, doutores e analfabetos, religiosos e ateus, homens e mulheres.

A cidade é aberta a todos. Há portas para todos os lados. O Noivo convida: Vem! A noiva convida: Vem! Quem tem sede recebe a água da vida! Nesta cidade os santos do Velho e do Novo Testamento estarão unidos. A cidade é formada de todos os crentes da antiga dispensação (21:12) e da nova dispensação (21:14). Nenhum daqueles que foram remidos ficará de fora dessa gloriosa cidade.

### A Nova Jerusalém não é aberta a tudo (Ap 21:12,27)

A cidade tem uma grande e alta muralha. A muralha fala de proteção, de segurança. Embora haja portas (21:13) e portas abertas (21:25), nem todos entrarão nessa cidade (21:27). Embora as portas estejam abertas, em cada porta há um anjo (21:12). Assim como Deus colocou um anjo com espada flamejante para proteger a árvore da vida no Éden, assim, também, há um anjo em cada porta. O muro demarca a santidade da cidade (Ap 21:10), separando o puro do impuro (21:27). Deus é o muro de fogo que protege sua igreja (Zc 2:5). A igreja está segura e nada pode perturbá-la na glória.

O pecado não pode entrar na Nova Jerusalém (21:27a). O Diabo também não pode entrar na Nova Jerusalém, visto que já foi lançado no lago do fogo. Embora a igreja seja aberta a todos, não é aberta a tudo. Muitas vezes a igreja, hoje, tem sido aberta a tudo, mas não aberta a todos.

Aqueles que se mantêm no seu pecado não podem entrar na Jerusalém celeste, mas somente aqueles cujos nomes estão no Livro da Vida (21:27b). Somente os remidos, os perdoados, os lavados, os arrependidos, os que creem podem entrar pelas portas da cidade santa.

## A Nova Jerusalém está construída sobre o fundamento da verdade (Ap 21:14)

O fundamento dos apóstolos fala da teologia da igreja. A igreja está edificada sobre o fundamento dos apóstolos (Ef 2:20). Isso refere-se à doutrina apostólica, à verdade recebida e proclamada pelos apóstolos. A pedra sobre a qual a igreja está edificada não é Pedro nem nenhum papa.[5] Jesus Cristo é o único fundamento da igreja (1Co 3:11). A igreja do céu, a noiva do Cordeiro, a Nova Jerusalém, está edificada sobre o fundamento dos apóstolos, sobre a verdade revelada, sobre as Escrituras. Assim, a Nova Jerusalém não está edificada sobre Pedro, sobre visões e revelações forâneas às Escrituras. A Palavra de Deus é sua base. Não é uma igreja mística nem liberal. Ela é logocêntrica!

## A Nova Jerusalém tem espaço para todos os remidos (Ap 21:15-17)

A cidade é quadrangular: comprimento, largura e altura iguais. A cidade tem doze mil estádios, ou seja, 2.200 Km de comprimento, de largura e de altura. Não existe nada parecido no planeta. É uma cidade que vai de São Paulo a Aracaju. Na Nova Jerusalém, a maior montanha da terra, o pico Everest, desaparece mais de duzentas e quarenta vezes.[6] Essa cidade é um verdadeiro cosmos de glória e santidade. É óbvio que esses números representam a simetria, a perfeição, a vastidão e a totalidade ideais da Nova Jerusalém.[7]

Não existem bairros ricos e pobres nessa cidade. Toda a cidade é igual. Não há casebres nessa cidade. Existem, sim, mansões, feitas não por mãos.[8] Deus é o arquiteto e fundador dessa cidade.

A muralha da cidade mede 144 côvados, ou seja 70 metros de altura. A medida da cidade é um símbolo da sua majestade, magnificência, grandeza, suficiência. Essas medidas indicam a perfeição da cidade eterna. Nada está fora de ordem ou fora de equilíbrio.

## A Nova Jerusalém é lugar onde se vive em total integridade (Ap 21:18,21b)

Não apenas a cidade é de ouro puro, mas a praça da cidade, o lugar central, onde as pessoas vivem é de ouro puro, como vidro transparente. Tudo ali vive na luz. Tudo está a descoberto. Nada escondido. Nada escamoteado. A integridade é a base de todos os relacionamentos.

## A Nova Jerusalém é o lugar de plena comunhão com Deus (Ap 21:22)

No Antigo Testamento a presença de Deus estava no tabernáculo, depois no templo. Mas, depois que o véu do templo foi rasgado, Deus veio para habitar na igreja. O Espírito Santo enche agora não um edifício, mas os crentes.

Na Nova Jerusalém não haverá templo, porque a igreja habitará em Deus e Deus habitará na igreja. Hoje Deus habita em nós, então, vamos habitar em Deus. Isso é plena comunhão! A vida no céu será marcada não por religiosidade, mas por comunhão com Deus.

## A Nova Jerusalém é o lugar da manifestação plena da glória de Deus (Ap 21:23-24)

A cidade será iluminada não mais pelo sol ou pela lua. A glória de Deus a iluminará. A lâmpada que reflete a glória de Deus é o Cordeiro. Cristo será a lâmpada que manterá a luz da igreja sempre acesa. A noiva do Cordeiro não é como a meretriz que se prostituiu com os reis da terra. Os reis da terra é que vieram a ela para conhecer a glória do seu Noivo e depositar aos seus pés as suas coroas. Esta igreja não está a serviço dos reis, ela está a serviço do REI.

## A Nova Jerusalém é o paraíso restaurado, onde corre o rio da vida (Ap 22:1-2)

A Nova Jerusalém é uma cidade, um jardim, uma noiva. O jardim perdido no Éden é o jardim reconquistado no céu. Lá o homem foi impedido pelo pecado de comer da árvore da vida; aqui ele pode se alimentar da árvore da vida. Lá ele adoeceu pelo pecado; aqui é curado do pecado. Lá ele foi sentenciado de morte; aqui ele toma posse da vida eterna.

No Jardim do Éden havia quatro rios. Nesse jardim celestial, há um único rio, o Rio da Vida. Ele flui do trono de Deus. Ele simboliza a vida eterna, a salvação perfeita e gratuita, o dom da soberana graça de Deus.[9] Por onde passa, traz vida, cura e salvação. O rio da vida simboliza a vida abundante na gloriosa cidade.

## A Nova Jerusalém é onde está o trono de Deus (Ap 22:3-4)

O trono fala da soberania e do governo de Deus. O Senhor governa sobre essa igreja. Ela é comandada por Aquele que está no trono. Ela é submissa e fiel. Esse é um trono de amor. Os súditos também são reis. Eles obedecem prazerosamente.

A igreja pode estar situada onde está o trono de Satanás, como em Pérgamo; mas, o trono de Deus está no coração da igreja.

Na Nova Jerusalém vamos ter propósito: "Os seus servos O servirão". Nosso trabalho será deleitoso. Vamos servir Àquele que nos serviu e deu sua vida por nós. Os salvos entrarão no descanso de Deus (Hb 4:9). Os salvos descansarão de suas fadigas (14:13), não porém de seu serviço.

Na Nova Jerusalém vamos ter intimidade com o Senhor: "Contemplarão a sua face...". O que mais ambicionamos no céu não são as ruas de ouro, os muros de jaspe luzentes, não são as mansões ornadas de pedras preciosas, mas contemplar a face do Pai! Céu é intimidade com Deus. Esta é a esperança e a meta da salvação individual em toda a Escritura: a contemplação de Deus!

## A Nova Jerusalém é onde os remidos vão reinar com Cristo eternamente (Ap 22:5)

Deus nos salvou não apenas para irmos para o céu, mas para reinarmos com Ele no céu.[10] Ele não apenas nos levará para a glória, mas também para o trono. Nós seremos não apenas servos no céu, mas também reis. Reinaremos com o Senhor para sempre e sempre. Cristo vai compartilhar com a sua noiva, a sua glória, sua autoridade e seu poder. Nós iremos reinar como reis no novo céu e na nova terra. Que honra! Que graça! Que glória será!

Você já é um habitante dessa cidade santa? Você já tem uma casa nessa cidade? Seu lugar já está preparado nessa cidade? Onde você tem colocado o seu coração: na Nova Jerusalém ou na grande Babilônia? A qual igreja você pertence: à Noiva ou à grande meretriz? Qual é o seu destino: o paraíso ou o lago do fogo? Para onde você está indo: Para a casa do Pai, onde o Cordeiro será a lâmpada eterna ou para as trevas exteriores? Onde está o seu prazer: em servir a Deus ou deleitar-se no pecado? Hoje é o dia da sua escolha, da sua decisão! Escolha a vida para que você viva eternamente!

**Capítulo 30**

## Os desafios dos cidadãos da Nova Jerusalém
(Ap 22:6-21)

O CÉU É MAIS DO QUE O NOSSO destino, é a nossa motivação. O conhecimento de que vamos morar no céu deve mudar nossa vida aqui e agora. A visão da cidade celestial motivou os patriarcas na forma deles andarem com Deus e O servirem (Hb 11:10,13-16).

A garantia do céu deve nos levar não ao descuido espiritual, mas a uma vida plena e abundante aqui e agora. Este texto tem alguns desafios para os habitantes da Nova Jerusalém:

### Os habitantes da Nova Jerusalém devem guardar a Palavra do seu Senhor (Ap 22:6-11,18,19)

O apóstolo João diz em primeiro lugar, *que a revelação do Apocalipse é absolutamente confiável* (22:6). João trata aqui da indisputável confiabilidade do Livro de Apocalipse. Este livro não é o Apocalipse de João, mas é o Apocalipse de Jesus. É revelação a partir do céu. É Palavra de Deus, por isso, absolutamente fiel e verdadeira. O Apocalipse, verdadeiramente, é um livro de origem Divina. O mesmo Deus que revelou sua palavra aos profetas, também revelou a mensagem do Apocalipse a João, através do seu anjo (22:6). Deus está autenticando o Apocalipse como um livro absolutamente inspirado, canônico.

Em segundo lugar, *a observância da revelação do Apocalipse produz bem-aventurança* (22:7b). *Guardar* significa aceitar o conteúdo como legítimo, não mudar, não acrescentar nem subtrair nada a ele (Dt 4:2; Pv 30:5-6). Isso é valorizar a integridade do texto. *Guardar* também significa obedecer, praticar, observar. Isso é valorizar a importância do texto. As profecias do Apocalipse não foram escritas para satisfazerem a curiosidade intelectual quanto ao futuro; mas foram escritas para que a igreja seja capaz de viver dentro da vontade de Deus.[1] A profecia não é apenas para informar sobre o fim, mas para preparar um povo santo para o fim.

Em terceiro lugar, *a mensagem do Apocalipse vem de Deus, é sobre Jesus, por meio do anjo a João, para a igreja* (22:8,9). Deus é a fonte revelatória do livro. Apocalipse 22:6 nos informa que o Senhor foi quem enviou o seu anjo para mostrar a João as coisas que em breve devem acontecer. Jesus é o conteúdo da mensagem do livro. O livro trata da revelação de Jesus Cristo, sua glória, sua mensagem, sua noiva, sua vitória. O anjo foi o instrumento que Deus usou para mostrar a João o conteúdo do livro. O anjo não é a fonte da revelação, mas apenas seu instrumento. João foi a testemunha ocular e o recipiente da revelação. Ele ouviu e viu. Essas coisas foram tão esmagadoras que ele caiu como morto aos pés de Cristo e agora se prostra diante do agente. Cristo o levantou e o anjo rejeitou sua adoração. A igreja foi a destinatária do livro. A mensagem foi enviada às sete igrejas da Ásia, bem como a todas as igrejas em todos os lugares em todos os tempos.

Em quarto lugar, *a mensagem do Apocalipse não deve ser selada, mas proclamada* (22:10). A Daniel foi ordenado selar o livro até ao tempo do fim. A João foi ordenado não selar as palavras da profecia deste livro. O fim chegou em Cristo. Desde a primeira vinda de Cristo, o tempo do fim se iniciou. A mensagem da vitória de Cristo e da sua igreja precisa ser publicada, anunciada, pregada, a todo o povo.

Em quinto lugar, *a mensagem do Apocalipse precisa ser mantida íntegra* (22:18,19). Dois perigos atacam a igreja nesse sentido: O primeiro deles é o liberalismo. O liberalismo nega a inerrância da Bíblia, o seu caráter divinamente inspirado. Ele tenta tirar algo da Escritura. Nenhum homem tem autoridade para retirar nada da Palavra de Deus. Os liberais se levantam para dizer que os milagres não existiram, que o registro da criação foi apenas um mito. Eles se levantam para dizer que muita coisa que está na Bíblia é interpolação. Não podemos negar a origem divina das Escrituras. Não podemos negar o caráter divinamente inspirado deste livro.

O segundo perigo é o misticismo. O misticismo nega a suficiência da Bíblia. Ele tenta acrescentar algo à Escritura. O misticismo tenta acrescentar algo novo à revelação. Paulo diz que ainda que venha um anjo do céu para pregar outro evangelho deve ser rejeitado (Gl 1:8).

## Os habitantes da Nova Jerusalém devem estar preparados para o julgamento do Senhor
(Ap 22:12-15)

O apóstolo João registra aqui cinco pontos dignos de destaque.

Em primeiro lugar, *Jesus virá como aquele que julga retamente* (22:12). Ele vem julgar. Ele tem o galardão. Ele vem retribuir a cada um segundo as suas obras. Jesus é o juiz que se assentará no trono para julgar as nações (Mt 25:31-46).

Em segundo lugar, *Jesus é o juiz que tem credencial para julgar retamente* (22:13). Ele está no começo e no fim. Ele conhece tudo. Ele é o Pai da eternidade, a origem e a consumação de todas as coisas. Dele, por meio dele, e para Ele são todas as coisas. Ninguém poderá escapar naquele dia. Ninguém poderá fugir. Ninguém poderá subornar o seu juízo. Os homens ímpios vão se desesperar (6:16-17).

Em terceiro lugar, *o critério para a salvação não são as obras, mas a obra vicária de Cristo na cruz* (22:14). Os santos não são justos por causa das suas boas obras, mas por causa do sangue do Cordeiro (7:14). Os habitantes da Nova Jerusalém, entrarão na cidade pelas portas, não por causa das suas obras, mas por causa do sangue do Cordeiro (22:14). Não são as nossas boas obras que nos levarão para o céu; nós é que as levaremos para o céu

(14:13). Os lavados no sangue do Cordeiro vencem o maligno (12:11), comem dos frutos da árvore da vida e entram na cidade pelas portas (22:14).

Em quarto lugar, *todos aqueles que não foram lavados pelo sangue do Cordeiro ficarão fora da cidade santa* (22:15). Este verso contrasta o destino dos perversos com o destino dos salvos. Os remidos entram na cidade pelas portas. Os perversos são deixados fora da cidade. Aqueles que não foram lavados no sangue do Cordeiro ficarão não apenas fora da cidade, mas serão lançados no lago do fogo (20:15). Os pecados mencionados em Apocalipse 22:15 são os pecados de impiedade (relacionamento com Deus – feitiçaria e idolatria) e perversão (relacionamento com homens – cães, impuros, assassinos e mentirosos). Esses pecados já foram mencionados em Apocalipse 21:8,27.

Em quinto lugar, *depois do juízo é impossível mudar o destino das pessoas* (22:11). Em Gênesis 2:1-2 a obra da criação foi concluída. Em João 19:30 a obra da redenção foi consumada. Em Apocalipse 21:6, a consumação de todas as coisas é declarada. Agora, o destino final das pessoas é selado (22:11). A primeira e a terceira sentenças de Apocalipse 22:11 falam dos feitos de alguém, enquanto a segunda e a quarta falam do caráter da pessoa. Só há dois grupos na humanidade: os que fazem injustiça e são imundos e os que praticam justiça e são santos. Não existe aqui nenhuma solicitação geral para que se continue pecando. Essas palavras do texto dizem que o destino das pessoas no juízo não poderá ser alterado. O que for, será para sempre. Não haverá mais arrependimento nem apostasia. O julgamento é o fim e anuncia o estado final de justiça e injustiça permanentes. Haverá uma hora que será tarde demais para o arrependimento. A Palavra de Deus está dizendo que as pessoas que se recusaram a ouvir e a obedecer, continuarão em seu estado de rebeldia eternamente, enquanto aqueles que receberam vida nova em Cristo, terão esta vida eternamente. Não há maior juízo do que Deus entregar as pessoas ao seu próprio estado, e isso eternamente.

## Os habitantes da Nova Jerusalém devem aguardar ansiosamente a vinda do seu Senhor (Ap 22:7,12,16,17,20)

O Senhor da glória é identificado (22:13,16). Jesus é o começo e o fim (22:13). Ele é Deus de eternidade a eternidade. Tudo vem dele e é para Ele. Jesus é o ascendente e o descendente de Davi (22:16). Ele é a raiz e também a geração de Davi. Ele é filho e também Senhor de Davi. Ele abarca toda a história. Jesus é a brilhante estrela da manhã (22:16). Ele anuncia o alvorecer da eternidade, anunciando que esta vida é apenas um prelúdio da vida real no mundo porvir. Jesus é o Salvador divino-humano.

O Senhor da glória promete vir buscar sua noiva sem demora (22:7,12,20). Jesus, como Noivo da igreja, já assumiu seu compromisso de amor com ela. Ele já pagou o dote na cruz. Agora, a noiva deve se preparar, se ataviar. Em breve Ele virá ao som de trombetas para buscar sua noiva. Mas, se Ele prometeu voltar em breve, por que já tem dois mil anos e Ele não voltou ainda? Por que alguns julgam sua vinda demorada (2Pe 3:9)? Pedro responde o porquê. Deus deseja dar ao homem a oportunidade de arrepender-se para que seja salvo (2Pe 3:9). O livro de Apocalipse é o outdoor de Deus, anunciando que Jesus vai voltar em breve! A promessa da vinda de Jesus sem demora mostra como a comunidade cristã deve viver sempre na expectativa da vinda iminente do Senhor. Ninguém sabe o dia nem a hora (Mt 24:36). Cada geração deve estar desperta, como se a vinda do Senhor estivesse às portas (Mt 24:42-44).

A Noiva do Cordeiro deve clamar ansiosamente para que o seu Noivo venha (22:17). O grande anseio de uma noiva não é ter uma casa, mas um esposo. Seu coração não está em coisas, mas no seu Amado. Ela anseia não apenas pelo paraíso, mas pelo Amado da sua alma. O clamor da Noiva é: Vem! Ela sempre ora: Maranata, ora vem Senhor Jesus! (1Co 16:22). A oração da igreja é: Senhor Jesus, leva a bom termo o Teu plano na história com vistas à Tua vinda. Esta é uma oração fervorosa da igreja inspirada pelo Espírito Santo. A igreja clama pela vinda de Cristo. O anseio da igreja é pela chegada do seu Noivo para entrar no lar eterno. A última palavra da igreja é: Vem, Senhor Jesus! (22:20).

A Noiva do Cordeiro clama insistentemente para os sedentos virem a Jesus (22:17b). A igreja não apenas aguarda o Noivo, mas ela chama os sedentos para conhecerem o seu Amado. A igreja proclama que Jesus satisfaz. Ele tem a água da vida. O mundo não satisfaz, só Jesus pode saciar a nossa sede. Só nele há vida eterna. A igreja proclama o evangelho da graça e não um evangelho de obras ou méritos. Uma igreja que anseia pela volta de Jesus é uma igreja comprometida com evangelismo.

A última promessa das Escrituras diz: "*Certamente venho sem demora*"; e a última oração: *"Amém. Vem, Senhor Jesus!"* (22:20).² Quando será esse glorioso dia? O Senhor Jesus disse que será em breve, mas não podemos marcar nenhum tempo ou época que o Senhor reservou pela sua exclusiva autoridade. W. J. Grier citando Agostinho, disse: "Aquele dia está escondido para que todos os dias estejamos alertas".³ Russell Shedd alerta para o fato de que seis parábolas de Jesus frisam a importância de vigiar.⁴ A igreja vigiando quer dizer que os membros estão orando, evangelizando, crescendo em conhecimento da Palavra e santidade.⁵

Após essa fervorosa oração de anseio pela segunda vinda de Cristo, segue a bênção: "A graça do Senhor Jesus seja com todos". Amém (22:21)! A graça é o único fundamento sobre o qual uma pessoa pode permanecer para a eternidade. Em tempo nublado ou à luz do sol, dia e noite, em todos os tempos e circunstâncias, a graça de Jesus é o apoio e o sustento dos remidos de Deus. É graça do princípio ao fim!⁶

# Notas

**Intodução**

[1] William Hendriksen. *Más que Vencedores*. Baker Book House. Grand Rapids, Michigan. 1965: p. 1.
[2] Henrietta C. Mears. *Estudo Panorâmico da Bíblia*. Editora Vida. Deerfield, FL. 1982: p. 555.
[3] H. Barclay Swete. *The Apocalipse of St John*. Mcmillan. Londres. 1917: p. CXL.
[4] Em todas as profecias do livro de Apocalipse, Cristo é apresentado como o vencedor (1:18; 2:8; 5:9-14; 6:2; 11:15; 12:9-11; 14:1,14; 15:2-4; 19:16; 20:4; 22:3).
[5] Ricardo L. V. Mascareñas. *Os Últimos Dias*. Editora Candeia. São Paulo, SP. 2001: p. 23.
[6] Charles R. Erdman. *Apocalipse*. Casa Editora Presbiteriana. São Paulo, SP. 1960: p. 8.
[7] George Ladd. *Apocalipse*. Mundo Cristão. Sociedade Religiosa Edições Vida Nova. São Paulo, SP. 1980: p. 9.
[8] William Hendriksen. *Más que Vencedores*. 1965: p. 5.
[9] Adolf Pohl. *Apocalipse de João*. Vol. I. Editora Evangélica Esperança. Curitiba, PR. 2001: p. 68.
[10] Edward A. McDowell. *A Soberania de Deus na História*. JUERP. Rio de Janeiro, RJ. 1980: p. 40.
[11] Robert H. Gundray. *Panorama do Novo Testamento*. Edições Vida Nova. São Paulo, SP. 1978: p. 417-418.
[12] Martyn Lloyd-Jones. *A Igreja e as Últimas Coisas*. Publicações Evangélicas Selecionadas. São Paulo, SP. 1998: p. 175.
[13] George Ladd. *Apocalipse*. 1980: p. 11.
[14] George Ladd. *Apocalipse*. 1980: p. 12.
[15] Martyn Lloyd-Jones. *A Igreja e as Últimas Coisas.*. 1998: p. 189.
[16] George Ladd. *Apocalipse*. 1980: p. 11.
[17] Martyn Lloyd-Jones. *A Igreja e as Últimas Coisas*. 1998: p. 180.
[18] Simon Kistemaker. *Apocalipse*. Editora Cultura Cristã. São Paulo, SP. 2004: p. 23.
[19] Robert Clouse. *Milênio*. LPC. Campinas, SP. 1985: p. 110.
[20] Martyn Lloyd-Jones. *A Igreja e as Últimas Coisas*. 1998: p. 260.
[21] Russell P. Shedd. *A Escatologia do Novo Testamento*. Edições Vida Nova. São Paulo, SP. 1983: p. 17.
[22] Martyn Lloyd-Jones. *A Igreja e as Últimas Coisas*. 1998: p. 261.

[23] Millard J. Erickson. *Um Estudo do Milênio: Opções Contemporâneas na Escatologia.* Edições Vida Nova. São Paulo, SP. 1977: 52.
[24] Martyn Lloyd-Jones. *A Igreja e as Últimas Coisas.* 1998: p. 263.
[25] Millard J. Erickson. *Um Estudo do Milênio: Opções Contemporâneas na Escatologia.* 1977: p. 48-49.
[26] Ibid, p. 78-79.
[27] Robert G. Clouse. *Milênio: Significado e Interpretações.* Luz para o Caminho. Campinas, SP. 1985: p. 11.
[28] Angus Macleod. *El fin del Mundo.* Subcomisión Literatura Cristiana. Grand Rapids, Michigan. 1977: p. 21-24.
[29] Angus Macleod. *El fin del Mundo.* 1977: p. 30.
[30] George E. Henderlite. *O Premilenismo.* Gerson Novah. São Paulo, SP. 1977: p. 5.
[31] John F. Walvoord e John E. Walvoord. *Armagedom.* Editora Vida. Miami, FL. 1975: p. 204.
[32] W. J. Grier. *O Maior de Todos os Acontecimentos.* Imprensa Metodista. São Paulo, SP. 1972: p. 27.
[33] Millard Erickson. *Um Estudo do Milênio: Opções Contemporâneas na Ecatologia.* 1977: p. 64.
[34] Antony Hoekema. *La Biblia y el Futuro.* Subcomisión Literatura Cristiana. Grand Rapids, Michigan. 1979: p. 199.
[35] Jay Adams. *The Time is at Hand.* Presbyterian and Reformed. Philadelphia. 1970: p. 7-11.
[36] Atony Hoekema. *La Biblia y el Futuro.* 1979: p. 26.
[37] Benjamim Warfield. *The Millennium and the Apocalipse.* Em Biblical Doctrines. Oxford University. New York. 1929: p. 654.
[38] Antony Hoekema. *La Bíblia y el Futuro.* 1979: p. 200.
[39] William Hendriksen. *Más que Vencedores.* 1965: p. 11-18
[40] Robert Clouse. *Milênio: Significado e Interpretações.* 1985: p. 142.
[41] William Hendriksen. *Más que Vencedores.* 1965: p. 18.

**Capítulo 1**
[1] Warren Wiersbe. *The Bible Expository Commentary.* Vol. 2. Chariot Victor Publishing. Colorado Springs, Colorado. 1989: p. 566.
[2] George Ladd. *Apocalipse.* 1980: p. 17.
[3] William Barclay. *Apocalipsis.* Editorial La Aurora. Buenos Aires. 1975: p. 29.
[4] George Ladd. *Apocalipse.* 1980: p. 19-20.
[5] Adolf Pohl. *Apocalipse de João Vol. 1.* 2001: p. 63.

## Notas

6. Water A. Elwell e Robert W. Yarbrough. *Descobrindo o Novo Testamento.* Editora Cultura Cristã. São Paulo, SP. 2002: p. 376.
7. George Ladd. *Apocalipse.* 1980: p. 20.
8. Warren Wiersbe. *The Bible Expository Commentary. Vol 2.* . 1989: p. 566.
9. William Hendriksen. *Más que Vencedores.* 1965: p. 9.
10. Adolf Pohl. *Apocalipse de João. Vol. 1.* 2001: p. 75.
11. R. A. Torrey. *La Segunda Venida del Señor Jesús.* Libros Crie. Terrassa, Barcelona. 1984: p. 8.
12. W. J. Grier. *O Maior de Todos os Acontecimentos.* Imprensa Metodista. São Paulo, SP. 1972: p. 12.
13. Eliseu Pereira Lopes. *Somos a Última Geração.* São Paulo, SP. 1996: p. 15,18.
14. Russell Norman Champlin. *O Novo Testamento Interpretado.* Vol. 6. A Voz Bíblica. Guaratinguetá, SP: p. 373.
15. Adolf Pohl. *Apocalipse de João. Vol 1.* 2001: p. 83.
16. Adolf Pohl. *Apocalipse de João. Vol. 1.* 2001: p. 84.
17. William Barclay. *Apocalipsis.* 1975: p. 52.
18. Adolf Pohl. *Apocalipse de João. Vol. 1.* 2001: p. 85.
19. George Ladd. *Apocalipse.* 1980: p. 25.
20. William Barclay. *Apocalipsis.* 1975: p. 53.
21. Simon Kistemaker. *Apocalipse.* 2004: p. 127.
22. Michael Wilcock. *A Mensagem de Apocalipse.* ABU Editora. São Paulo, SP. 1986: p. 21.
23. Adolf Pohl. *Apocalipse de João. Vol. 1.* 2001: p. 86.
24. Adolf Pohl. *Apocalipse de João. Vol. 1.* 2001: p. 87.
25. Adolf Pohl. *Apocalipse de João. Vol. 1.* 2001: p. 87.
26. John Stott. *O que Cristo pensa da Igreja.* United Press. Campinas, SP. 1999: p. 14.
27. George Ladd. *Apocalipse.* 1980: p. 27.
28. Fritz Rienecker e Cleon Rogers. *Chave Linguística do Novo Testamento Grego.* Edições Vida Nova. São Paulo, SP. 1985: p. 606.
29. Fritz Rienecker e Cleon Rogers. *Chave Linguística do Novo Testamento.* 1985: p. 606.
30. George Ladd. *Apocalipse.* 1980: p. 28.
31. Ibid, p. 28.
32. Warren Wiersbe. *The Bible Expository Commentary. Vol. 2.* 1989: p. 569-570.
33. William Barclay. *Apocalipsis.* 1975: p. 63.
34. Ibid, p. 570.
35. Ibid, 570.

## Capítulo 2
[1] Warren Wiersbe. *With the Word*. Thomas Nelson Publishers. Nashville. TN. 1991: p. 847.
[2] William Hendriksen. *Más que Vencedores*. 1965: p. 68.
[3] William Hendriksen. *Más que Vencedores*. 1965: p. 68.
[4] William Hendriksen. *Más que Vencedores*. 1965: p. 57.

## Capítulo 3
[1] William Barclay. *Apocalipsis*. 1975: p. 70
[2] Ibid, p. 70.
[3] Simon Kistemaker. *Apocalipse*. 2004: p. 148.
[4] George Ladd. *Apocalipse*. 1980: p. 30.
[5] William Barclay. *Apocalipsis*. 1975: p. 70.
[6] John Stott. *O que Cristo pensa da Igreja*. 1999: p. 16.
[7] William Barclay. *Apocalipsis*. 1975: p. 72.
[8] Simon Kistemaker. *Apocalipse*. 2004: p. 150.
[9] William Hendriksen. *Más que Vencedores*. 1965: p. 69.
[10] Simon Kistemaker. *Apocalipse*. 2004: p. 141-142.
[11] William Barclay. *Apocalipsis*. 1975: p. 74.
[12] Warren Wiersbe. *The Bible Expository Commentary*. Vol. 2. 1989: p. 572.
[13] John Stott. *O que Cristo pensa da Igreja*. 1999: p. 20.
[14] William Barclay. *Apocalipsis*. 1975: p. 74.
[15] John Stott. *O que Cristo pensa da Igreja*. 1999: p. 18.
[16] George Ladd. *Apocalipse*. 1980: p. 32.
[17] William Hendriksen. *Más que Vencedores*. 1965: p. 71.
[18] Warren Wiersbe. *The Bible Expository Commentary*. Vol. 2. 1989: p. 572.
[19] Adolf Pohl. *Apocalipse de João*. Vol. 1. 2001: p. 107.
[20] Ibid, p. 107.
[21] Ibid, p. 107.
[22] John Stott. *O que Cristo pensa da Igreja*. 1999: p. 26-27.
[23] Adolf Pohl. *Apocalipse de João*. Vol. 1. 2001: p. 109.
[24] Ibid, p. 27.

## Capítulo 4
[1] Warren Wiersbe. *With the Word*. 1991: p. 847.
[2] William Hendriksen. *Más que Vencedores*. 1965: p. 72.
[3] William Barclay. *Apocalipsis*. 1975: p. 86.
[4] Ibid, p. 87.
[5] Michael Wilcock. *A Mensagem do Apocalipse*. 1986: p. 24.
[6] William Barclay. *Apocalipsis*. 1975: p. 87-88.

⁷ Ibid, p. 88.
⁸ George Ladd. *Apocalipse*. 1980: p. 34.
⁹ John Stott. *O que Cristo pensa da Igreja*. 1999: p. 29.
¹⁰ William Barclay. *Apocalipsis*. 1975: p. 89.
¹¹ Adolf Pohl. *Apocalipse de João. Vol. 1*. 2001: p. 110.
¹² William Hendriksen. *Más que Vencedores*. 1965: p. 72-73
¹³ George Ladd. *Apocalipse*. 1980: p. 34.
¹⁴ Adolf Pohl. *Apocalipse de João. Vol. 1*. 2001: p. 110.
¹⁵ William Barclay. *Apocalipsis*. 1975: p. 93.
¹⁶ John Stott. *O que Cristo pensa da Igreja*. 1999: p. 31.
¹⁷ William Barclay. *Apocalipsis*. 1975: p. 95.
¹⁸ Simon Kistemaker. *Apocalipse*. 2004: p. 164.
¹⁹ John Stott. *O que Cristo pensa da Igreja*. 1999: p. 32.
²⁰ William Barclay. *Apocalipsis*. 1975: p. 97.
²¹ Ibid, p. 98.

## Capítulo 5
¹ John Stott. *O que Cristo pensa da Igreja*. 1999: p. 42.
² George Ladd. *Apocalipse*. 1980: p. 39.
³ William Barclay. *Apocalipsis*. 1975: p. 102.
⁴ Ibid, p. 102-103.
⁵ John Stott. *O que Cristo pensa da Igreja*. 1999: p. 42.
⁶ William Barclay. *Apocalipsis*. 1975: p. 104.
⁷ Simon Kistemaker. *Apocalipse*. 2004: p. 172.
⁸ Ibid, p. 105.
⁹ John Stott. *O que Cristo pensa da Igreja*. 1999: p. 42.
¹⁰ Adolf Pohl. *Apocalipse de João. Vol. 1*. 2001: p. 115-116.
¹¹ William Barclay. *Apocalipsis*. 1975: p. 108.
¹² John Stott. *O que Cristo pensa da Igreja*. 1999: p. 48.
¹³ John Stott. *O que Cristo pensa da Igreja*. 1999: p. 44.
¹⁴Ibid, p. 50.
¹⁵ Ibid, p. 50.
¹⁶ Ibid, p. 52.
¹⁷ Ibid, p. 54.
¹⁸ Fritz Rienecker e Cleon Rogers. *Chave Linguística do Novo Testamento Grego*. 1985: p. 608-609.
¹⁹ Ibid, p. 57.

## Capítulo 6
¹ Ibid, p. 58.

[2] George Ladd. *Apocalipse*. 1980: p. 40.
[3] William Barclay. *Apocalipsis*. 1975: p. 118.
[4] John Stott. *O que Cristo pensa da Igreja*. 1999: p. 59.
[5] William Barclay. *Apocalipsis.*. 1975: p. 119.
[6] William Hendriksen. *Más que Vencedores*. 1965: p. 80.
[7] William Barclay. *Apocalipsis*. 1975: p. 119.
[8] William Hendriksen. *Más que Vencedores*. 1965: p. 81.
[9] John Stott. *O que Cristo pensa da Igreja*. 1999: p. 59.
[10] John Stott. *O que Cristo pensa da Igreja*. 1999: p. 60.
[11] William Barclay. *Apocalipsis*. 1975: p. 122.
[12] Ibid, p. 127.
[13] Ibid, p. 129.
[14] Adolf Pohl. *Apocalipse de João. Vol. 1*. 2001: p. 123.
[15] John Stott. *O que Cristo pensa da Igreja*. 1999: p. 72.
[16] John Stott. *O que Cristo pensa da Igreja*. 1999: p. 73.

**Capítulo 7**
[1] George Ladd. *Apocalipse*. 1980: p. 44.
[2] Simon Kistemaker. *Apocalipse*. 2004: p. 196-197.
[3] Fritz Rienecker e Cleon Rogers. *Chave Linguística do Novo Testamento Grego*. 1985: p. 609.
[4] Arthur E. Blomfield. *As Profecias do Apocalipse*. Editora Betânia. Venda Nova, MG. 1996: p. 81.
[5] John Stott. *O que Cristo pensa da Igreja*. 1999: p. 78.
[6] William Barclay. *Apocalipsis*. 1975: p. 139-140.
[7] Adolf Pohl. *Apocalipse de João. Vol. 1*. 2001: p. 128.
[8] Michael Wilcock. *A Mensagem do Apocalipse*. 1986: p. 30.
[9] John Stott. *O que Cristo pensa da Igreja*. 1999: p. 79.
[10] George Ladd. *Apocalipse*. 1980: p. 44.

**Capítulo 8**
[1] William Barclay. *Apocalipsis*. 1975: p. 148.
[2] John Stott. *O que Cristo pensa da Igreja*. 1999: p. 94.
[3] Warren Wiersbe. *With the Word*. 1991: p. 848.
[4] Ibid, p. 101.
[5] William Barclay. *Apocalipsis*. 1975: p. 148.
[6] John Stott. *O que Cristo pensa da Igreja*. 1999: p. 102.
[7] William Barclay. *Apocalipsis*. 1975: p. 149.
[8] John Stott. *O que Cristo pensa da Igreja*. 1999: p. 99-100.
[9] John Stott. *O que Cristo pensa da Igreja*. 1999: p. 103.
[10] Ibid, p. 108.

## Capítulo 9

[1] Michael Wilcock. *A Mensagem do Apocalipse*. 1986: p. 35.
[2] William Barclay. *Apocalipsis*. 1975: p. 162.
[3] William Hendriksen. *Más que Vencedores*. 1965: p. 86.
[4] George Ladd. *Apocalipse*. 1980: p. 50.
[5] William Barclay. *Apocalipsis*. 1975: p. 164.
[6] Warren Wiersbe. *The Bible Expository Commentary. Vol. 2*. 1985: p. 579.
[7] John Stott. *O que Cristo pensa da Igreja*. 1999: p. 114.
[8] Ibid, p. 115.
[9] Martyn Lloyd-Jones. *Preating & Preachers*. Zondervan Publishing House. Grand Rapids, Michigan. 1971: p. 97.
[10] Fritz Rienecker e Cleon Rogers. *Chave Linguística do Novo Testamento Grego*. 1985: p. 611.
[11] John Stott. *O que Cristo pensa da Igreja*. 1999: p. 116.
[12] Arthur E. Blomfield. *As Profecias do Apocalipse*. 1996: p. 86.
[13] Charles R. Erdman. *Apocalipse*. 1960: p. 50.
[14] John Stott. *O que Cristo pensa da Igreja*. 1999: p. 116.
[15] *Ibid*, p. 117-118.
[16] Ibid, p. 120; Adolf Pohl. *Apocalipse de João. Vol. 1*. 2001: p. 140.
[17] John Stott. *O que Cristo pensa da Igreja*. 1999: p. 121.
[18] Warren Wiesbe. *The Bible Expository Commentary. Vol. 2*. 1985: p. 581.
[19] John Stott. *O que Cristo pensa da Igreja*. 1999: p. 122.
[20] Adolf Pohl. *Apocalipse de João. Vol. 1*. 2001: p. 142.
[21] Ibid, p. 137.
[22] Warren Wiersbe. *With the Word*. 1991: p. 849.

## Capítulo 10

[1] Adolf Pohl. *Apocalipse de João. Vol. 1*. 2001: p. 143.
[2] William Hendriksen. *Más que Vencedores*. 1965: p. 94.
[3] Matthew Henry. *Matthew Henry's Commentary in one Volume*. Zondervan. Grand Rapids, Michigan. 1961: p. 1974.
[4] William Barclay. *Apocalipsis*. 1975: p. 177.
[5] Adolf Pohl. *Apocalipse de João. Vol. 1*. 2001: p. 144.
[6] George Ladd. *Apocalipse*. 1980: p. 54.
[7] Adolf Pohl. *Apocalipse de João. Vol. 1*. 2001: p. 145.
[8] William Hendriksen. *Más que Vencedores*. 1965: p. 97.
[9] Ibid, p. 99.
[10] Fritz Rienecker e Cleon Rogers. *Chave Linguística do Novo Testamento Grego*. 1985: p. 612.
[11] Warren Wiersbe. *The Bible Expository Commentary. Vol. 2*. 1985: p. 582,

¹² William Barclay. *Apocalipsis*. 1975: p. 182.
¹³ Arthur Blomfield. *As Profecias do Apocalipse*. 1996: p. 96.
¹⁴ William Barclay. *Apocalipsis*. 1975: p. 187.
¹⁵ William Hendriksen. *Más que Vencedores*. 1975: p. 100-101.
¹⁶ Gary N. Larson. *The New Unger's Bible Hand Book*. Moody Press. Chicago, Illinois. 1984: p. 656.

**Capítulo 11**
¹ Charles R. Erdman. Apocalipse. 1960: p. 54-55.
² William Barclay. *Apocalipsis*. 1975: p. 197.
³ Fritz Rienecker e Cleon Rogers. *Chave Linguística do Novo Testamento Grego*. 1985: p. 613-614.
⁴ George Ladd. *Apocalipse*. 1980: p. 63.
⁵ William Hendriksen. *Más que Vencedores*. 1965: p. 103.
⁶ Fritz Rienecker e Cleon Rogers. *Chave Linguística do Novo Testamento Grego*. 1985: p. 614.
⁷ William Hendriksen. *Más que Vencedores*. 1965: p. 105.
⁸ Warren Wiersbe. *The Bible Expository Commentary*. Vol. 2. 1989: p. 585.
⁹ William Hendriksen. *Más que Vencedores*. 1965: p. 106.
¹⁰ Warren Wiersbe. *The Bible Expository Commentary*. Vol. 2. 1989: p. 585.
¹¹ Ibid, p. 585-586.
¹² Charles R. Erdman. *Apocalipse*. 1960: p. 56-57.

**Capítulo 12**
¹ Adolf Pohl. *Apocalipse de João*. Vol. 1. 2001: p. 173.
² Warren Wiersbe. *The Bible Expository Commentary*. Vol. 2. 1989: p. 587.
³ Adolf Pohl. *Apocalipse de João*. Vol. 1 2001: p. 173-175.
⁴ William Barclay. *Apocalipsis*. 1975: p. 223.
⁵ Edward McDowell. *A Soberania de Deus na História*. JUERP. Rio de Janeiro, RJ. 1980: p. 79.
⁶ Simon Kistemaker. *Apocalipse*. 2004: p. 290-291; George Ladd. *Apocalipse*. 1980: p. 75.
⁷ William Hendriksen. *Más que Vencedores*. 1965: p. 108.
⁸ Martyn Lloyd-Jones. *A Igreja e as Últimas Coisas*. 1998: p. 216.
⁹ Arthur E. Blomfield. *As Profecias do Apocalipse*. 1996: p. 120.
¹⁰ Jesus Cristo é representado muitas vezes em Apocalipse como vencedor (1:13-18; 2:26,27; 3:21; 5:5; 6:16; 7:9,10; 11:15; 12:11; 14:14-20; 17:14; 19:11; 20:4; 22:16.
¹¹ William Hendriksen. *Más que Vencedores*. 1965: p. 111.
¹² Arthur E. Blomfiel. *As Profecias do Apocalipse*. 1996: p. 121.

[13] Russell Norman Champlin. *Estamos entrando agora nos quarenta anos finais da terra?* Nova Época Editorial Ltda. São Paulo, SP: p. 152.
[14] William Hendriksen. *Más que Vencedores.* 1965: p. 115.
[15] Ricardo L. Mascareñas. *Os Últimos Dias.* Editora Candeia. São Paulo, SP. 2001: p. 67.
[16] Martyn Lloyd-Jones. *A Igreja e as Últimas Coisas.* 1998: p. 217.
[17] William Hendriksen. *Más que Vencedores.* 1965: p. 117.
[18] Warren Wiersbe. *The Bible Expository Commentary. Vol. 2.* 1989: p. 588.
[19] Adolf Pohl. *Apocalipse de João. Vol. 1.* 2001: p. 176.
[20] Warren Wiersbe. *The Bible Expository Commentary. Vol. 2.* 1989: p. 588.
[21] Arthur E. Blomfield. *As Profecias do Apocalipse.* 1996: p. 124.
[22] Adolf Pohl. *Apocalipse de João. Vol. 1.* 2001: p. 176.
[23] George Ladd. *Apocalipse.* 1980: p. 76.
[24] Hall Lidsay. *Os anos 80: Contagem Regressiva para o Juízo Final.* Editora Mundo Cristão. São Paulo, SP. 1981: p. 26.
[25] Adolf Pohl. *Apocalipse de João. Vol. 1.* 2001: p. 177.
[26] Ibid, p. 177.
[27] Warren Wiersbe. *The Bible Expository Commentary. Vol. 2.* 1989: p. 588.
[28] William Hendriksen. *Más que Vencedores.* 1965: p. 121.
[29] Adolf Pohl. *Apocalipse de João. Vol. 1.* 2001: p. 180.
[30] O "até quando?" ressoa em muitos Salmos: Sl 6:3; 13:1-3; 35:17; 74:10; 79:5; 89:46; 94:3.
[31] Warren Wiersbe. *The Bible Expository Commentary. Vol. 2.* 1989:p. 589.
[32] Adolf Pohl. *Apocalipse de João. Vol. 1.* 2001: p. 182.
[33] William Hendriksen. *Más que Vencedores.* 1965: p. 124.
[34] Adolf Pohl. *Apocalipse de João. Vol. 1.* 2001: p. 184.
[35] Lucas 21:25-27.
[36] Arthur E. Blomfield. *As Profecias do Apocalipse.* 1996: p. 128.
[37] Warren Wiersbe. *The Bible Expository Commentary. Vol. 2.* 1989: p. 589.
[38] Adolf Pohl. *Apocalipse de João. Vol. 1.* 2001: p. 186.
[39] William Barclay. *Apocalipsis.* 1975: p. 238.
[40] No Novo Testamento esse dia é chamado de dia do Senhor (2Ts 2:2), o dia de Cristo (Fp 1:10), o dia do Senhor Jesus Cristo (2Co 1:8), ou o dia do Senhor Jesus (2Co 1:14). Também é o dia da ira (Rm 2:5) e o dia da redenção (Ef 4:30). Não há distinção entre esses diferentes termos, diz George Ladd.

## Capítulo 13
[1] Fritz Rienecker e Cleon Rogers. *Chave Linguística do Novo Testamento Grego.* 1985: p. 617.

² William Hendriksen. *Más que Vencedores*. 1965: p. 128.
³ William Hendriksen. *A Vida Futura Segundo a Bíblia*. Casa Editora Presbiteriana. São Paulo, SP: 1988: p. 58-59.
⁴ William Barclay. *Apocalipsis*. 1975: p. 239-240.
⁵ Michael Wilcock. *A Mensagem do Apocalipse*. 1986: p. 57.
⁶ George Ladd. *Apocalipse*. 1980: p. 86.
⁷ Júlio Andrade Ferreira. *Apocalipse, Ontem e Hoje*. LPC. Campinas, SP. 1983: p. 64.
⁸ William R. Goetz. *Apocalipse Já*. Editora Betânia. Venda Nova, MG. 1982: p. 218.
⁹ Russell P. Shedd. *A Escatologia do Novo Testamento*. Edições Vida Nova. São Paulo, SP. 1983: p. 43.
¹⁰ Charles R. Erdman. *Apocalipse*. 1960: p. 64; Simon Kistemaker. *Apocalipse*. 2004: p. 322.
¹¹ Adolf Pohl. *Op. Cit.* 2001: p. 190.
¹² William Hendriksen. *Más que Vencedores*. 1965: p. 129-130.
¹³ William Barclay. Apocalipsis. 1975: p. 246.
¹⁴ Martyn Lloyd-Jones. *A Igreja e as Últimas Coisas*. 1998: p. 220.
¹⁵ William Hendriksen. *Más que Vencedores*. 1965: 130.
¹⁶ Adolf Pohl. *Apocalipse de João. Vol. 1.* 2001: p. 193.

**Capítulo 14**
¹ Michael Wilcock. *A Mensagem do Apocalipse*. 1986: p. 64.
² George Ladd. *Apocalipse*. 1980: p. 90.
³ Warren Wiersbe. *The Bible Expository Commentary. Vol. 2.* 1989: p. 592.
⁴ William Barclay. *Apocalipsis*. 1975: p. 265.
⁵ George Ladd. *Apocalipse*. 1980: p. 91.
⁶ Arthur E. Blomfield. *As Profecias do Apocalipse*. 1996: p. 143.
⁷ William Barclay. *Apocalipsis*. 1975: p. 267.
⁸ Charles R. Erdman. *Apocalipse*. 1960: p. 68.
⁹ George Ladd. *Apocalipse*. 1980: p. 94.
¹⁰ Warren Wiersbe. *The Bible Expository Commentary. Vol. 2.* 1989: p. 592.
¹¹ George Ladd. *Apocalipse*. 1980: p. 92.
¹² Adolf Pohl. *Apocalipse de João II.* Editora Evangélica Esperança. Curitiba, PR. 2001: p. 25.
¹³ Ibid, p. 25.
¹⁴ Ibid, p. 26.
¹⁵ Arthur E. Blomfield. *As Profecias do Apocalipse*. 1996: p. 145.
¹⁶ Michael Wilcock. *A Mensagem do Apocalipse*. 1986: p. 70.
¹⁷ William Barclay. *Apocalipsis*. 1975: p. 271.

## Capítulo 15
[1] Para melhor compreensão deste capítulo, consulte o livro *Marcado para Vencer*, editora Candeia do mesmo autor.
[2] George Ladd. *Apocalipse.* 1980: p. 96.
[3] Martyn Lloyd-Jones. *A Igreja e as Últimas Coisas.*. 1998: p. 224.
[4] Arthur E. Blomfield. *As Profecias do Apocalipse.* 1996: p. 148.
[5] Ibid, p. 149.
[6] William Barclay. *Apocalipsis.* 1975: p. 278.
[7] O termo *abismo*, no Novo Testamento, refere-se à habitação dos espíritos malignos, com a exceção de Romanos 10:6,7, onde Paulo usa o conceito para a habitação dos mortos (Simon Kistemaker. *Apocalipse.* 2004: p. 365).
[8] Fritz Rienecker e Cleon Rogers. *Chave Linguística do Novo Testamento Grego.* 1985: p. 619.
[9] William Barclay. *Apocalipsis.* 1975: p. 276.
[10] Fritz Rienecker e Cleon Rogers. *Chave Linguística do Novo Testamento Grego.* 1985: p. 620.
[11] Ibid, p. 276.
[12] Adolf Pohl. *Apocalipse de João. Vol. 2.* 2001: p. 32.
[13] George Ladd. *Apocalipse.* 1980: p. 97.
[14] Adolf Pohl. *Apocalipse de João. Vol. 2.* 2001: p. 31.
[15] William Barclay. *Apocalipsis.* 1975: p. 278.
[16] Russell Norman Champlin. *O Novo Testamento Interpretado. Vol. 6.* p. 500.

## Capítulo 16
[1] Adolf Pohl. *Apocalipse de João. Vol. 2. II.* 2001: p. 38
[2] Ibid, p. 38.
[3] Charles R. Erdman. *Apocalipse.* 1960: p. 72.
[4] George Ladd. *Apocalipse.* 1980: p. 101.
[5] George Ladd. *Apocalipse.* 1980: p. 102.
[6] William Hendriksen. *Más que Vencedores.* 1965: p. 146.
[7] Adolf Pohl. *Apocalipse de João. Vol. 2.* 2001: p. 44.
[8] Martyn Lloyd-Jones. *A Igreja e as Últimas Coisas.* 1998: p. 226.

## Capítulo 17
[1] Warren Wiersbe. *The Bible Expository Commentary. Vol 2.* 1989: p. 596.
[2] Arthur E. Blomfield. *As Profecias do Apocalipse.* 1996: p. 157.
[3] Adolf Pohl. *Apocalipse de João. Vol. 2.* 2001: p. 45.
[4] Martyn Lloyd-Jones. *A Igreja e as Últimas Coisas.* 1998: p. 226-227.

⁵ Adolf Pohl. *Apocalipse de João. Vol. 2.* 2001: p. 46.
⁶ William Barclay. *Apocalipsis.* 1975: p. 284.

**Capítulo 18**
¹ William Hendriksen. *Más que Vencedores.* 1965: p. 151.
² George Ladd. *Apocalipse.* 1980: p. 114.
³ Michael Wilcock. *A Mensagem do Apocalipse.* 1986: p. 80.
⁴ Martyn Lloyd-Jones. *A Igreja e as Últimas Coisas.* 1998: p. 227.
⁵ William Hendriksen. *Más que Vencedores.* 1965: p. 156-158; Simon Kistemaker. *Apocalipse.* 2004: p. 419-420.
⁶ Michael Wilcock. *A Mensagem do Apocalipse.* 1986: p. 79.
⁷ Warren Wiersbe. *With the Word.* 1991: p. 855.
⁸ Adolf Pohl. *Apocalipse de João. Vol. 2.* 2001: p. 66.
⁹ Charles R. Erdman. *Apocalipse.* 1960: p. 79.
¹⁰ George Ladd. *Apocalipse.* 1980: p. 119.
¹¹ William Hendriksen. *Más que Vencedores.* 1965: p. 158.
¹² Antony Hoekema. *La Bíblia y el Futuro.* 1984: p. 65.
¹³ Warren Wiersbe. *The Bible Expository Commentary. Vol. 2.* 1989: p. 600.
¹⁴ William Hendriksen. *Más que Vencedores.* 1965: p. 159.

**Capítulo 19**
¹ Martyn Lloyd-Jones. *A Igreja e as Últimas Coisas.* 1998: p. 209-245.
² William Hendriksen. *Más que Vencedores.* 1965: p. 162.
³ Edward McDowell. *A Soberania de Deus na História.* 1980: p. 111.
⁴ Adolf Pohl. *Apocalipse de João. Vol. 2.* 2001: p. 77.
⁵ William Hendriksen. *Mas que Vencedores.* 1965: p. 164.
⁶ Adolf Pohl. *Apocalipse de João. Vol. 2.* 2001: p. 79.
⁷ John F. Walvoord. *The Revelation of Jesus Christ.* Moody. Chicago. 1966: p. 188.
⁸ Simon Kistemaker. *Apocalipse.* 2004: p. 450-451.
⁹ William Hendriksen. *Más que Vencedores.* 1965: p. 164.
¹⁰ Ibid, p. 164.
¹¹ Ibid, p. 164.
¹² Ibid, p. 164.
¹³ Ibid, p. 164.
¹⁴ Arthur E. Blomfield. *As Profecias do Apocalipse.* 1996: p. 177-178.
¹⁵ Adolf Pohl. *Apocalipse de João. Vol. 2.* 2001: p. 81.
¹⁶ William Hendriksen. *Más que Vencedores.* 1965: p. 165.
¹⁷ Ibid, p.171.
¹⁸ Charles R. Erdman. *Apocalipse.* 1960: p. 83.

[19] Adolf Pohl. *Apocalipse de João. Vol. 2.* 2001: p. 83.
[20] Ibid, p. 95.
[21] Ibid, p. 92.
[22] Ibid, p. 92.
[23] Ibid, p. 92.

## Capítulo 20

[1] William Hendriksen. *Más que Vencedores.* 1965: p. 174-175; Simon Kistemaker. *Apocalipse.* 2004: p. 491.
[2] Antony Hoekema. *La Biblia y el Futuro.* 1979: p. 180-181.
[3] Fritz Rienecker e Cleon Rogers. *Chave Linguística do Novo Testamento Grego.* 1985: p. 625.
[4] Charles R. Erdman. *Apocalipse.* 1960: p. 86.
[5] William Hendriksen. *Más que Vencedores.* 1965: p. 176.
[6] William Barclay. *Apocalipsis.* 1975: p. 327.
[7] Adolf Pohl. *Apocalipse de João. Vol. 2.* 2001: p. 104.
[8] Arthur E. Blomfield. *As Profecias do Apocalipse.* 1996: p. 192.
[9] Daniel 7:25.
[10] Daniel 11:36.
[11] 2Tessalonicenses 2:4.
[12] Apocalipse 13:6.
[13] 1João 2:22.
[14] Daniel 7:25.
[15] Daniel 7:21.
[16] William Hendriksen. *Más que Vencedores.* 1965: p. 179.
[17] Charles R. Erdman. *Apocalipse.* 1960: p. 88.
[18] David S. Schaff. *Nossa Crença e a de Nossos Pais.* Imprensa Metodista. São Paulo, SP. 1964: p. 244-245.
[19] Ibid, p. 246.
[20] Anibal Pereira Reis. *A Imagem da Besta.* Edições Caminhos de Damasco Ltda. São Paulo, SP. 1980: p. 19; *Pedro Nunca Foi Papa Nem o Papa é Vigário de Cristo.* Edições Caminho de Damasco. São Paulo, SP. 1975: p. 226.
[21] Adolf Pohl. *Apocalipse de João. Vol. 2.* 2001: p. 113.
[22] William Hendriksen. *Más que Vencedores.* 1988: p. 142.
[23] William Barclay. *Apocalipsis.* 1975: p. 341.
[24] Wim Malgo. *O Controle Total.* Chamada da Meia Noite. Porto Alegre, RS: p. 13-75.
[25] Michael Wilcock. *A Mensagem do Apocalipse.* 1986: p. 101.
[26] Arthur E. Blomfield. *As Profecias do Apocalipse.* 1996: p. 198.

[27] Charles R. Erdman. *Apocalipse*. 1960: p. 87.
[28] Simon Kistemaker. *Apocalipse*. 2004: p. 502.
[29] William Hendriksen. *Más que Vencedores*. 1965: p. 182.
[30] Charles R. Erdman. *Apocalipse*. 1960: p. 87.

**Capítulo 21**
[1] Adolf Pohl. *Apocalipse de João. Vol. 2*. 2001: p. 126.
[2] George Ladd. *Apocalipse*. 1980: p. 141.
[3] Adolf Pohl. *Apocalipse de João. Vol. 2*. 2001: p. 129.
[4] George Ladd. *Apocalipse*. 1980: p. 141.
[5] Ibid, p. 142.
[6] Adolf Pohl. *Apocalipse de João. Vol. 2*. 2001: p. 131.
[7] George Ladd. *Apocalipse*. 1980: p. 144.
[8] Martyn Lloyd-Jones. *A Igreja e as Últimas Coisas*. 1998: p. 237.
[9] George Ladd. *Apocalipse*. 1980: p. 145.
[10] Harold B. Allison. *A Doutrina das Últimas Coisas*. Imprensa Batista Regular. São Paulo, SP. 1971: p. 22.
[11] Efésios 2:10.
[12] Fritz Rienecker e Cleon Rogers. *Chave Linguística do Novo Testamento Grego*. 1985: p. 628.
[13] William Hendriksen. *Más que Vencedores*. 1965: p. 187.
[14] George Ladd. *Apocalipse*. 1980: p. 150.

**Capítulo 22**
[1] William Hendriksen. *Más que Vencedores*. 1965: p. 189-190.
[2] Ibid, p. 190.
[3] Mateus 10:39.
[4] William Barclay. *Apocalipsis*. 1975: p. 364.
[5] Isaías 55:6.

**Capítulo 23**
[1] William Hendriksen. *Más que Vencedores*. 1965: p. 193.
[2] Ibid, p. 194.
[3] George Ladd. *Apocalipse*. 1980: p. 155.
[4] William Hendriksen. *Más que Vencedores*. 1965: p. 195.
[5] Adolf Pohl. *Apocalipse de João. Vol. 2*. 2001: p. 158.
[6] George Ladd. *Apocalipse*. 1980: p. 159.
[7] William Hendriksen. *Más que Vencedores*. 1965: p. 197.
[8] Adol Pohl. *Apocalipse de João. Vol. 2*. 2001: p. 165.

## Capítulo 24
1. William Hendriksen. *Más que Vencedores*. 1965: p. 200.
2. Adolf Pohl. *Apocalipse de João. Vol. 2.* 2001: p. 167.
3. Martyn Lloyd-Jones. *A Igreja e as Últimas Coisas*. 1998: p. 242-243.
4. William Hendriksen. *Más que Vencedores*. 1965: p. 202.
5. George Ladd. *Apocalipse*. 1980: p. 166.
6. Adolf Pohl. *Apocalipse de João. Vol. 2.* 2001: p. 171.
7. Paul Johnson. *Modern Times*. Harper and Row. New York, NY. 1983: p. 729.
8. James Kennedy. *As Portas do Inferno não Prevalecerão*. CPAD. Rio de Janeiro, RJ. 1998: p. 250.
9. Ibid, p. 171.
10. Ibid, p. 183.

## Capítulo 25
1. Charles R. Erdman. *Apocalipse*. 1960: p. 110.
2. Warren Wiersbe. *The Bible Expository Commentary. Vol. 2.* 1989: p. 614-616.
3. Adolf Pohl. *Apocalipse de João. Vol. 2.* 2001: p. 186.
4. A admoestação para sair da Babilônia é feita ao povo de Deus em todos os tempos (Is 48:20; 52:11; Jr 50:8; 51:54; Zc 2:7; 2Co 6:16-18).
5. Adolf Pohl. *Apocalipse de João. Vol. 2.* 2001: p. 189.
6. Ibid, p. 189.
7. Veja At 2:40; 1Co 6:18; 1Co 10:14; 2Co 6:17; 1Tm 6:11; 2Tm 2:22.
8. 1Coríntios 11:32.
9. 2Timóteo 3:4.
10. Adolf Pohl. *Apocalipse de João. Vol. 2.* 2001: p. 195.
11. Ibid, p. 197.
12. Hebreus 9:27.
13. Mateus 25:41-46.
14. Charles R. Erdman. *Apocalipse*. 1960: p. 113.

## Capítulo 26
1. George Ladd. *Apocalipse*. 1980: p. 182.
2. William Hendriksen. *Más que Vencedores*. 1965: p. 215-216.
3. Martyn Lloyd-Jones. *A Igreja e as Últimas Coisas*. 1998: p. 244.

## Capítulo 27
1. William Hendriksen. *Más que Vencedores*. 1965: p. 222-223.
2. Adolf Pohl. *Apocalipse de João. Vol. 2.* 2001: p. 234-235.

[3] Arthur H. Lewis. *The Dark Side of the Millennium*. Baker. *Grand Rapids, Michigan*. 1980: p. 21-25.
[4] J. W. Grier. *Os Últimos Acontecimentos*. 1972: p. 90.
[5] Russell P. Shedd. *A Teologia do Novo Testamento*. 1983: p. 61.
[6] Martyn Lloyd-Jones. *A Igreja e as Últimas Coisas*. 1998: p. 273.
[7] Simon Kistemaker. *Apocalipse*. 2004: p. 672.
[8] Romanos 8:30; João 6:37; 10:16.
[9] Ibid, p. 673.
[10] William Hendriksen. *Más que Vencedores*. 1965: p. 228.
[11] Ibid, p. 229-230.
[12] William Hendriksen. *Op. Cit.* 1988: p. 137.
[13] Antony Hoekema. *La Biblia y el Futuro*. 1984: p. 257.
[14] (Ap 1:4; 3:21; 4:2,3,4,5,6,9,10; 5:6,7,11,13; 6:16; 7:9,10,11,15,17; 8:3; 12:5; 14:3,5; 16:17; 19:4,5; 20:4,11; 21:5; 22:1,3).
[15] Simon Kistemaker. *Apocalipse*. 2004: p. 676.
[16] Para uma melhor compreensão a respeito do período intermediário, consulte La Inmortalidad de Loraine Boettner.
[17] William Hendriksen. *Más que Vencedores*. 1965: p. 232-233.
[18] Simon Kistemaker. *Apocalipse*. 2004: p. 679.
[19] Loraine Boettner. *La Inmortalidad*. TELL. Grand Rapids, Michigan, p. 26.
[20] William Hendriksen. *Más que Vencedores*. 1965: p. 236.
[21] Esta única ressurreição geral acontece no último dia (Jo 6:39,40,44,54; At 24:15; Mt 22:31; At 24:21; Hb 6:2).
[22] Daniel 12:2; João 5:28-29.
[23] William Hendriksen. *Más que Vencedores*. 1965: p. 237.
[24] Ibid, p. 237.
[25] Charles R. Erdman. *Apocalipse*. 1960: p. 128.
[26] A frase *lago de fogo* ocorre somente no Apocalipse, e isso num total de seis vezes (19:20; 20:10,14 [duas vezes], 15; 21:8).
[27] Na linguagem comum da Escritura é que o inferno é um lugar de fogo (Is 33:14; 66:24; Mt 5:22; 13:40,42,50; 18:8,9; 25:41; Mc 9:43-48; Lc 16:19-31; Jd 7; Ap 14:10; 19:20; 20:10,14,15; 21:8).
[28] Loraine Boettner. *La Inmortalidad*. p. 144.
[29] Rene Pache. d ¿Existe el Infierno? TELL. Grand Rapids, Michigan. 1957: p. 48-49.
[30] Ibid, p. 50.

**Capítulo 28**
[1] Mateus 6:20.

[2] Colossenses 3:1.
[3] Mateus 6:10.
[4] 2Pedro 3:14.
[5] Romanos 8:18.
[6] Hebreus 11:10,26.
[7] Filipenses 1:21,23.
[8] W. A. Criswell & Paige Patterson. *Heaven*. Tyndale House Publishers. Wheaton, Illinois. 1991: p. 60.
[9] Ibid, p. 62-63.
[10] Adolf Pohl. *Apocalipse de João. Vol. 2.* 2001: p. 254.
[11] Simon Kistemaker. *Apocalipse.* 2004: p. 704.
[12] Adolf Pohl. *Apocalipse de João. Vol. 2.* 2001: p. 256.
[13] Isaías 62:5.
[14] 1Coríntios 3:17; 6:19.
[15] William Hendriksen. *Op. Cit.* 1988: p. 240-241.

**Capítulo 29**

[1] Simon Kistemaker. *Apocalipse.* 2004: p. 697.
[2] Warren Wiersbe. *The Bible Expository Commentary.* 1989: p. 623.
[3] Russell P. Shedd. *A Escatologia do Novo Testamento.* 1983: p. 64.
[4] William Hendriksen. *Más que Vencedores.* 1965: p. 247.
[5] João Antonio Marques. *Pedro Nunca Foi Papa.* Publicações Bereia. Lisboa. 1984: p. 81.
[6] Adolf Pohl. *Apocalipse de João. Vol. 2.* 2001: p. 270.
[7] George Ladd. *Apocalipse.* 1980: p. 210.
[8] 2Coríntios 5:1.
[9] William Hendriksen. *Más que Vencedores.* 1965: p. 248.
[10] Warren Wiersbe. *The Bible Expository Commentary. Vol. 2.* 1989: p. 624.

**Capítulo 30**

[1] George Ladd. *Apocalipse.* 1980: p. 216.
[2] Arthur E. Blomfield. *As Profecias do Apocalipse.* 1996: p. 262.
[3] W. J. Grier. *O Maior de todos os Acontecimentos.* 1972: p. 106.
[4] (Mc 13:35-37; Mt 24:43-44; Mt 24:45-51; Mt 25:1-12; Mt 25:14-30; Mt 25:31-45).
[5] Russell P. Shedd. *A Escatologia do Novo Testamento.* 1983: p. 70
[6] Fritz Rienecker e Cleon Rogers. *Chave Linguística do Novo Testamento Grego.* 1985: p. 639.

Sua opinião é importante para nós.
Por gentileza, envie-nos seus comentários pelo e-mail:

**editorial@hagnos.com.br**

Visite nosso site:

**www.hagnos.com.br**